Lege plek

Van Jonathan Kellerman zijn verschenen:

Doodgezwegen*
Domein van de beul*
Het scherp van de snede*
Tijdbom*
Oog in oog*
Duivelsdans*
Gesmoord*
Noodgreep*
Breekpunt*
Het web*
De kliniek*
Bloedband*
Handicap*
Billy Straight*
Boze tongen*
Engel des doods*
Vlees en bloed*
Moordboek
Doorbraak
Lege plek

* In POEMA-POCKET verschenen

Jonathan Kellerman

Lege plek

SIJTHOFF

Oorspronkelijke titel: *The Conspiracy Club*
Vertaling: Cherie van Gelder
Omslagontwerp: Pete Teboskins
Omslagfotografie: Hollandse Hoogte

ISBN 90 245 4992 2
NUR 332
www.boekenwereld.com

Ter nagedachtenis aan mijn vader, David Kellerman
1918 – 2003

1

Kolkende emoties. Dood vlees.

Volslagen tegenpolen in de ogen van Jeremy Carrier.

Binnen een ziekenhuis waren geen twee afdelingen te vinden die zo weinig overeenkomst hadden als psychologie en pathologie. Als praktiserend psycholoog beroemde Jeremy zich op het feit dat hij onbevooroordeeld was. Een goede psychotherapeut deed zijn uiterste best om niet te generaliseren.

Maar in al die jaren dat Jeremy in het City Hospital – waar hij ook zijn opleiding had gehad – werkzaam was geweest, had hij nauwelijks pathologen ontmoet die niet van hetzelfde laken een pak waren: in zichzelf gekeerde, mompelende figuren, die zich beter op hun gemak voelden bij hompen afgestorven vlees, het abstracte expressionisme van uitstrijkjes en de koelcel-omgeving van het mortuarium in het souterrain dan bij levende, ademende patiënten.

En zijn collega-psychologen, psychiaters en al die andere bewakers van het geestelijk welzijn waren in de meeste gevallen overdreven gevoelige zielen die al misselijk werden als ze bloed zagen.

Overigens had Jeremy nooit echt kennisgemaakt met een patholoog, al was hij ze tien jaar lang in de gangen tegengekomen. De sociale structuur van het ziekenhuis verschilde nauwelijks van die op een middelbare school: een stringente wij-tegen-hen-mentaliteit, een voortwoekerend kastenstelsel, kliekjesgeest, intriges en een voortdurend bakkeleien om macht en invloed. En dat alles werd nog eens versterkt door die ommekeer van doel en middelen waaraan geen enkele bureaucratie ontkomt: het ziekenhuis was van een geneeskundige inrichting die geld nodig heeft om patiënten te kunnen behandelen, veranderd in een grootschalige overheidswerkgever die het geld dat de patiënten opbrachten nodig had om haar werknemers te betalen.

Het gevolg was een ietwat asociaal sfeertje.

Een federatie van afzonderingen.

Bij City Central hield iedere schoenmaker zich bij zijn leest en alleen in het uiterste geval, als de zorg voor een patiënt dat noodzakelijk maakte, vond er een vorm van kruisbestuiving plaats: een internist die ten slotte ten einde raad toch de hulp van een chirurg inriep, een huisarts die zich pas na lang wikken en wegen in het moeras van specialistische hulp waagde.

Waarom zou een patholoog zich in vredesnaam tot een psycholoog wenden?

Al die dingen – plus die smerige streek van het leven die van Jeremy Carrier een gekwelde, radeloze jongeman had gemaakt – hadden tot gevolg dat hij volkomen overdonderd was toen Arthur Chess toenadering tot hem zocht.

Misschien was die radeloosheid van Jeremy wel de grondslag voor alles wat daarna gebeurde.

Bijna een jaar lang had Jeremy Arthur één keer per week ontmoet, maar de twee mannen hadden nooit een woord met elkaar gewisseld. Toch stond Arthur nu in de kantine van de artsen tegenover Jeremy en informeerde beleefd of Jeremy zijn gezelschap op prijs zou stellen.

Het was bijna drie uur 's middags, een ongebruikelijke tijd om te lunchen, en de kantine was bijna leeg.

'Uiteraard,' zei Jeremy en besefte toen pas dat hij daar helemaal niet zo zeker van was.

Arthur knikte en liet zijn omvangrijke gestalte in een kleine stoel zakken. Op zijn blad stonden twee porties gebraden kip, een berg aardappelpuree overgoten met een flinke schep jus, een plak bruin brood, een kommetje maïssalade en een beslagen blikje cola.

Terwijl hij naar de voorraad etenswaren keek, vroeg Jeremy zich onwillekeurig af of hij uit het Zuiden zou komen. Hij probeerde zich te herinneren of hij ooit sporen van een zuidelijk accent in Arthurs stem had gehoord, maar hij dacht van niet. De bariton van de oude man deed eerder aan New England denken.

Arthur Chess leek aanvankelijk niet geïnteresseerd te zijn in conversatie. Nadat hij zijn servet op zijn schoot had gelegd, begon hij het eerste stuk kip klein te snijden. De bewegingen van zijn lange vingers met de korte brede nagels waren snel en sierlijk. Zijn lange witte doktersjas was sneeuwwit, met uitzondering van een paar verontrustende, roze spatjes op de rechtermouw. Het overhemd onder de jas was donkerblauw gespikkeld, met een brede kraag. Arthurs donkerrode vlinderdasje zat scheef, maar op een manier die opzet deed vermoeden.

Jeremy schatte dat de patholoog op z'n minst vijfenzestig was, misschien zelfs ouder, maar Arthurs roze huid glansde van gezondheid. Zijn lange gezicht was omkranst door een keurige, witte baard zonder snor. Zo zou Lincoln eruit hebben gezien als Honest Abe de kans had gekregen om die leeftijd te bereiken. In het meedogenloze licht van het ziekenhuis leek zijn kale hoofd op een indrukwekkende volle maan.

Jeremy was in grote trekken bekend met de reputatie van Arthur. Professor Chess was hoofd geweest van de afdeling pathologie, maar een paar jaar geleden had hij zijn administratieve functie neergelegd om zich te concentreren op wetenschappelijk werk. Dat had iets te maken met kwaadaardige gezwellen in bindweefsel, detailgegevens over de doordringbaarheid van celwanden en ga zo maar door.

Arthur stond ook bekend als wereldreiziger en amateur-lepidopterist. Zijn verhandeling over de kadaver etende vlinders uit Australië was te koop in de geschenkenwinkel van het ziekenhuis, naast de gebruikelijke romannetjes en pocketboeken. Het stapeltje saai uitziende, vuilbruine boekjes was Jeremy opgevallen omdat ze zo afstaken tegen de felgekleurde omslagen van de laatste bestsellers. Het bruine stapeltje leek nooit kleiner te worden, want waarom zou een patiënt geïnteresseerd zijn in lectuur over insecten die zich aan lijken te goed deden?

Arthur nam drie hapjes van zijn kip en legde zijn vork neer. 'Ik hoop echt dat ik u niet stoor, dokter Carrier.'

'Helemaal niet, dokter Chess. Kan ik u ergens mee van dienst zijn?'

'Van dienst?' vroeg Arthur geamuseerd. 'Nee hoor, ik had gewoon behoefte aan een gezellig praatje. Het was me al eerder opgevallen dat u meestal alleen eet.'

'Dat komt door mijn diensttijden,' jokte Jeremy. 'Die zijn nogal onvoorspelbaar.' Sinds zijn leven in puin was gevallen meed hij gezellige gesprekken en praatte alleen met zijn patiënten. Hij had het punt bereikt waarop hij vriendelijkheid kon simuleren. Maar af en toe, op de dagen dat hij diep in de put zat, was elk menselijk contact pijnlijk.

De smerige streken van het leven...

'Uiteraard,' zei Chess. 'Gezien de aard van uw werk lijkt dat onvermijdelijk.'

'Pardon?' zei Jeremy.

'De onvoorspelbaarheid van menselijke emoties.'

'Dat klopt.'

Arthur knikte ernstig, alsof ze gezamenlijk tot een belangrijke conclusie waren gekomen. Even later zei hij: 'Jeremy – mag ik Jeremy zeggen? – Jeremy, het was me opgevallen dat je ontbrak op onze kleine bijeenkomst van afgelopen dinsdag.'

'Er kwam iets tussen,' zei Jeremy, met het gevoel alsof hij op spijbelen was betrapt. Hij glimlachte gedwongen. 'Onvoorspelbare emoties.'

'Naar tevredenheid opgelost, hoop ik?'

Jeremy knikte. 'Was er nog iets nieuws bij het TO?'

'Twee nieuwe diagnoses, een adenocarcinoom en een geval van CML. De normale voordracht, de gebruikelijke verhitte discussies. Om eerlijk te zijn heb je niets gemist.'

Onze kleine bijeenkomst van afgelopen dinsdag was het tumorenoverleg. Een wekelijks ritueel, 's morgens van acht tot negen in de grote vergaderzaal. Onder leiding van Arthur Chess kwam dan een groep oncologen, radiologen, chirurgen en gespecialiseerde verpleegkundigen bijeen. Hij was degene die de diaprojector bediende en uitleg gaf met behulp van een lichtstaf en zijn enorme geheugen.

Jeremy was inmiddels al bijna een jaar de vertegenwoordiger van de bewakers van het geestelijk welzijn. In al die tijd had hij maar één keer zijn mond opengedaan.

Jaren geleden had hij, als arts-assistent, het overleg voor het eerst bijgewoond. Hij had het als ironisch en grotesk ervaren, al die dia's van door tumoren aangevreten cellen die in snel tempo voorbijklikten op een enorm scherm dat half verscholen ging achter een nicotinewalm.

Op z'n minst een derde van de in kanker gespecialiseerde artsen en verpleegkundigen had stevig zitten paffen.

De psycholoog die destijds Jeremy's baas was, een ongelooflijke dikdoener, was altijd gewapend geweest met een meerschuimen pijp van freudiaanse afmetingen en had wolken Latakia-tabaksrook in Jeremy's gezicht geblazen.

Arthur had destijds ook al de leiding gehad en het drong ineens tot Jeremy door dat hij er eigenlijk nog precies hetzelfde uitzag. De hoofdpatholoog had zelf niet gerookt, maar hij had er ook geen bezwaar tegen gemaakt. Toen een paar maanden later een rijke weldoenster van het ziekenhuis, die een rondleiding kreeg, even een blik naar binnen had geworpen, had ze naar adem staan snakken. Al snel daarna werd in het ziekenhuis een algemeen rookverbod uitgevaardigd en was de stemming bij het tumorenoverleg prikkelbaar geworden.

Arthur sneed een blokje volkorenbrood van de boterham af en zat er nadenkend op te kauwen. 'Je hebt niets gemist, Jeremy, maar ik ben echt van mening dat je aanwezigheid iets toevoegt.'

'O, ja?'

'Ook al doe je niet vaak je mond open, het feit dat je erbij bent, zorgt dat we op ons qui-vive blijven. Ik bedoel qua sensitiviteit.'

'Tja,' zei Jeremy terwijl hij zich afvroeg waarom de oude man hem zo schaamteloos stroop om de mond zat te smeren, 'alles wat meer begrip oplevert, is meegenomen.'

'Die keer dat je wel je mond opendeed,' zei Arthur, 'heb je ons wel met de neus op de werkelijkheid gedrukt.'

Jeremy voelde zijn wangen gloeien. 'Ik vond het belangrijk.'

'En dat was het ook, Jeremy, hoewel niet iedereen er zo over dacht.'

De keer dat hij zijn mond had opengedaan was zes weken geleden geweest. Arthur had dia's laten zien van door maagkanker veroorzaakte uitzaaiingen en had alle tumoren voorzien van hun correcte, poëtisch klinkende Latijnse benamingen. De patiënt, een achtenvijftigjarige vrouw die Anna Duran heette, was naar Jeremy doorgestuurd vanwege haar 'onwelwillende houding'.

Ze had op Jeremy aanvankelijk een norse indruk gemaakt. In plaats van te proberen haar aan het praten te krijgen, had hij een vers kopje thee voor haar en een kop koffie voor hemzelf gehaald, haar kussens opgeschud en was vervolgens naast haar bed gaan zitten wachten.

Het kon hem niets schelen of ze wel of niet zou reageren. Zo ging het al sinds Jocelyn. Hij spande zich niet meer in.

En het rare was dat die apathische houding de patiënten stimuleerde om sneller hun hart uit te storten.

Het verdriet had een effectievere psychotherapeut van hem gemaakt.

Toen de verbijsterde Jeremy daarover was gaan nadenken, kwam hij tot de conclusie dat de patiënten zijn onbewogen gezicht en de bijpassende lichaamshouding waarschijnlijk interpreteerden als een onverstoorbare, zen-achtige rust.

Ze moesten eens weten...

Toen ze haar kopje thee op had, was Anna Duran bereid om te praten.

En daarom had Jeremy zijn mond wel open moeten doen, toen de behandelend oncoloog van mevrouw Duran en haar radioloog al twintig minuten over het geval zaten te praten. Beide specialisten waren goed van de tongriem gesneden mannen vol goede bedoelingen, toegewijde vaklieden die helaas vanwege hun tunnelvisie geneigd waren om het kind met het badwater weg te gooien. Die ochtend waren ze verwikkeld geraakt in een oeverloze, verhitte discussie waarbij de rest van de aanwezigen stiekem op hun horloge zat te gluren.

Jeremy was eigenlijk van plan zich er niet mee te bemoeien. Die dinsdagochtendbijeenkomsten waren een vervelende klus, waarbij hij door het verplichte rouleersysteem naar zijn smaak te veel met zijn neus op de dood werd gedrukt.

Maar die ochtend gebeurde er iets dat hem deed opspringen.

Door die plotselinge beweging werden vijftig paar ogen op hem gevestigd.

De oncoloog had net een uitspraak gedaan.

De radioloog, die op het punt stond erop in te gaan, hield zijn mond toen hij de uitdrukking op Jeremy's gezicht zag.

Arthur Chess liet zijn aanwijsstok tussen zijn handen rollen. 'Ja, dokter Carrier?'

Jeremy keek de kibbelende specialisten aan. 'Heren, uw discussie is wellicht zinvol vanuit medisch oogpunt, maar u verspilt uw tijd. Mevrouw Duran wenst zich niet te laten behandelen.'

De stilte zaaide zich uit.

'En waarom niet, dokter?' informeerde de oncoloog.

'Ze vertrouwt niemand in dit ziekenhuis,' zei Jeremy. 'Ze is zes jaar geleden geopereerd, een acute blindedarmoperatie gevolgd door een zware ontsteking. Ze is ervan overtuigd dat ze daardoor maagkanker heeft gekregen. Ze is van plan om het ziekenhuis te verlaten en naar een plaatselijke gebedsgenezer te gaan... een *curandero*.'

Er verscheen een harde blik in de ogen van de oncoloog. 'Is dat zo, dokter?'

'Ik vrees van wel, dokter.'

'Eigenaardig en charmant stupide. Waarom weet ik daar niets van?'

'Ik heb het u nu verteld,' zei Jeremy. 'Ik heb het gisteren van haar gehoord en een boodschap op uw kantoor achtergelaten.'

De schouders van de oncoloog zakten. 'Tja, in dat geval... lijkt het me het beste als u weer naar haar toegaat en haar ervan overtuigt dat ze een verkeerde beslissing heeft genomen.'

'Dat is mijn werk niet,' zei Jeremy. 'U bent degene die haar moet voorlichten. Maar eerlijk gezegd denk ik niet dat er iemand is die haar iets zinnigs te vertellen heeft.'

'O, nee?' De oncoloog schonk hem een ijzig glimlachje. 'Dus ze gaat gewoon naar haar medicijnman toe en legt zich dan neer om te sterven?'

'Ze is ervan overtuigd dat die eerdere behandeling haar ziek heeft gemaakt en dat een volgende haar dood zal betekenen. Het gaat om maagkanker. Wat hebben wij haar eigenlijk te bieden?'

Geen antwoord. Iedereen in het vertrek kende de feiten. Maagkanker in een dergelijk gevorderd stadium gaf geen reden tot optimisme.

'Dus het is niet uw werk om haar tot rust te brengen, dokter Carrier?' zei de oncoloog. 'Kunt u het tumorenoverleg dan duidelijk maken wat uw werk wél is?'

'Dat is een goeie vraag,' zei Jeremy en liep de vergaderzaal uit.

Hij had verwacht dat hij op het matje zou worden geroepen bij de hoofdpsychiater, een reprimande zou krijgen en zijn plaats bij het overleg kwijt zou raken. Maar hij kreeg niets te horen en toen hij de dinsdag daarna weer kwam opdagen, werd hij ontvangen met ogenschijnlijk respectvolle blikken en knikjes.

Toon geen interesse in patiënten en patiënten zijn sneller bereid om te praten.

Geef de grote jongens van katoen en je wordt door je collega's met meer respect behandeld.

Vuige ironie. Vanaf dat moment zocht Jeremy steeds een excuus om de bijeenkomst te laten lopen.

'Het probleem is,' zei Arthur, 'dat praktijkmensen als wij zo verstrikt raken in details dat we af en toe vergeten dat het om een menselijk wezen gaat.'

Bij jouw werk is er geen sprake meer van een menselijk wezen.

'Ik heb alleen maar mijn werk gedaan, dokter Chess,' zei Jeremy. 'Ik vind het geen prettig idee dat ik als een soort bemiddelaar beschouwd word. Wilt u me nu excuseren?'

'Natuurlijk,' zei Arthur onverstoorbaar, toen Jeremy zijn blad in het rek zette en de kantine uitliep. Hij mompelde nog iets dat Jeremy niet kon verstaan.

Pas veel later had Jeremy het idee dat hij toch wist wat Arthur bij wijze van afscheid had gezegd.

'Tot de volgende keer.'

2

De manier waarop Jocelyn was gestorven – de gedachte aan hoe ze had geleden – bleef Jeremy kwellen.

Hij had het politierapport nooit mogen lezen. Maar hij had de blik in de ogen van de rechercheurs gezien en gehoord wat ze in de wandelgangen tegen elkaar zeiden.

Seksuele psychopaat. Sadistisch. Een klassiek geval, Bob.

Hun ogen. Als rechercheurs zo keken...

Jocelyn Banks was zevenentwintig geweest, klein, goedgevuld, sprankelend, een gezellige kletskous, een ondeugend elfje met blauwe ogen en een bron van troost voor de bejaarde patiënten voor wie ze de zorg op zich had genomen.

Zaal 3E. Al wie hier binnentreedt, laat alle hope varen.

Alzheimer in een vergevorderd stadium, seniliteit als gevolg van aderverkalking, diverse vormen van dementie, ongediagnosticeerde verrotting van de ziel.

De groentetuin, om met de neurologen te spreken. Gevoelige typjes, die neurologen.

Jocelyn werkte van drie uur 's middags tot elf uur 's avonds en verzorgde lege ogen, slappe monden en met kwijl bedekte kinnen. Vrolijk, altijd vrolijk. Patiënten werden aangesproken met 'schat', 'lieverd' en 'knappe knul'. Opgewekt gebabbel waarop nooit werd gereageerd.

Jeremy had haar leren kennen toen hij naar 3E werd geroepen voor een consult van een nieuwe Alzheimerpatiënt en de kaart niet kon vinden. De afdelingssecretaresse was een brok chagrijn en niet van zins te helpen. Jocelyn kwam tussenbeide en het drong ineens tot hem door dat zij het leuke blondje was dat hem al eerder in de cafetaria was opgevallen. *Datgezichtdiebenendatkontje.*

Toen hij zijn consult beëindigd had, ging hij naar haar op zoek, trof haar in de zitkamer van de verplegende staf en vroeg of ze met hem uit wilde. Die avond verwelkomde haar open mond Jeremy's kussen en haar adem rook zoet, ondanks het feit dat hun Italiaanse maaltijd met veel knoflook was gekruid. Later zou Jeremy ontdekken dat die geur een soort inwendig parfum was.

Toen ze negen weken verkering hadden, kwam Jocelyn bij Jeremy wonen in zijn eenzame huisje. Drie maanden daarna, op een maanloze maandagavond, vlak nadat Jocelyns dienst voorbij was, stal iemand haar Toyota op of vlak bij het veel te donkere parkeerterrein voor verpleegkundigen dat een straat van het ziekenhuis af lag. Hij nam Jocelyn mee.

Haar lichaam werd vier dagen later gevonden, onder een brug in The Shallows, een buurt met een slechte reputatie op loopafstand van de gevaarlijkste straten in de stad. Overdag werd er druk handel gedreven, maar 's avonds en 's nachts was het er uitgestorven. Het grensgebied was een optelsom van vervallen gebouwen, kapotte omheiningen, zwerfkatten en diepe schaduwen en daar had de moordenaar Jocelyns lichaam achtergelaten. Ze was gewurgd, met een mes bewerkt en achter een leeg olievat gepropt. Dat was alles wat de rechercheurs aan Jeremy kwijt wilden. Inmiddels hadden die feiten ook al in de krant gestaan.

Een koppel rechercheurs werkte aan de zaak. Doresh en Hoker waren allebei vlezige mannen van in de veertig, met saaie kleren en een huidkleur die op overmatig drankgebruik wees. Bob en Steve. Doresh had donker, golvend haar en een kloof in zijn kin die diep genoeg was om een sigarettenpeuk in te bewaren. Hoker was blonder, met een neus die meer weghad van een varkenssnuit en zo'n genepen mondje dat Jeremy zich afvroeg hoe hij zijn eten naar binnen kreeg.

Ze waren allebei groot en lomp. Maar hun ogen waren vlijmscherp.

Het stel behandelde Jeremy vanaf het begin als een verdachte. De avond dat Jocelyn verdween, was hij om halfzeven vanuit het ziekenhuis naar huis gegaan, had gelezen en naar muziek geluisterd, het eten klaargemaakt en op haar zitten wachten. De heggen om zijn kleine voortuintje voorkwamen dat de buren hem konden zien komen of gaan. De wijk bestond trouwens voornamelijk uit huurhuizen en er was een groot verloop. De meeste mensen namen nauwelijks de moeite om de onaantrekkelijke bungalows fatsoenlijk in te richten en hadden geen contact met hun buren.

De late maaltijd die hij voor hen beiden had klaargemaakt stelde rechercheurs Bob Doresh en Steve Hoker niet in het minst gerust, maar maakte hen zelfs nog argwanender. Want om drie uur 's nachts, lang nadat hij had gebeld om te controleren of Jocelyn niet plotseling een dubbele dienst had moeten draaien en vlak nadat hij haar bij de politie als vermist had opgegeven, had Jeremy de onaangeroerde pasta en de salade in de koelkast gezet, de tafel afgeruimd en afgewassen.

Om iets om handen te hebben en zijn angst te onderdrukken, maar de rechercheurs vonden een dergelijk vertoon van netheid vreemd bij een bezorgde minnaar wiens vriendinnetje niet thuis was gekomen. Tenzij de eerder genoemde minnaar allang had geweten...

Op die voet ging het nog een tijdlang door, waarbij de twee kamerolifanten Jeremy afwisselend neerbuigend bejegenden of hem het vuur na aan de schenen legden. Alle informatie die ze over hem hadden ingewonnen bracht geen akelige feiten aan het licht en het uitstrijkje dat ze ten behoeve van DNA-onderzoek van zijn speeksel hadden gemaakt kwam niet overeen met datgene waarmee ze het wilden vergelijken.

Zijn vragen werden beantwoord met veelbetekenende blikken. Ze praatten een aantal keer met hem. In zijn kantoor in het ziekenhuis, in zijn huis en in een ondervragingskamer die net zo rook als de kleedkamer bij de fitness.

'Zijn er sporen van weefsel onder haar nagels aangetroffen?' vroeg hij zich af, een vraag die meer tot zichzelf dan tot de rechercheurs was gericht.

'Waarom zou u dat willen weten, dokter?' informeerde Bob Doresh.

'Als ze de kans had gehad, zou Jocelyn zich verzet hebben.'

'O ja?' zei Hooker, die tegen de groene metalen tafel leunde.

'Ze was heel zachtaardig... dat heb ik u al verteld. Maar als ze werd aangevallen, zou ze vechten.'

'Geen katje om zonder handschoenen aan te pakken, dus. Zou ze met een vreemde meegaan? Zomaar?'

Jeremy werd zo boos dat hij naar adem snakte. Hij kneep zijn ogen samen en klemde zijn vingers om de rand van de tafel.

Hooker ging zitten. 'Dokter?'

'Wilt u soms beweren dat het zo is gegaan?'

Hooker glimlachte.

'Bedoelen jullie echt dat het haar éígen schuld was?' vroeg Jeremy.

Hooker wierp een blik op zijn partner. Zijn varkenssnuit trilde en hij keek tevreden. 'U kunt wel gaan, dokter.'

Ten slotte lieten ze hem met rust. Maar de schade was al aangericht. Jocelyns familie was naar de stad komen vliegen, haar beide ouders en een zuster. Ze ontliepen hem. Hij kreeg niet te horen wanneer de begrafenis plaatsvond.

Hij probeerde op de hoogte te blijven van het verloop van het onderzoek, maar als hij de recherche belde, kreeg hij alleen de agent van dienst. 'Ze zijn niet aanwezig, ik zal zeggen dat u hebt gebeld.'

Er ging een maand voorbij. Drie maanden. Een halfjaar. Jocelyns moordenaar werd niet gevonden.

Jeremy pakte diep gekwetst zijn leven weer op, maar het was verschrompeld tot iets dat dor en verdroogd was. Hij proefde niet meer wat hij at, ging naar het toilet zonder dat het opluchting bracht, ademde stadslucht in waarvan hij ging hoesten, reed naar het platteland of naar de kust en slaagde er nog steeds niet in om zijn longen vol te zuigen.

Mensen – vreemden die plotseling opdoken – maakten hem aan het schrikken. Hij walgde van menselijk contact. Het onderscheid tussen slapen en waken werd steeds kleiner en bedrieglijker. Als hij praatte, weergalmde zijn eigen stem in zijn oren, hol, echoënd en trillend. De puistjes waarvan hij in zijn puberteit zo'n last had gehad verschenen weer op zijn rug en zijn schouders. Zijn oogleden trilden en af en toe was hij ervan overtuigd dat zijn huid een bittere geur afscheidde. Maar anderen schenen daar geen last van te hebben. Jammer, hij had het niet erg gevonden als ze hem links zouden laten liggen.

Maar al dat ongemak weerhield hem er niet van patiënten te blijven behandelen, vriendelijk te glimlachen, troost te bieden, handen vast te houden, overleg te plegen met artsen en de patiëntenkaarten in te vullen op zijn gebruikelijke manier, met haastige hanenpoten die de verplegende staf aan het giechelen brachten.

Op een keer hoorde hij toevallig een van zijn patiënten, een vrouw die hij had bijgestaan toen haar beide borsten afgezet moesten worden, in de gang tegen haar dochter zeggen: 'Dat is dokter Carrier. Een schat van een man, echt een fantástische kerel.'

Hij kon nog net het herentoilet bereiken, waar hij overgaf en zich waste voordat hij naar zijn volgende afspraak ging.

Zes maanden later had hij het gevoel dat hij alles te boven was en er nooit meer onderuit zou komen. Alsof hij in de huid van een vreemde was gekropen.

En hij vroeg zich af hoe het zou zijn om af te takelen.

3

Na het gesprekje in de kantine was Jeremy bij het volgende tumorenoverleg op zijn hoede voor elk teken van familiariteit dat Arthur Chess zich tegenover hem zou veroorloven. Maar de patholoog wierp hem alleen in het voorbijgaan een blik toe, meer niet.

Na afloop van de vergadering deed Arthur ook geen poging om iets tegen hem te zeggen en Jeremy schreef hun ontmoeting af als een impulsieve opwelling van de oude man.

Op een koude herfstdag liep hij onder lunchtijd het ziekenhuis uit en wandelde naar een twee straten verderop gelegen tweedehands boekenzaak. De winkel was een duistere pijpenla in een gore straat vol drankwinkels, kringloopzaken en leegstaande panden. Een vreemde straat, waar Jeremy af en toe de zoete lucht van versgebakken brood in de neus kreeg, hoewel er geen bakkerij te zien was. Op andere dagen rook hij zwavelhoudende as en industrieafval, hoewel die geuren ook uit het niets leken te komen. Hij begon aan zijn eigen zintuigen te twijfelen.

De boekenzaak stond vol ruwe, houten kisten en rook naar oude kranten. Jeremy had in het verleden al in alle hoeken en gaten gesnuffeld, op zoek naar de antieke psychologieboeken die hij verzamelde. Koopjes genoeg, want kennelijk waren er niet veel mensen geïnteresseerd in een eerste editie van Skinner, Maslow of Jung.

Sinds Jocelyns dood was hij niet meer in de winkel geweest. Misschien was dit een goed moment om zijn oude gewoonten weer op te pakken, voorzover dat ging.

De etalages van de winkel waren zwart en er hing nergens een bordje om aan te geven wat zich binnen bevond. Zodra je binnen was, verdween de wereld van alledag en kon je je rustig concentreren. Het was een slimme zet, die wel het nadeel had dat er weinig verkocht werd. Jeremy had vrijwel nooit andere klanten gezien. Maar misschien gaf de eigenaar daar de voorkeur aan.

Hij was een dikke man die de boeken die Jeremy had uitgezocht met een boos gezicht aansloeg. Hij deed zijn mond nooit open en leek zich opzettelijk mensonvriendelijk te gedragen. Jeremy wist niet zeker of zijn zwijgzaamheid vrijwillig was of het gevolg van een of andere afwijking, maar dat de man niet doof was, stond vast. Integendeel zelfs, want geen geluidje ontging hem. Maar vragen van klanten werden beantwoord met een vinger die ongeduldig naar de in blokletters geschreven winkelindeling naast de deur wees, een nauwelijks leesbare, vrije interpretatie van het gebruikelijke bibliotheeksysteem. Als je daar niet uitkwam, had je pech.

Deze middag zat de uit de kluiten gewassen zwijger achter zijn kassa een verfomfaaide uitgave van *Eugene Aram* van Sir Edward Lytton te lezen. Bij Jeremy's binnenkomst ging hij even verzitten en zijn wenkbrauwen verschoven een millimeter.

Jeremy liep naar de afdeling psychologie en bestudeerde de ruggen van de boeken, op zoek naar schatten. Niets. Op de doorgezakte planken stonden dezelfde boeken die hij daar maanden geleden had zien staan. Allemaal ogenschijnlijk op dezelfde plaats. Alsof de afdeling speciaal voor Jeremy was gereserveerd.

Zoals gewoonlijk was er niemand anders in de winkel. Hoe kon die zwijger hiervan leven? Misschien was dat ook niet het geval. Terwijl Jeremy verder snuffelde, liep hij onwillekeurig na te denken over de andere bronnen van inkomsten die de dikke man zou kunnen hebben. De mogelijkheden waren legio en varieerden van een gigantische erfenis tot een maandelijkse uitkering.

Of misschien was de winkel een dekmantel voor drugshandel, het witwassen van geld, blanke slavinnen of een internationaal spionagehol.

Misschien werden hier, tussen de stoffige boeken, wel plannen gemaakt voor piraterij op zee.

Jeremy fantaseerde vrijuit over allerlei onvoorstelbare wetsovertredingen. Maar dat bracht hem op nare gedachten en hij vervloekte zijn stommiteit.

Hij bleef stokstijf staan toen er een keel werd geschraapt. Hij liep de afdeling psychologie af en wierp een blik in het volgende pad.

Daar stond nog een klant. Een man, met zijn rug naar Jeremy toe, zonder hem op te merken.

Een lange, kale man in een goed gesneden, ouderwets tweed pak. De witte omlijsting van een baard werd zichtbaar toen het roze hoofd werd omgedraaid om een andere plank te inspecteren. Het profiel van de man werd onthuld toen hij zijn keuze maakte en een boek van de plank trok.

Arthur Chess.

Was dat de afdeling lepidopterologie? Jeremy had de indeling van de dikke man nooit bekeken, hij had nooit belangstelling gehad voor andere onderwerpen.

Tunnelvisie. Dat hielp af en toe om het leven simpel te houden.

Hij keek toe hoe Arthur het boek opensloeg, aan zijn duim likte en een bladzijde omsloeg.

Arthurs hoofd bleef gebogen en hij begon het gangpad op en neer te lopen terwijl hij las.

Toen hij zich omdraaide, nog steeds met gebogen hoofd, kwam hij recht op Jeremy af.

Als hij de patholoog zou begroeten, liep hij regelrecht in de valstrik van een beleefd gesprek. Als Jeremy zich nu meteen stiekem uit de voeten maakte, zou de oude man hem misschien niet eens in de gaten hebben.

Maar als hij hem wel zou zien, zou Jeremy in dubbel opzicht aan het kortste eind trekken. Dan zou hij gedwongen zijn om met hem te praten en geen tijd meer hebben om verder te snuffelen.

Hij besloot om Arthur te groeten in de hoop dat de patholoog zo verdiept zou zijn in zijn vlinderboek dat het bij een kort gesprekje zou blijven.

Arthur keek op voordat Jeremy bij hem was. Het boek dat hij in zijn handen had, was groot, met een gebarsten omslag van lichtbruin leer. De pagina's werden niet opgesierd door gevleugelde diertjes. Jeremy kon de titel lezen.

De strategie tijdens de Krimoorlog: een compendium.

Op het kaartje aan de dichtstbijzijnde plank stond: KRIJGSKUNDE.

Arthur glimlachte. 'Jeremy.'

'Middag, Arthur. Wordt er vandaag niet geluncht?'

'Ik heb uitgebreid ontbeten,' zei de patholoog en klopte op zijn vest. 'Ik heb een drukke middag voor de boeg, dus een beetje ontspanning kon geen kwaad.'

Met wat jij de hele dag doet, is het een wonder dat je nog trek hebt in eten.

'Dit is een heerlijke winkel,' zei de oude man.

'Kom je hier vaak?'

'Af en toe. Meneer Renfrew mag dan een stuk chagrijn zijn, maar hij laat je met rust en zijn prijzen zijn bijzonder redelijk.'

Jeremy had al heel wat boeken gekocht, maar de naam van de eigenaar was hem altijd ontgaan. Hij had zich daar ook nooit druk over gemaakt. Arthur was de naam wel te weet gekomen, omdat hij zoals alle gezellige mensen ontzettend nieuwsgierig was.

Maar ondanks dat genoeglijke karakter had de oude man toch verkozen om alleen met doden te werken.

'Ja, de prijzen zijn heel redelijk,' zei Jeremy. 'Leuk dat ik je hier tegen het lijf liep, Arthur. Ik hoop dat je iets van je gading vindt.' Hij draaide zich om en wilde weglopen.

'Heb je tijd om iets te gaan drinken?' vroeg Arthur. 'Een borrel of iets anders?'

'Het spijt me,' zei Jeremy met een tikje op de manchet waaronder zijn horloge schuilging. 'Ik heb het vanmiddag ook erg druk.' Over anderhalf uur wachtte zijn volgende patiënt.

'Ach, natuurlijk. Jammer. Een andere keer dan maar.'

'Uiteraard,' zei Jeremy.

Toen hij later, tegen de avond, naar zijn auto liep, zag hij Arthur in de parkeergarage van de artsen.

Dit gaat te ver. Ik word achtervolgd.

Maar Arthur was hier het eerst geweest, net als in de boekwinkel. Jeremy zei vermanend tegen zichzelf dat hij niet zo'n eigenwaan moest hebben... dat was de eerste stap op weg naar paranoia. Was hij echt zo diep gezonken?

Hij dook weg achter een pilaar en keek toe hoe Arthur zijn auto opende, een zwarte Lincoln die zeker vijftien jaar oud was. Glanzend in de lak, glimmend chroom, prima onderhouden. Net als Arthurs pak: veelgedragen maar duur. Jeremy stelde zich Arthurs huis voor en vermoedde dat de patholoog in een van die mooie oude panden in Queens Arms zou wonen, op de North Side, een wat haveloze maar elegante rij huizen met uitzicht op de haven.

Ja, Q.A. was echt iets voor Arthur. Het huis zou waarschijnlijk Victoriaans of pseudo-zeventiende-eeuws zijn, muf maar gezellig, vol dik gestoffeerde banken met een verschoten bekleding, stevige mahoniehouten meubels uit het begin van de twintigste eeuw, stapels antimakassars, vingerdoekjes, snuisterijen en een goedgevulde bar met eersteklas sterkedrank.

Opgeprikte vlinders in versierde lijsten.

Was de patholoog getrouwd? Vast wel. Die onverstoorbare opgewektheid duidde op een gezellige, rustgevende regelmaat.

Hij was absoluut getrouwd, besloot Jeremy. Gelukkig en al tientallen jaren. In gedachten zag hij een rondborstige vrouw met een iel stemmetje en blauwgespoelde haren voor zich, die haar 'lieve Arthur' vertroetelde.

Hij keek toe hoe de oude man zijn lange lijf in de Lincoln liet zakken. Toen de grote vierdeurswagen met een sonoor gebrom startte, liep Jeremy haastig naar zijn eigen, stoffige Nova.

Hij ging achter het stuur zitten en dacht aan de genoegens die op Arthur wachtten. Een zelfgekookt maal, eenvoudig maar voedzaam. Een stevige borrel om de bloedvaten te verwijden en de verbeelding te stimuleren.

De voeten omhoog, een warme glimlach gevoed door sleur.

Jeremy's maag kromp samen toen de zwarte auto geruisloos wegreed.

4

Op de kop af twee weken na de ontmoeting in de boekwinkel werd Jeremy benaderd door een tweedejaars arts-assistent, een schattige brunette die Angela Rios heette. Hij maakte de ronde over de kinderafdeling, samen met de behandelend arts en de pediatrische staf. Dr. Rios, met wie hij in het verleden wel eens had gebabbeld, week niet van zijn zij en hij kon de shampoogeur van haar lange donkere haar ruiken. Haar donkere ogen hadden de kleur van bittere chocola en ze had een zwanenhals en een tenger, puntig kinnetje onder een zachte, brede mond.

Die ochtend waren vier gevallen geselecteerd die doorgesproken moesten worden: een achtjarig meisje met collageenziekte, een broze puber die aan suikerziekte leed, een klein kind dat er slecht aan toe was – waarschijnlijk als gevolg van kindermishandeling – en een bitter, vroegrijp twaalfjarig jongetje met een minuscuul lijfje, verschrompeld door een zeldzame botziekte.

De behandelend arts, een vriendelijke man die Miller heette, vatte de toestand van de invalide jongen samen voordat hij Jeremy met opgetrokken wenkbrauwen aankeek. Jeremy richtte zich tot een verzameling jonge, verbijsterde gezichten en deed een poging de jongen als een persoon af te schilderen: zijn intelligentie, zijn verbitterdheid, het verdriet dat alleen maar zou toenemen. Hij probeerde die nieuwe artsen zover te krijgen dat ze het kind niet alleen als een geval zouden beschouwen. Maar dan wel op een onderkoelde manier, waarbij hij zorgvuldig het overdreven heilige vuur meed dat de bewakers van de geestelijke gezondheid zo vaak tentoonspreidden.

Ondanks het feit dat hij zijn best deed, maakte de helft van de leerling-artsen een verveelde indruk. De rest hing aan zijn lippen, ook Angela Rios, die haar ogen geen moment van Jeremy afwendde. Toen de ronde erop zat, bleef ze plakken en vroeg hem een paar dingen over de invalide jongen die – daarvan was Jeremy overtuigd – ze allang wist.

Hij gaf geduldig antwoord. Haar lange, donkere haar was golvend en zijdezacht, ze had een romige huid en die verrukkelijke ogen waren zo warm als ogen maar konden zijn. Alleen haar stem viel licht uit de toon: een beetje al te vrolijk, met te veel nadruk op de laatste lettergrepen. Het zou verlangen kunnen zijn. Maar Jeremy had geen zin om versierd te worden. Hij gaf haar een complimentje voor haar vragen, schonk haar een beroepsmatige glimlach en ging ervandoor.

Drie uur later verscheen Arthur Chess in zijn kantoor.

'Hopelijk stoor ik je niet.'

Jawel, dat doe je wel. Jeremy had zitten werken aan het concept voor een hoofdstuk van een boek. Drie jaar geleden had hij als gedragsdeskundige meegewerkt aan een onderzoek van 'tentkinderen': jonge mensen in een vergevorderd stadium van kanker die behandeld werden in steriele, plastic ruimtes in een poging hun verzwakte afweermechanismen te vrijwaren van infecties. Het isolement vormde een bedreiging voor de jeugdige geest en het was Jeremy's taak geweest om een geestelijke instorting te voorkomen en eventueel te behandelen.

Dat was hem gelukt, en een aantal van de kinderen had het overleefd en maakte het uitstekend. De leider van het onderzoek, inmiddels het hoofd van de afdeling oncologie, had erop aangedrongen dat hij zijn gegevens in boekvorm zou publiceren en een medische uitgeverij had enthousiast op dat idee gereageerd.

Het had Jeremy bijna anderhalf jaar gekost om de opzet op papier te zetten en daarna was hij aan een inleiding begonnen. Na een jaar had hij precies twee bladzijden geproduceerd.

Nu schoof hij zijn magere probeersel opzij, legde de stapels gegevens en tijdschriften op de stoel die naast zijn bureau stond en zei: 'Helemaal niet, Arthur. Ga gerust zitten.'

Arthurs gezicht was rood. Zijn witte jas was dichtgeknoopt en erbovenuit piepte een streepje roze overhemd en een bruin vlinderdasje met kleine roze bijtjes. 'Dus dit is jouw hol.'

'Als je het zo wilt noemen.' De ruimte die Jeremy toegewezen had gekregen, was een hokje aan het eind van een lange, donkere gang op een verdieping waar verder alleen technici zaten: biochemici, biofysici. Alles was bio, behalve hij. De rest van psychologie zat een etage hoger.

Het enige raam bood uitzicht op een grauw gekleurde schacht van de airconditioning. Dit was een van de oudere gedeelten van het ziekenhuis, met dikke, vochtige muren. De bio-mensen bemoeiden zich niet met hem. Voetstappen in de gang waren een zeldzaamheid.

Zijn hol.

Hij was hier vier maanden geleden terechtgekomen, nadat een groep chirurgen langs was gekomen om de ruimte na te meten die psychiatrie op de bovenste verdieping van het hoofdgebouw toegewezen had gekregen. Het was lang niet zo chic als het klonk, want de bovenste verdieping keek uit op de landingsplaats van de traumahelikopter en als die toevallig net terugkwam van de plaats van een ongeluk was therapie niet mogelijk. Het uitzicht op de stad werd geblokkeerd door gigantische verwarmings- en airconditioningseenheden en de duiven schenen het leuk te vinden om tegen de ramen te schijten. Jeremy had zelfs ratten door de dakgoten zien scharrelen.

De dag dat de chirurgen hun opwachting maakten, was hij ook met zijn boek bezig geweest en werd gered door gelach. Hij deed zijn deur open en zag vijf parmantige mannen en een soortgelijke vrouw in de weer met centimeters, wat gepaard ging met veel ge-'hmm'. Een maand later kreeg Psychiatrie opdracht om naar een kleinere behuizing uit te zien. Maar er was geen ruimte waar de complete afdeling ondergebracht kon worden. Een crisis werd voorkomen toen een tachtigjarige emeritus psychiater overleed en Jeremy vrijwillig aanbood om ergens anders te gaan zitten. Dat was kort 'na Jocelyn' en hij had het isolement dankbaar aanvaard.

Jeremy had nooit spijt gekregen van zijn besluit. Hij kon naar believen komen en gaan en Psychiatrie zorgde er keurig voor dat hij iedere dag zijn post kreeg. De chemische laboratoriumlucht waarvan het hele gebouw doortrokken was, maakte hem niets uit.

'Prettig,' zei Arthur. 'Heel prettig.'

'Wat?'

'Die eenzaamheid.' De oude man kreeg een kleur. 'Die ik heb verstoord.'

'Wat is er aan de hand, Arthur?'

'Ik zat te denken aan die borrel. Waar we het in de winkel van Renfrew over hadden.'

'O ja,' zei Jeremy. 'Natuurlijk.'

Arthur stak zijn hand onder zijn witte jas en haalde een omvangrijk, witgouden zakhorloge te voorschijn. 'Het is bijna zes uur. Komt het je nu gelegen?'

Om de oude man af te wijzen zou ronduit onbeschoft zijn. En gewoon uitstel van executie.

Een pluspunt was dat Jeremy best een borrel kon gebruiken.

'Prima, Arthur,' zei hij. 'Zeg maar waar je naartoe wilt.'

Ze kwamen terecht in de bar van het Excelsior, een hotel in het centrum. Jeremy was vaak genoeg langs het massieve, met waterspuwers versierde granieten gebouw gekomen, maar hij was nooit binnen geweest in het hotel dat zoveel kamers telde dat het nooit vol zat. Hij zette zijn auto in de vochtige parkeerkelder, nam de lift naar de begane grond en liep dwars door de enorme Beaux Arts lobby. Het vertrek had duidelijk betere tijden gekend, net als de rest van het centrum. Troosteloze mannen die op commissie werkten, zaten op de versleten, met pluche beklede stoelen te roken en te wachten tot er iets zou gebeuren. Een paar vrouwen met stevige kuiten liepen door het vertrek. Het zouden prostituees kunnen zijn, maar net zo goed vrouwen die in hun eentje op reis waren.

De bar was een vensterloze, met gepolitoerd mahonie beklede pijpenla, die alleen tot leven kwam dankzij een paar zwakke lampjes en grote spiegels. Jeremy en Arthur waren elk met hun eigen auto gekomen omdat ze van plan waren direct na hun afspraak naar huis te gaan. Jeremy had snel gereden, maar Arthur was er toch eerder dan hij. De patholoog zat ontspannen in zijn tweed pak in een hoekje.

De kelner die naar hen toe kwam, was een gezette man met een strijdlustig uiterlijk die nog ouder was dan Arthur, en Jeremy had het onberedeneerde idee dat hij de patholoog kende. Het was nergens op gebaseerd – de man had zich niet familiair gedragen en er was ook geen sprake van veelbetekenende blikken – maar toch kon Jeremy het gevoel niet van zich afzetten dat Arthur hier stamgast was.

Maar toen Arthur zijn bestelling opgaf, was er geen sprake van 'het gewone recept, Hans'. Integendeel. De patholoog legde helder en zorgvuldig uit wat hij wilde hebben: een Boodlesmartini, puur, met twee zilveruitjes.

De kelner keek Jeremy aan. 'Meneer?'

'Een malt whisky met ijs.'

'Hebt u voorkeur voor een merk, meneer?'

'Macallan.'

'Heel goed, meneer.'

Terwijl hij wegliep, zei Arthur: 'Prima.'

De drankjes stonden binnen de kortste keren voor hun neus, zodat ze niet gedwongen werden om over vervelende koetjes en kalfjes te praten. Arthur nam kleine slokjes van zijn martini en leek zich uitsluitend op zijn glas te concentreren.

'Goed,' zei Jeremy.

Arthur plukte met zijn lippen een zilveruitje van een prikkertje en hield het glibberige bolletje even in zijn mond. Hij kauwde. En slikte. 'Ik vroeg me af of jij me iets uit zou willen leggen, Jeremy.'

'Wat wilde je weten, Arthur?'

'Jouw standpunt... het standpunt van de psychologie ten opzichte van geweld. Met name de oorsprong van bijzonder kwalijk gedrag.'

'Psychologie is geen exacte wetenschap,' zei Jeremy.

'Nee, nee, natuurlijk niet. Maar er zullen toch wel gegevens zijn... Laat ik het anders formuleren. Hoe denk jij er zelf over?'

Jeremy nam een slokje van zijn whisky en liet het vloeibare vuur langzaam over zijn tong rollen. 'En dat wil je weten, omdat...'

'Omdat de vraag me intrigeert,' zei Arthur. 'Ik ben jarenlang dagelijks geconfronteerd met de gevolgen van de dood. Ik heb me, vrijwel vanaf het moment dat ik volwassen werd, beziggehouden met wat resteert nadat de ziel ontvloden is. Daarom is het niet langer een uitdaging voor me om de lijken die ik ontleed terug te brengen tot hun biochemische componenten. En hetzelfde geldt voor het vaststellen van de doodsoorzaak. Als je maar diep genoeg graaft, kom je vanzelf tot een oplossing. Nee, de echte uitdaging ligt nu in het begrijpen van belangrijkere zaken.'

De oude man dronk zijn martini op en wenkte dat hij er nog een wilde. Hij gebaarde naar een lege bar, waar geen spoor te bekennen was van de gezette kelner. Maar de man dook een moment later al op met een nieuwe beslagen shaker.

Hij wierp een blik op het vrijwel lege whiskyglas. 'Meneer?'

Jeremy schudde zijn hoofd en de kelner verdween.

'Menselijkheid,' zei Arthur. 'De uitdaging ligt in het behouden van mijn menselijkheid... Heb ik je al eens verteld dat ik een tijdje voor de gerechtelijke geneeskundige dienst heb gewerkt?'

Alsof ze regelmatig met elkaar zaten te kletsen.
'Nee,' zei Jeremy.
'Ja, vlak nadat ik uit militaire dienst kwam.'
'Waar was je gelegerd?'
'Bij het Panamakanaal,' zei Arthur. 'Ik was officier van de medische dienst bij de sluizen. Daar heb ik gruwelijke ongelukken gezien en veel geleerd over de identificatie van lijken. Daarna... heb ik nog een paar andere dingen gedaan, maar uiteindelijk leek de gerechtelijke medische dienst me wel geschikt.' Nadenkend nam hij weer een paar slokjes, waardoor de tweede martini alweer half verdwenen was.
'Maar je bent toch overgestapt naar de academische wereld,' zei Jeremy.
'Ja... dat leek destijds een verstandige beslissing.' De oude man glimlachte. 'Geef me nu eens antwoord op mijn vraag. Hoe sta jij daar tegenover?'
'Zeer kwalijk gedrag.'
'Het ergste wat een mens kan doen.'
Jeremy's maag kromp samen. 'Is dat een puur academische vraag?'
'O, nee,' zei Arthur. 'Als het uitsluitend op academisch niveau blijft, ga je de belangrijkste vragen uit de weg.'
'Als je echte, harde feiten wilt...'
'Ik wil alleen horen wat jij ervan vindt. Omdat jij er niet omheen draait.' Arthur dronk zijn glas leeg. 'Maar als je die vraag beledigend of opdringerig vindt...'
'Geweld,' zei Jeremy. Hij had er urenlang – uren waar geen eind aan kwam, al die slapeloze nachten – over nagedacht. 'Voorzover ik kan nagaan, is bijzonder kwalijk gedrag een combinatie van erfelijke factoren en omgeving. Zoals de meeste belangrijke aspecten van menselijk gedrag.'
'Een mengeling van aanleg en opvoeding.'
Jeremy knikte.
'Hoe sta jij tegenover het idee van aangeboren slechtheid?' vroeg Arthur.
'Dat is een verzinsel,' zei Jeremy. 'Maar dat betekent niet dat een ernstige gewelddadigheid zich niet al op jonge leeftijd kan

manifesteren. Als je mij confronteert met een wreed, tiranniek en ongevoelig zesjarig kind zal ik niet nalaten erop te wijzen dat dit iemand is die in de gaten gehouden moet worden. Maar zelfs al heeft een kind vervelende neigingen, dan zal er toch sprake moeten zijn van een slechte omgeving, een gezin dat niet deugt, om die tot wasdom te laten komen.'

'Ongevoelig... heb je wel eens zulke kinderen behandeld?'

'Een paar.'

'Zesjarige potentiële misdadigers?'

Jeremy dacht even na voordat hij antwoord gaf. 'Zesjarige kinderen die me tot nadenken stemden. Psychologen staan erom bekend dat ze slecht zijn in het voorspellen van geweld. En ook van andere dingen.'

'Maar je hebt dus wel jongeren gezien die je alarmerend vond.'

'Ja.'

'Wat zeg je dan tegen de ouders?'

'De ouders zijn bijna altijd onderdeel van het probleem. Ik heb vaders meegemaakt die het prachtig vonden als hun zoontjes andere kinderen onmenselijk behandelden. In het bijzijn van vreemden krijgen ze op hun kop en worden ze tot de orde geroepen, maar hun glimlach verraadt hen. Uiteindelijk. Het kost tijd om een gezin te doorgronden. Eigenlijk is een gezin het stadium van de holbewoners nooit ontgroeid. Je moet er deel van uitmaken om het teken aan de wand te kunnen zien.'

Arthur wenkte dat hij nog een drankje wilde. Er was geen spoor van dronkenschap te bekennen in het spraakvermogen of het gedrag van de oude man. Alleen werd zijn toch al roze gezicht een tikje donkerder.

Maar als *híj* uitgleed met zijn scalpel zou dat tenminste geen levens kosten, peinsde Jeremy.

Toen de kelner opnieuw zei: 'En u, meneer?' bestelde hij een tweede Macallan.

Bij de drankjes werden ongevraagd hapjes op tafel gezet. Gekookte garnalen met cocktailsaus, gebakken courgettes, pittige worstjes met zwarte plastic prikkertjes, dikke potatochips die eruitzagen alsof ze zelf gemaakt waren. Arthur had geen hors d'oeuvres besteld, maar hij leek niet verbaasd.

De beide mannen zaten te knabbelen en te drinken en Jeremy voelde een golf warmte – een vernisje van ontspanning – van zijn tenen tot zijn hoofd door zijn lichaam gaan. Toen Arthur herhaalde: 'Hun glimlach verraadt hen', wist Jeremy even niet wat hij bedoelde. Maar toen schoot het hem weer te binnen: die onaangename, verziekte vaders over wie hij het had gehad.

Hij zei: 'Doe wat ik zeg, niet wat ik doe. Dat werkt nooit.'

'Interessant,' zei Arthur. 'Niet voor de hand liggend, maar heel interessant. Dus alles draait om het gezin.'

'Die ervaring heb ik wel.'

'Interessant,' herhaalde Arthur. Daarna begon hij over iets anders.

Over vlinders.

De soorten die hij had gezien toen hij in Panama gelegerd was. Lange speurtochten in de oerwouden van Costa Rica in zijn vrije tijd. Weer waarvan 'je alweer nat bezweet raakte terwijl je nog onder de douche staat'.

De oude man dronk, frommelde aan zijn met bijtjes versierde vlinderdasje terwijl hij zich te goed deed aan de worstjes en er verscheen een dromerige blik in zijn ogen toen hij een verhaal begon te vertellen. Een patiënt die hij destijds in Panama had behandeld. Een jonge officier van de genie die een tocht door de jungle had gemaakt, kreeg jeuk onder zijn linkerschouderblad, en toen hij met zijn vingers over het plekje streek, voelde hij een bultje. Hij dacht dat hij gebeten was.

Hij vergat het voorval, maar een dag later was de zwelling drie keer zo groot geworden.

'Toch kwam hij nog niet naar me toe om zich te laten onderzoeken,' zei Arthur. Geen koorts, geen ander ongemak... de aloude mannelijke trots, weet je wel. Op de tweede dag kreeg hij pijn. Pijn is toch wel een fantastische boodschapper. Op die manier leren we van alles over ons lichaam. Deze pijn was elektrisch... zo beschreef die vent het tenminste. Het leek alsof er voortdurend een sterke elektrische stroom door zijn bovenlichaam ging. Alsof hij met zijn vingers in het stopcontact zat. Toen ik hem ten slotte onder ogen kreeg, was hij doodsbleek, hij trilde en hij had behoorlijk veel pijn. En de zwelling was opnieuw drie keer zo groot geworden. Bovendien,' Arthur boog zich voorover, 'was de knul ervan overtuigd dat erbinnenin iets bewoog.'

Hij pakte een chip, stopte die in zijn mond, kauwde weloverwogen, veegde de kruimeltjes uit zijn baard en vervolgde zijn verhaal.

'Toen ik dat hoorde – over dat bewegen – dacht ik aan crepitus. Het schuren van het vocht dat ontstaat als gevolg van een ontsteking, op het eerste gezicht niets om je zorgen over te maken. Maar toen die arme knul zijn overhemd uittrok en ik die zwelling zag, raakte ik geïntrigeerd.' Arthur likte het zout van zijn lippen. In het schemerige licht van de bar hadden zijn ogen de kleur van prima kwaliteit jade.

'Het was echt een gigantische zwelling, Jeremy. Enorm verkleurd en er was al een begin van necrosis te zien. Zwart vlees, dat aan onderhuidse bloedingen deed denken, dus dan kom je automatisch uit op pest. Maar die kans was in feite vrij klein, omdat de kanaalzone door de genie grondig geschoond was. Maar goed, de medische wetenschap is gebaseerd op het element van verrassing, dat is het leuke ervan, en ik wist dat ik een kweekje van het gezwel zou moeten maken. Als voorbereiding daarvan begon ik de plek te palperen – de arme stakker moest zich inhouden om het niet uit te schreeuwen – en toen ik dat deed, merkte ik dat er inderdaad onder de huid iets zelfstandig leek te bewegen. Dat was me bij crepitus nog nooit opgevallen.'

Weer een chip. Nog een slokje martini.

Arthur leunde achterover.

Jeremy was op het puntje van zijn stoel gaan zitten. Hij deed bewust een poging om zich te ontspannen en wachtte op de clou.

Arthur at en dronk verder en maakte een tevreden indruk. Maar die ouwe smeerlap was nog niet klaar. Was hij te dronken om zijn verhaal af te maken?

Jeremy onderdrukte met moeite de neiging om 'En toen?' te zeggen.

Ten slotte dronk Arthur zijn glas leeg en zuchtte van genoegen. 'Op dat moment besloot ik om het onderzoek te beëindigen en eerst een een röntgenfoto te laten maken. Het resultaat was bijzonder boeiend, maar niet doorslaggevend.'

Opnieuw geknabbel.

'Wat was erop te zien?' vroeg Jeremy.

'Een geleiachtige massa van onbekende herkomst,' zei Arthur. 'Een massa die in niets op de gezwellen of de cysten leek die ik eerder had gezien. Mijn handboeken gaven geen uitsluitsel. En de radioloog kon me ook niet helpen... dat was trouwens toch niet een van de slimsten. Maar goed, ik besloot de knul open te snijden, maar wel heel voorzichtig. En dat was maar goed ook, want ik slaagde erin om het intact te verwijderen.'

Arthur staarde naar het lege martiniglas en glimlachte bij de herinnering. Jeremy sloeg de laatste druppeltjes van zijn whisky achterover.

Terwijl hij zijn vest openknoopte, schudde de patholoog verwonderd zijn hoofd. 'Het was een infectie. Een larvale infectie. De arme knul was door een vrij onbekend oerwoudkevertje uitgezocht als voedingsbodem voor zijn verse kroost... Het was een ongebruikelijk kleine ectoparasitoïde van de Adephaga-familie. Het insect is uitgerust met een stel biochemische hulpmiddelen die bijzonder nuttig blijken te zijn om te overleven. Het is bruin en onopvallend, vandaar dat het meestal over het hoofd wordt gezien en door de meeste leken nauwelijks als bedreigend wordt ervaren. Bovendien scheidt het een stof af die roofdieren afstoot en de uitwerpselen hebben een licht verdovende uitwerking. Het diertje heeft de gewoonte om zijn ontlasting op de huid van het slachtoffer te deponeren, zodat het niet alleen zijn behoefte kan doen maar ook een gevoelloos plekje achterlaat. Dat stelt het in staat om een snelle, nette incisie te maken die groot genoeg is voor een extreem kromme eileider, of een tuit zo je wilt, die verbonden is met het geboortekanaal van het dier, waardoor er in hoog tempo eitjes afgescheiden kunnen worden. Wat het zelfs nog interessanter maakt, is dat het de mannelijke kever, de vader dus, is die het karwei opknapt. Ik moest er meteen aan denken toen jij het had over vaders die geweld stimuleren.'

Een glimlach. Met een treurige blik op het lege glas, vervolgde Arthur: 'Zodra de eitjes van zijn partner bevrucht zijn, neemt het mannetje de volledige verantwoordelijkheid voor de toekomst van zijn gezin over. Hij dringt opnieuw bij het vrouwtje binnen, verwijdert de eitjes, injecteert ze in zijn eigen borstkas en voedt ze met zijn lichaamsweefsel tot hij een geschikte gastheer heeft gevonden.'

'Een geëmancipeerde man,' mompelde Jeremy.

'Precies.' Arthur liet zijn martiniglas tussen zijn handen draaien, at het zilveruitje op en legde zijn grote handen plat op het tafeltje.

'Hoe is het met de patiënt afgelopen?'

'Ik heb de hele massa er uitgesneden, waarbij ik goed oplette dat er niets achterbleef. Duizenden larven, allemaal springlevend en gezond, dankzij het hoge proteïnegehalte van jonge, Amerikaanse legerspieren. De arme luitenant hield er geen blijvende schade aan over, alleen een litteken en een schouder die een paar weken lang wat gevoelig was. En nachtmerries die hem maandenlang bleven plagen. Hij diende zijn ontslag in en dat werd meteen aanvaard. Daarna verhuisde hij naar Cleveland of een soortgelijke stad. De larven hebben het niet overleefd. Ik heb geprobeerd om die kleine dondersteentjes een andere voedingsbodem te geven. Zeewiergelei, gelatine, bouillon, beendermeel, gemalen insecten... niets werkte. Het fascinerende aspect was dat er al een tijdje getwijfeld werd of dit kevertje nog wel bestond. Veel entomologen dachten dat het uitgestorven was. Het was een interessant geval. Dat vond ik tenminste.'

'De mannelijke kever,' zei Jeremy. 'De erfzonde.'

Arthur keek hem aandachtig aan en knikte toen langzaam. 'Ja, zo zou je het inderdaad kunnen zeggen.'

5

Jeremy en Arthur liepen samen de bar uit en namen afscheid bij de koperen draaideuren van het hotel.

Jeremy was aangeschoten en om zijn hoofd weer helder te maken liep hij de straat in. Het had een beetje geregend. De trottoirs roken naar verbrand koper, de stad gloeide. Hij liep het centrum uit en wandelde door donkere, gevaarlijke straten zonder zich om zijn veiligheid te bekommeren.

Hij had op een vreemde manier moed geput uit de borrel met de patholoog, hij voelde geen angst. Het walgelijke verhaal van de soldaat met het met larven gevulde gezwel had hem opgekikkerd. Toen hij ten slotte naar huis reed, was zijn hoofd weer helder en bij aankomst dacht hij: het is toch wel een zielig huisje. Maar ik heb er meer dan genoeg aan.

Jocelyns eigendommen waren ingepakt en door de politie in beslag genomen. Vier dozen, ze had maar zo weinig meegebracht.

Doresh en Hoker waren erbij geweest toen ze ingepakt werden en Doresh had gezegd: 'Vindt u het goed dat we de badkamer met luminol behandelen? Dat is een chemisch middel dat we overal op spuiten. Als we vervolgens het licht uitdoen en het gaat gloeien...'

'... dan zijn er bloedsporen,' had Jeremy de zin afgemaakt. 'Ga uw gang.' Hij nam niet de moeite om te vragen waarom ze dat in de badkamer wilden doen. Hij kende het antwoord al. De badkamer was de plek, als je van plan was...

Ze spoten en vonden niets. Agenten in uniform namen de vier dozen mee. Pas toen ze weg waren, drong het tot Jeremy door dat er ook iets van hem was verdwenen.

Een ingelijste foto die op de ladekast in zijn slaapkamer had gestaan. Hij samen met Jocelyn, wandelend langs de haven, met de garnalen die ze bij een stalletje gekocht hadden. Het was een warme, maar winderige dag geweest en haar hoofd reikte net tot Jeremy's schouder. Haar blonde haar was verwaaid en bedekte de helft van Jeremy's gezicht.

Hij belde Doresh om de foto terug te vragen, maar er werd niet op gereageerd.

Hij trok al zijn kleren uit en viel in bed met het idee dat hij de halve nacht wakker zou liggen. In plaats daarvan viel hij meteen in slaap, maar hij werd bij het krieken van de ochtend wakker met een bonzend hoofd en pijnlijke spieren, terwijl de beelden van vraatzuchtige, mensenetende insecten door zijn kop spookten.

Laat me met rust, ouwe.

Dat deed Arthur.

Vlak na de borrels in het Excelsior hotel liep Jeremy mee met de ronde over de psychologieafdeling toen hij hoorde dat zijn naam omgeroepen werd. Hij keerde de bewakers van het geestelijk welzijn de rug toe, pakte de telefoon op en kreeg te horen dat hij was opgeroepen door dr. Angela Rios.

De afgelopen paar weken had de mooie, jonge arts-assistent minstens vier keer geprobeerd zijn blik te vangen als ze elkaar in de gangen van het ziekenhuis tegenkwamen. Angela had een prima, snel verstand, ze was lief en zo knap als je je maar kon wensen. Precies het type op wie Jeremy zou vallen als hij op zoek was geweest naar een vrouw.

Om haar niet te kwetsen had hij steeds vriendelijk gelachen en was snel doorgelopen.

En nu dit.

Hij beantwoordde de oproep en Angela zei: 'Ik ben blij dat je dienst hebt. Ik heb problemen met een van mijn patiënten, een zesendertigjarige vrouw. Een geval van wolfszweer dat we onder controle dachten te hebben, maar nu ziet haar bloed er niet goed uit en we moeten haar beenmerg afnemen.'

'Leukemie?'

'Hopelijk niet. Maar de bloeduitslag ziet er gevaarlijk uit en ik zou niet goed wijs zijn als ik dat niet liet onderzoeken. En ze heeft grote bezwaren tegen die behandeling... ze is echt doodsbang. Ik heb aangeboden om het onder verdoving te laten doen, maar dat wil ze ook niet, want nu die lupus afneemt is ze bang dat andere geneesmiddelen haar geen goed zullen doen. Kun je me helpen? Haar hypnotiseren, met haar praten, haar op de een of andere manier tot rust brengen? Ik heb gehoord dat je dat soort dingen doet.'

'Ja, natuurlijk,' zei Jeremy.

De eerste patiënt die hij 'geholpen' had bij een behandeling was een twaalfjarig meisje geweest bij wie een kwaadaardige hersentumor operatief was verwijderd. Nu moest er een ruggenmergpunctie worden gedaan. Het hoofd van de afdeling psychiatrie had Jeremy's naam aan de behandelende neurochirurg doorgegeven, dus hij kon er niet onder uit.

Toen hij naar de behandelkamer liep, had hij zich afgevraagd wat ze in hemelsnaam van hem verwachtten. Hij trof het meisje aan in een dwangbuis, schoppend en krijsend, met het schuim op de mond. Het was zes maanden geleden dat de tumor uit haar hoofd was verwijderd en haar haar was alweer aangegroeid tot een zeven centimeter lang donslaagje. Uit de inktstrepen op haar gezicht en de geelachtige tint van haar huid was op te maken dat ze recent bestraald was.

Twaalf jaar en ze hadden haar vastgebonden alsof ze een misdadiger was.

Een geïrriteerde arts-assistent in zijn tweede jaar had net bevolen om haar een prop in de mond te doen. Hij begroette Jeremy brommend en met een gefronst voorhoofd.

'Laten we daar maar even mee wachten,' zei Jeremy, en hij pakte de hand van het meisje vast. Hij voelde een pijnscheut toen haar nagels zich zo diep in zijn handpalm boorden dat het bloed eruit liep, keek in haar van paniek vergeven ogen en probeerde niet achteruit te deinzen toen ze gilde: '*Neeneeneeneeneeneeneeneenee!*'

Het zweet stroomde uit zijn oksels, zijn ingewanden krompen samen en hij stond te zwaaien op zijn benen.

Hij bleef roerloos naast de brancard staan, terwijl de nagels van het meisje zich nog dieper in zijn hand boorden. Zij krijste, hij duizelde. Zijn linkervoet begon weg te glijden onder...

Shit... hij stond op het punt om flauw te vallen!

De arts-assistent keek hem met grote ogen aan. Iederéén keek hem met grote ogen aan.

Hij vermande zich. Haalde diep adem en hoopte dat niemand het in de gaten zou hebben.

Het meisje hield op met krijsen.

Hij had het gevoel dat hij zijn darmen niet meer in bedwang had en het zweet stond hem op de rug, maar hij glimlachte op haar neer en zei 'lieve schat' tegen haar, omdat hij vergeten was hoe ze heette, hoewel ze hem dat wel verteld hadden en hij bovendien net haar dossier had doorgelezen.

Ze keek naar hem op.

O God, vertrouwen.

De muren van de kamer glinsterden en leken op hem af te komen en zijn knieën begonnen weer te knikken. Hij richtte zich op en begon tegen het inmiddels stille kind te praten. Glimlachend, een stroom van woorden, zonder nadruk, zonder stemverheffing, een stortvloed van godmagwetenwatvooronzin.

Het meisje begon weer te gillen.

'Shit, laten we het nou maar gewoon dóén,' zei de arts-assistent.

'Wacht,' beval Jeremy. Zo heftig dat iedereen in de kamer er het zwijgen toe deed. Met inbegrip van het meisje.

Hij concentreerde zich en onderdrukte het beven dat hem dreigde te verraden.

Hij praatte haar erdoor.

Binnen de kortste keren waren de ogen van het meisje dichtgevallen, ze ademde rustig en kon nog net knikken toen Jeremy vroeg of ze zover was. De arts-assistent, die inmiddels zelf uit zijn evenwicht leek te zijn, voerde de behandeling godzijdank vaardig uit, trok de injectiespuit terug, vulde een reageerbuisje met goudkleurige lumbaalvloeistof en liep hoofdschuddend de behandelkamer uit.

Het meisje begon te huilen, maar dat gaf niet, dat was goed, daar had ze het volste recht toe, die arme meid, arme, arme meid, nog maar een kind.

Jeremy bleef bij haar, luisterde geduldig naar haar gejammer en week niet van haar zij tot ze weer in staat was om te lachen en dat ook deed toen hij erom vroeg. Zijn natbezwete lijf stonk, maar dat scheen niemand op te vallen.

Later, in de gang, schoot een verpleegkundige hem aan en zei: 'Dat was echt niet te geloven, dokter Carrier.'

Angela's lupuspatiënt was geen krijser. Ze was een fletse, knappe vrouw die Marian Boehmer heette en uiting gaf aan haar angst door zwijgend en verstijfd in bed te liggen. Dode ogen. Naar binnen getrokken lippen. In de verkeerde omstandigheden zou een of andere stomme psychiater per abuis aan een aanval van catatonie kunnen denken.

Angela deed een stap achteruit en gaf Jeremy de ruimte om zijn werk te doen. Angela's zijdeachtige haar werd met behulp van een elastiekje uit haar gezicht gehouden, door de stress had ze vrijwel geen make-up meer op haar gezicht en haar huid was zo bleek dat het leek alsof ze uren had zitten blokken. Ze zag eruit alsof ze in geen tijden had geslapen.

Nu is ze niet op haar best, dacht Jeremy. *Zo zal ze er op een slechte ochtend uitzien. Maar ze is nog steeds behoorlijk aantrekkelijk.*

De apparatuur waarmee het beenmerg afgenomen moest worden, lag open en bloot op een blad naast het bed. Chroom, glas, scherpe punten die op dolken leken en het afschuwelijke ding dat ze gebruikten om het borstbeen te doorboren, zodat de bloedvormende cellen opgezogen konden worden. Om erdoor te komen moest de arts zich over de patiënt buigen en hard drukken, zodat er behoorlijk wat spierkracht voor vereist was. Patiënten die bereid waren om over de behandeling te praten, zeiden dat je het gevoel kreeg dat je doodgestoken werd.

Op de wangen van Marian Boehmer was geen spoor meer te zien van de wolfszweer die het teken was geweest dat haar afweermechanisme niet goed functioneerde. Als je door die angst heenkeek, was ze eigenlijk heel knap. Een lichte huid, blond haar, een tikje te mager, een leuk gezicht. Om haar ringvinger droeg ze een trouwring en een ring met een diamant. Waar was de echtgenoot? Viel er iets op te maken uit het feit dat hij schitterde door afwezigheid?

Alles is van belang. Maar maakte het op dit moment iets uit? Het borstbeen van deze vrouw zou doorboord worden.

Jeremy stelde zichzelf voor. Hij glimlachte en praatte, glimlachte en praatte, hield haar hand vast en voelde de bekende verschijnselen van zijn eigen angst – de benauwdheid, het zweet van medeleven, de duizelingen.

Maar er bestond geen gevaar dat hij zichzelf te schande zou maken... de afschuw van de eerste keer was veroorzaakt door het feit dat hij niet had geweten wat hem te wachten stond.

Inmiddels wist hij dat de angst zou komen. Hij was er zelfs blij om.

Als hij iemand hielp, leed hij mee. De clou was dat je dat moest verbergen.

Maar die clou gold voor het hele leven.

Hij streelde de hand van de vrouw, liet zelfs zijn vingers even over haar voorhoofd glijden en toen ze niet achteruitweek, vertelde hij haar dat ze het prima deed, voor hij haar met een zangerige en verleidelijke stem begon te hypnotiseren.

Hij kondigde het niet aan, dat soort vulgaire theatertrucjes waren niet nodig. Het was gewoon een subtiel, geleidelijk tasten naar de parasympathische reactie die zowel ontspanning als concentratie meebracht en haar lichaam en geest op een lager pitje liet functioneren.

Ga maar naar een plek waar u zich fijn voelt, mevrouw Boehmer... mag ik Marian zeggen, dank je, Marian, dat is heel goed, Marian, zo doe je het prima, Marian.

Dat is uitstekend, Marian... en hier is dokter Rios, ja, ja, hou maar gewoon vol, goed zo, geweldig... fantastisch, Marian en... kijk eens aan, je hebt het geweldig gedaan, het is al voorbij. Goed zo, hoor.

Tijdens de behandeling had Marian Boehmer in bed geplast, maar hij deed net alsof hij niets zag toen de verpleegster haar dijen schoonveegde.

Toen hij haar hand opnieuw vastpakte, zei ze: ‘Kijk nou wat ik gedaan heb. Ik lijk wel een klein kind.’

Jeremy klopte haar voorzichtig op haar hoofd. 'Je bent een kei. Als ik in de problemen zat, zou ik je maar wat graag aan mijn zij hebben!'

Marian Boehmer barstte in tranen uit. 'Ik heb twee kinderen,' zei ze. 'Ik ben een fantastische moeder!'

Jeremy bleef bij haar tot een broeder haar kwam halen om haar terug te rijden naar haar kamer. Toen hij de deur opendeed, zette hij zich schrap voor het verwachte gesprek in de gang met Angela Rios. Medische kletspraatjes die onvermijdelijk langzaam maar zeker zouden leiden tot een uitnodiging. Rios was heel aantrekkelijk, maar...

Hij stapte naar buiten en hoorde in de verte stemmen, telefoons, de vastberaden voetstappen van verpleegkundigen, berichten die werden omgeroepen en rammelende brancards. Tien meter verderop zat een verpleegkundige achter een balie patiëntendossiers bij te werken.

De gang was leeg. Angela was in geen velden of wegen te zien.

6

Op een regenachtige donderdagavond vlak voor zeven uur, toen Jeremy net op het punt stond om naar huis te gaan, liep hij in het ziekenhuis de forse, in regenjas gehulde rechercheur Bob Doresh tegen het lijf.

Doresh hing rond bij de hoofdliften, vlak bij de snoepautomaten, waar hij kauwend over zijn zware kaak stond te wrijven. Toen hij Jeremy in het oog kreeg, stopte hij een kleurig papiertje in zijn zak en kwam naar hem toe draven. 'Hebt u even tijd, dokter?'

Jeremy liep gewoon door en gebaarde dat Doresh mee kon lopen.

'Hoe gaat het met u, dokter?'

‘Goed. En met u?’

‘Met mij?’ Doresh leek beledigd door die normale uiting van beleefdheid. Alsof zijn werk hem het recht gaf op absolute privacy. *Ik stel de vragen...*

‘Met mij gaat het prima, dok.’ Hij veegde een stukje chocola van zijn lippen en knipperde een paar keer met zijn ogen. ‘Evenwichtig en weldoorvoed. Dus met u is alles ook primadeluxe.’

‘Ik leef nog steeds.’

‘Nou, da’s mooi,’ zei Doresh. ‘Vooral als je het alternatief in ogenschouw neemt.’

Ze kwamen langs de muur waarin de namen van de weldoeners van het ziekenhuis gegraveerd stonden en liepen door de glazen klapdeuren via de overdekte galerij naar de parkeergarage van de artsen. De mooiste parkeergarage. Na wat er met Jocelyn was gebeurd waren er plannen geweest om die van de verpleegkundige staf ook wat dichterbij te halen, maar dat soort maatregelen was achterwege gebleven.

‘Mooi dat je niet nat hoeft te worden,’ zei Doresh.

‘Wat is er aan de hand, rechercheur?’ vroeg Jeremy.

‘Ik zal maar meteen terzake komen, dok. Het mag dan misschien als zo’n cliché zinnetje uit een film klinken, maar waar was u gisteravond, zeg maar tussen tien uur en middernacht?’

‘Thuis.’

‘Was er iemand bij u?’

‘Nee. Hoezo?’

‘Pure routine,’ zei Doresh.

Heel even overwoog Jeremy om het spelletje mee te spelen. Maar toen knapte er iets vanbinnen en hij snauwde: ‘Wat een gelul.’ Hij ging sneller lopen en liet Doresh achter zich.

De rechercheur haalde hem weer in en liep hardop te grinniken, hoewel er geen spoortje humor klonk in het geluid dat hij voortbracht. Het leek meer op het waarschuwend gebrom van een grote wachthond.

Die ogen. Die Jeremy aankeken met iets wat op respect leek. Of misschien was het gewoon minachting.

‘U hebt gelijk,’ zei Doresh. ‘Het is puur gelul. Ik verspil mijn tijd niet aan een autoritje deze kant op om even gezellig met u te kletsen. Dus vertel me maar of u op de een of andere manier kunt aantonen dat u gisteravond inderdaad alleen thuis was. Daarmee zouden we allebei geholpen zijn.'

Jeremy onderdrukte het antwoord dat hem op de lippen lag. *Waarom zou ik dat verdomme moeten doen?* 'Niet voor een periode van twee uur. Ik ben laat thuisgekomen, rond halfnegen, en daarna heb ik in de buurt een wandelingetje van ongeveer een uur gemaakt. Misschien heeft iemand me gezien, maar als dat inderdaad het geval was, heb ik er niets van gemerkt. Daarna ben ik weer naar huis gegaan, heb een douche genomen en een borrel. Whisky. Johnny Walker, voor het geval u dat zou willen weten, en daarna heb ik telefonisch iets te eten besteld. Bij een pizzatent die vierentwintig uur open is. Ik heb een licht doorbakken pizza besteld, half kaas, half champignons. Die werd rond kwart over tien gebracht. Ik heb die knul een fooi van vijf dollar gegeven, dus dat zal hij zich wel herinneren. Ik heb drie stukjes pizza gegeten, de rest staat in mijn koelkast. Ik had een droge mond gekregen van de whisky en daar hielp de pizza niet tegen, dus daarna heb ik drie glazen water gedronken. Ik heb de krant gelezen, tv-gekeken... als u dat graag wilt, kan ik de programma's ook wel opnoemen.'

'Graag,' zei Doresh.

'Is dat een geintje?'

'Integendeel, dok.'

Jeremy raffelde het hele lijstje af.

'Dat zijn heel wat programma's, dok.'

'Normaal gesproken zit ik bij kaarslicht te lezen,' zei Jeremy. 'Maar ik had net de hele serie Meesterwerken uit de Literatuur, plus alles van Chaucer en Shakespeare doorgewerkt, dus ik vond dat ik wel wat vrije tijd had verdiend.'

Doresh keek hem aandachtig aan. 'U hebt gevoel voor humor. Dat was me nog niet eerder opgevallen.'

Daar waren de omstandigheden ook niet naar, sukkel.

Ze waren bijna bij de parkeergarage en Jeremy begon weer sneller te lopen. De regen kletterde op de overkapping van de galerij en viel ernaast als een glycerine-gordijn naar beneden.

'Hoe heette dat pizzarestaurant?' vroeg Doresh.

Jeremy gaf hem de naam. 'Wie is er vermoord?'

'Wie zegt...'

'Doe me een genoegen,' zei Jeremy. 'Ik ben door een hel gegaan en u hebt dat nog een beetje erger gemaakt. En nu valt u mij nog steeds lastig in plaats van uit te zoeken wie Jocelyn heeft vermoord.'

Doresh kneep zijn ogen samen en hij ging voor Jeremy staan, zodat hij geen stap verder kon. 'Ik word niet betaald om het mensen naar de zin te maken.'

'Prima. Laten we dan ophouden met dat geleuter. U bent hier omdat er iets is gebeurd. Iets wat zoveel leek op wat Jocelyn is overkomen dat u besloot om maar weer eens bij mij langs te gaan.'

Doresh sloeg even zijn ogen neer. Alsof hij zich schaamde voor de waarheid. Alsof misdaad het gevolg was van het feit dat hij persoonlijk had gefaald.

'Ach, waarom ook niet,' zei hij. 'U kunt het morgen toch in de krant lezen. Ja, er is iets gebeurd dat grote gelijkenis vertoond met wat mevrouw Banks is overkomen.' Hij trok zijn regenjas strakker om zich heen, maar nam niet de moeite de knopen dicht te doen. 'Met een vrouw, een prostituee, in Iron Mount. Een meisje dat al een tijdje bekend was bij de politie, drugs, aanstootgevend gedrag, de gebruikelijke dingen. In dat opzicht leek het totaal niet op het geval van mevrouw Banks. Maar de verwondingen...'

'Godallemachtig,' zei Jeremy.

Doresh stapte opzij.

'Iron Mount,' herhaalde Jeremy. 'Dat is niet ver van The Shallows.'

'Helemaal niet ver, dok.'

'Een prostituee... Denkt u nu echt...'

'Af en toe denk ik inderdaad wel eens,' zei Doresh. Hij lachte om zijn eigen grapje. 'Dat is alles, dok. Prettige dag verder.'

'Ik heb al een paar keer een boodschap voor u achtergelaten, rechercheur. Over een foto die jullie uit mijn huis hebben meegenomen...'

'Ja, ja. Bewijsmateriaal.'

'Wanneer krijg ik die terug?'

'Dat zou ik niet weten. Misschien nooit.' Doresh haalde zo achteloos zijn schouders op dat Jeremy zich moest beheersen om hem geen klap te verkopen. 'Ik moet er echt vandoor, dok. Ik heb meer dan genoeg te doen.'

7

Die nacht spookte Doresh door Jeremy's dromen, als een soort boeddha in regenjas, en hij had een smaak in zijn mond die aan een tikje bedorven, vette havengarnalen deed denken. De volgende ochtend stond hij vroeg op en haalde de krant van buiten. De koppen waren doordrenkt van economische ellende en politieke misdaden. De schijnheilige journalisten van de *Clarion* verkneukelden zich over oorlogen die voor de deur stonden, onrecht en schandalen.

Op pagina 18 vond hij wat hij zocht.

De vrouw heette Tyrene Mazursky. Ondanks die Poolse achternaam was ze zwart geweest, vijfenveertig, een aan drugs verslaafde straatmadelief met het uitgebreide strafregister waar Doresh het over had gehad.

Ze was ook de moeder van vijf kinderen.

Iron Mount was een gore doolhof van rare straatjes en onlogische steegjes, die nog even smal waren als in de tijd dat het afval van de kolenmijnen die de stad haar bestaansrecht gaven nog met paard en wagen afgevoerd werd. Jeremy was daar precies één keer geweest, heel lang geleden, toen hij nog arts-assistent was en op huisbezoek moest bij een kind waarvan iedereen vermoedde dat het mishandeld werd.

Het vijfjarige jongetje, zoon van een aan drank verslaafde moeder en een junk, was veel te klein en te licht geweest voor zijn leeftijd en had het spraakvermogen en de woordenschat van een tweejarig kind. Het gelukkige gezinnetje woonde samen met een paar niet nader vernoemde verslaafde vrienden op een smalle etage boven een carosseriebedrijf, ver van de kust maar zo dicht bij de plek waar de Kauwagaheelrivier vanuit het meer landinwaarts liep, dat de halfvergane bepleisterde muren doortrokken waren van een smerige moeraslucht.

Jeremy deed zijn plicht en schreef een rapport. Hetzelfde werd gedaan door een doodsbange maatschappelijk werker in opleiding. Daaruit bleek uiteindelijk dat de ouders van de jongen, die er weliswaar slechte gewoonten en bepaalde vervelende karaktertrekjes op na hielden, toch redelijk goed voor de jongen zorgden. Zijn slechte toestand was het gevolg van een virale leverinfectie die een verstopping in de darmen had veroorzaakt, waardoor zijn lichaam geen voedingsstoffen opnam en zijn groei werd belemmerd.

Een operatieve ingreep en een via een infuus toegediende antibioticakuur deden wonderen. De begeleiding van de ouders werkte een stuk minder miraculeus en drie weken nadat het kind voor het laatst bij de chirurg op controle was geweest, vertrok het gezin uit de stad.

Iron Mount. Ten oosten van The Shallows. Vergeleken daarbij was The Shallows een villapark.

Hij legde de krant neer, slaagde erin om een kop koffie naar binnen te werken en dacht na over de afgeslachte Tyrene Mazursky.

De verwondingen.

Vijf weesjes.

Hij vroeg zich af hoe een zwarte vrouw aan een Poolse achternaam was gekomen en de raadsels van Tyrene Mazursky's leven bezorgden hem een intens triest gevoel.

Net als al die raadsels van Jocelyn die hij nooit had kunnen oplossen. Alleen de gedachte aan... het feit dat ze er niet meer was. De dag was nog maar nauwelijks aangebroken, maar hij was al kapot.

Toen hij naar zijn auto liep, stond zijn buurvrouw van twee huizen verder – de Roemeense vrouw met de gewonde blik in de ogen, die zelden haar huis uitkwam en vanwege de heggen geen uitzicht had op dat van Jeremy – voor het raam naar hem te kijken.

Was Doresh bij haar langs geweest om haar te ondervragen? Mevrouw Bekanescu was een van de weinigen in de buurt die een koopwoning had. Hij zwaaide naar haar en de gordijnen werden met een ruk dichtgedaan.

Het feit dat hij al zo vroeg iemand dwars had gezeten gaf hem een pervers gevoel van genoegen en hij reed sneller dan normaal, nadat hij een station met vrolijke muziek opgezocht had. Toen hij in zijn kantoor was, smeet hij zijn colbertje uit, legde wat papieren klaar, startte zijn computer op en zat de rest van de ochtend op knopjes te drukken, lijsten met gegevens te controleren en mooie grafieken voor zijn boek te produceren. Hij begon opnieuw aan de inleiding, maar zijn verstand weigerde dienst en hij kreeg geen woord op het scherm. Daarom begon hij aan iets anders en maakte een opzetje voor een van de hoofdstukken die hij zou moeten schrijven: *Tijd/ruimtedesoriëntatie als gevolg van pediatrisch gnotobiotisch isolement.*

De enige vergelijkende studies in de literatuur waren geschreven door wetenschappers die ergens in Antarctica of in een vergelijkbare poel van ellende waren gestrand.

Jeremy's gedachten dwaalden van bodemloze spleten in het ijs naar blauw ijs dat je je leven kon kosten als je het kuste, naar de afgezaagde verschrikking van een val waar geen eind aan kwam, terwijl een miljoen ijsviolen een toendrasymfonie krasten. Hij schoot overeind toen er hard en zelfbewust op de deur werd geklopt. Met een brede glimlach stapte Arthur Chess naar binnen.

8

De patholoog ging op zijn gemak in een ongemakkelijke stoel zitten. 'Heb je nog nagedacht over de vraag die ik je heb gesteld?'

'Over de oorsprong van het kwaad,' zei Jeremy.

Arthur tilde zijn hand op, met de handpalm naar boven. 'Het kwaad is een... beladen term. Ook in theologisch opzicht. Ik dacht dat we hadden gekozen voor "bijzonder kwalijk gedrag".'

We. 'Nee, daar heb ik niet meer over nagedacht. Ik zei al dat er wel wat gegevens beschikbaar zijn... niet veel, maar vrij suggestief. Als je het echt graag wilt weten.'

'Dat is inderdaad zo, Jeremy.'

'Ik zal je wat referentiemateriaal bezorgen. Maar de conclusies zijn misschien niet geruststellend.'

'Voor wie?'

'Voor een optimist,' zei Jeremy. 'Een humanist.' Hij wachtte even af of Arthur zichzelf tot een van beide categorieën zou rekenen.

De patholoog streek over zijn baard en zei niets. Op de klok op Jeremy's bureau versprong het uur.

'Waar het op neerkomt, Arthur, is dat bepaalde mensen kennelijk geboren zijn met een niet te remmen neiging tot impulsief gedrag. Een klein aantal van hen wordt gewelddadig. Voornamelijk mannen, dus testosteron zal er wel iets mee te maken hebben. Maar het is niet alleen een kwestie van hormonen. De belangrijkste variabele schijnt te zijn dat ze niet snel over hun toeren raken. In rust is hun hartslag lager dan normaal. Ze hebben stalen zenuwen.'

'Onnatuurlijk kalm,' zei Arthur, alsof hij dat verhaal al eerder had gehoord.

'Ken je het onderzoek?'

Arthur schudde zijn hoofd. 'Nee, maar wat je zegt, is volkomen logisch. Iemand die geen angst kent, heeft ook geen last van zijn geweten.'

'Dat is één theorie,' zei Jeremy. 'Angst is een goede raadgever en mensen die daar niets van opsteken, lopen een aantal belangrijke maatschappelijke lessen mis. Maar je kunt het ook op een andere manier bekijken: adrenalineverslaving. Als je geboren bent met een centraal zenuwstelsel dat zelden geprikkeld wordt, krijg je automatisch steeds meer behoefte aan spanning. Tegenwoordig wordt dat soort mensen "adrenalinejunks" genoemd.'

‘Dat heb ik ook bij scherpschutters uit het leger gezien,’ beaamde Arthur. ‘Kerels die niet zonder spanning kunnen leven, met een hartslag die zo laag was dat je bijna begon te denken dat er iets aan je stethoscoop mankeerde. Ik had er één vent bij die urenlang doodstil kon blijven zitten, als een levend standbeeld. Moet ik daaruit opmaken dat jij vindt dat de militaire dienst een vorm van gesublimeerde criminaliteit is?’

Jeremy herinnerde zich dat Arthur zelf een militaire loopbaan achter de rug had. De oude man had genoten van zijn diensttijd. ‘Het gaat niet uitsluitend om de behoefte aan spanning. Bergbeklimmers en skydivers houden ook van een overdosis adrenaline, maar de meeste van hen plegen geen misdaden. Het is de combinatie van roekeloosheid en wreedheid die de aanleiding vormt voor dat bijzonder kwalijke gedrag waarover jij het had. En dat brengt ons bij het belang van de omgeving: neem een kind met de juiste biologische eigenschappen, stel hem bloot aan verwaarlozing en mishandeling, en de kans is groot dat je een... probleem creëert.’

Arthur glimlachte opnieuw. ‘Een monster? Was dat het woord dat je bijna gebruikte?’

‘Er zijn monsters in diverse vormen en pluimage,’ zei Jeremy. Hij stond op. ‘Ik zal die gegevens voor je opzoeken en zorgen dat je ze morgen hebt.’

Hij gedroeg zich ronduit onbeleefd, maar Arthur trok zich er niets van aan. Hij plukte even aan een knoop van zijn vest en sprong vervolgens op met de vitaliteit van een veel jongere man. Hij had weer van die roze spikkeltjes op zijn linker manchet. Dezelfde kleur, nieuwe vlekken. ‘Mag ik nog één vraag stellen?’

‘Waarover?’

‘Mishandeling en verwaarlozing... en het feit dat jij ervan uitgaat dat die het gevolg zijn van de omgeving. Zouden wat jullie probleemgezinnen noemen ook mede het gevolg kunnen zijn van erfelijkheidsfactoren?’

‘Dan hebben we het weer over aangeboren slechtheid,’ zei Jeremy.

‘Ook al zo’n theologisch beladen begrip. En, zoals je al zei, vrij ontmoedigend. Maar rijmen de gegevens ook niet met dat idee?'

'De gegevens zijn te ondoorzichtig om ook maar iets te bewijzen, Arthur. Ze zijn alleen suggestief.'

'Juist,' zei Arthur. 'Dus jij kunt je niet voorstellen dat alle geweld – of zelfs maar het merendeel ervan – wordt doorgegeven via het nucleïnezuur.'

'De erfzonden,' zei Jeremy. 'Dat kevertje van jou uit de rimboe dat zijn parasitaire gebroed middels een injectie achterlaat.'

Alles wat jij doet, is beredeneerd, hè, dr. Chess?

Arthur grinnikte en liep naar de deur. 'Nou, dat was heel verhelderend. Bedankt voor je geduld en als ik iets voor jou kan doen, laat me dat dan alsjeblieft weten.'

Waar zou een patholoog hem in vredesnaam mee kunnen helpen?

In gedachten zag hij plotseling Jocelyns gezicht voor zich. En alles wat erbij hoorde. Wonden die hij alleen in zijn verbeelding had gezien. Lichamelijk geweld dat door zijn hoofd bleef spoken omdat de betekenis ervan zo verschrikkelijk vaag was.

En nu was hetzelfde met Tyrene Mazursky gebeurd.

Er was totaal geen overeenkomst tussen een hoer van middelbare leeftijd en zijn lieve Jocelyn. Behalve die verwondingen.

Die vertoonden zoveel overeenkomst dat Doresh hem weer in de nek hijgde.

Zijn hart bonsde terwijl hij zichzelf kwelde met allerlei afgrijselijke beelden. Voor Arthur zou dat gesneden koek zijn, feiten die hij zou herleiden tot celbiologie, het gewicht van de organen en chemische verbindingen.

Arthur zou met die dingen, die andere mensen gierende nachtmerries bezorgden, op dezelfde welbespraakte en soepele manier omgaan als hij iedere dinsdagochtend deed met carcinomen en sarcomen: een vaderlijke houding, een vriendelijke glimlach – eeuwig kalm – hoe hoog was zíjn hartslag in rust?

De vragen die hij de oude man wilde stellen, bleven in zijn keel steken.

Praten we hierover omdat je weet wat ik heb doorgemaakt?

Is het alleen maar ziekelijke nieuwsgierigheid, of probeer je me iets duidelijk te maken?

Waarom had hij zijn mond niet opengedaan?

Wat wil je van me?

9

Toen zijn hart weer tot rust was gekomen deed Jeremy de ronde langs de zalen om zijn patiënten troost te brengen. Hij deed zijn werk kennelijk goed, want ogen begonnen te stralen, hier en daar verscheen een glimlachje, handen klemden zich om zijn vingers en een tienermeisje flirtte onschuldig met hem. Toen hij weer alleen was en de patiëntendossiers bijwerkte, bleef de indruk – het gevoel – van elke patiënt hem bij. Het leek wel alsof hij hen met zich meedroeg, als een soort kangoeroemoeder.

Het vlees van zieken voelde niet anders aan dan dat van andere mensen. Dat veranderde pas in het terminale stadium. Stervende patiënten reageerden allemaal anders. Sommigen kregen een laatste opwelling van bravoure, hielden geen moment hun mond en begonnen schuine moppen te vertellen. Anderen haalden eindeloos herinneringen op, of zegenden grootmoedig de hulptroepen die zich om hun bed hadden verzameld. Weer anderen zakten gewoon weg. Maar ze hadden allemaal één ding gemeen, hoewel Jeremy nog steeds niet precies wist wat het was. Iemand die lang genoeg op zaal had gewerkt, wist wanneer een patiënt op sterven lag.

Jeremy voelde zich altijd alleen maar ontzettend moe als hij een patiënt verloor.

Hij probeerde zich iemand voor te stellen die opgewonden werd van de dood van anderen. Alleen de gedachte daaraan deed zijn schouders afzakken.

Toen hij even een kopje koffie ging drinken in de kantine van de artsen zag hij Angela Rios, die in haar eentje een portie yoghurt zat te eten. Hij liep naar haar toe, bleef even met haar kletsen en vroeg of ze zin had om die avond met hem te gaan eten.

Hij stond versteld van de kalme stem die uit zijn mond kwam. Toen hij haar uitnodigde, krulde een glimlach om zijn lippen, wat hem het gevoel bezorgde dat zijn mond door een buikspreker werd bediend.

Hij had er geen enkele reden voor, behalve dat ze mooi, intelligent en charmant was en de indruk wekte dat ze in hem geïnteresseerd was.

'Het spijt me, maar ik heb dienst.'

'Jammer,' zei Jeremy. Zou hij zich dan zo vergist hebben?

Toen hij zich omdraaide, zei ze: 'Maar morgen ben ik wel vrij. Als jou dat tenminste uitkomt.'

'Even in mijn agenda kijken,' zei Jeremy. Hij deed net alsof hij een paar blaadjes omsloeg. Zijn oude zelfspot stak de kop weer op. Angela lachte gretig.

Wat een leuke meid. Als ik echt geïnteresseerd was...

'Morgen dan,' zei hij. 'Zullen we hier afspreken?'

'Als je het niet erg vindt, zou ik graag eerst even naar huis willen om me op te knappen,' zei Angela. 'Ik ben om zeven uur klaar, zullen we zeggen tegen een uur of acht?' Ze trok het aantekenblok te voorschijn dat ze als arts-assistent altijd bij zich had, schreef met grote hanenpoten iets op, scheurde het vel eruit en gaf het aan Jeremy.

West Broadhurst Drive in Mercy Heights.

Waarschijnlijk een van die oude, koloniale houten huizen die omgebouwd waren tot flats. Jeremy's zielige bungalowtje stond in Lady Jane, op een klein stukje lopen van Mercy Heights Boulevard.

'We zijn bijna buren.' Hij vertelde haar waar hij woonde.

'O,' zei ze. 'Maar ik ben bijna nooit thuis. Vanwege de uren die ik maak, snap je.' Haar pieper ging af. Ze glimlachte verontschuldigend.

'Het lijkt wel afgesproken werk,' zei Jeremy.

'Ja, inderdaad.' Ze hing haar stethoscoop om haar nek, pakte haar handboek en haar aantekenblok op en stond op.

'Tot morgen,' zei ze.

'Tegen een uur of acht.'
'Ik zal zorgen dat ik klaar ben.'

Haar appartement was op de eerste etage van een somber, drie verdiepingen hoog pand dat in alle opzichten het stempel 'pension' droeg. In de krakende gangen hing een bitter ziekenhuisluchtje – misschien woonden hier nog meer artsen en arts-assistenten, die af en toe monstertjes mee naar huis namen – de vloerbedekking was platgetrapt, bruin en versleten en aan de vaak overgeschilderde trapleuning waren twee fietsen met kettingsloten vastgezet.

Binnen een paar seconden nadat Jeremy had aangebeld, deed Angela al open. Ze had haar prachtige donkere haar in een paardenstaart gedaan en er vervolgens een vlecht van gemaakt die tot ver op haar rug hing. Een zachte witte trui vestigde Jeremy's aandacht op haar borsten. De trui reikte tot net boven haar middel. Daaronder droeg ze een zwarte, hoog opgesneden broek die strak om haar middel sloot en zwarte sandalen met hoge hakken. Ze had pareltjes in haar oren en om haar nek hing een kleine robijn aan een dun gouden kettinkje. Bescheiden make-up.

Het strakke haar benadrukte haar olijfkleurige, ovaalvormige gezicht. Haar bruine ogen sprankelden van belangstelling, om haar lippen lag een brede glimlach. Ze rook heerlijk.

'Klaar, zoals beloofd!' Ze stak snel haar hand uit en schudde de zijne stevig.

Het was een verdedigend gebaar en Jeremy onderdrukte een glimlach.

Misschien merkte ze dat hij geamuseerd was, want ze bloosde en keek naar zijn overjas. 'Is het echt zo koud?'

'Behoorlijk fris.'

'Ik ben een zonnekind, ik heb het altijd koud. Ik zal even een jas pakken, dan kunnen we meteen weg.'

Hij nam haar mee naar een Italiaans restaurant in het betere stuk van Lady Jane. Redelijke prijzen, een familiezaak. Het maatschappelijk aanzien van de wijk was hier een stuk verbeterd: winkels die omgebouwd waren tot kroegen met sfeerverlichting, boekwinkels, bloemisten en kleine eettentjes. Hier en daar waren nog sporen van het verleden te zien in de vorm van de dichtgeschilderde etalageruiten van stofzuigerreparatiezaken, allochtone kleermakers, Chinese wasserijen en goedkope drogisten. Het regende niet meer. De klamme, zure buien die de stad al vier dagen lang geteisterd hadden, waren voorbij, alles rook fris en de straatlantaarns stonden te stralen alsof ze daar blij om waren.

Jeremy liep haastig om de auto heen om Angela's portier open te doen. Een oude gewoonte, de academische wereld had hem manieren bijgebracht. Nadat ze uitgestapt was, gaf ze hem een arm.

Dat gevoel – de vage druk – van vrouwenvingers op zijn mouw...

De gastvrouw was de echtgenote van de chef. Ze had een boezem waar je een woordenboek op kon leggen en een kamerbrede glimlach. Ze gaf hun een plekje achter in de zaak en bracht hen broodstengels, menu's en een schaaltje naar knoflook geurende olijven. Perfecte kost voor een afspraakje.

Dit was dus echt een afspraakje.

Wat anders, slimmerik?

Angela bestelde nonchalant, alsof het eten helemaal niet belangrijk was.

Ze raakten gezellig aan de praat.

Om de een of andere reden – misschien vanwege haar gretigheid, of door de eenvoudige manier waarop ze zich gedroeg – had Jeremy het idee gehad dat Angela een hoogvlieger was uit arbeiderskringen, misschien wel de eerste van haar familie die was gaan studeren.

Hij bleek er in alle opzichten naast te zitten. Ze had een zonnige en comfortabele jeugd gehad aan de westkust en haar beide ouders waren arts. Vader was reumatoloog, moeder dermatoloog en naast hun praktijk waren ze allebei professor aan een eersteklas medische hogeschool. Ze had alleen een jongere broer, die bijna zijn studie deeltjesfysica had afgerond.

'Een hele verzameling wetenschappers,' zei hij.

'Zo was het eigenlijk helemaal niet,' zei ze. 'Ik bedoel, er was geen druk. In het begin wilde ik niet eens arts worden. In mijn eerste jaar studeerde ik dans.'

'Dan ben je wel een eind uit de koers geraakt.'

'Ja, dat wel.' Haar gezicht leek heel even ouder te worden. Alsof ze dat wilde verbergen, stopte ze een olijf in haar mond. 'En jij? Waar kom jij vandaan?'

Jeremy zat even na te denken wat hij daarop moest zeggen. Hij had de keus tussen een kort en een lang antwoord. Voor het korte antwoord hoefde hij alleen maar te vertellen in welke stad hij had gewoond en op welke universiteit hij had gestudeerd, om vervolgens handig over te schakelen en over hun werk te beginnen.

Het lange antwoord begon met het feit dat hij enig kind was en dat zijn vader en moeder, toen hij vijf was, op oudejaarsavond om het leven waren gekomen bij een kettingbotsing op een door hagel glad geworden snelweg. Op het moment van het ongeluk lag hij te slapen in het huis van zijn grootmoeder van moeders kant en droomde van een bordspelletje dat Candy Land heette. Dat wist hij alleen omdat iemand hem dat had verteld en hij had die wetenschap altijd gekoesterd. Maar de rest van zijn eerste jaren als wees was in dikke nevelen gehuld. Nana werd al snel ziek en nadat zij in een tehuis was opgenomen werd hij grootgebracht door de moeder van zijn vader, een tegen wil en dank onbaatzuchtige vrouw die bijna bezweek onder de zware verantwoordelijkheid. Nadat zij ging dementeren woonde de inmiddels achtjarige jongen eerst een tijdje bij verschillende, verre familieleden en vervolgens bij een reeks pleeggezinnen, waarbij van mishandeling of verwaarlozing geen sprake was geweest. Vervolgens besloot een dure middelbare school, de Basalt Preparatory Academy, hem een gratis beurs te verstrekken, omdat de leden van het bestuur vonden dat het 'hoog tijd was om iets van sociaal bewustzijn te tonen'.

Zijn vormingsjaren – de periode die door psychologen met de belachelijke term 'incubatietijd' wordt aangeduid – waren een aaneenschakeling van stapelbedden en hard blokken, waarbij hij regelmatig vernederingen te slikken kreeg, met als toetje onzekerheid. Jeremy werd eenzelvig, maar was op school beter dan de rijke kinderen, ondanks alle bijlessen die zij konden krijgen. Bij zijn eindexamen was hij op twee na de beste van zijn klas. Hij sloeg het aanbod om naar West Point te gaan af, ging naar college en deed er vijf jaar over om die opleiding met succes af te ronden, omdat hij zich in leven moest houden met slecht betaalde avondbaantjes. Nadat hij nog een jaar lang achter een tapkast had gestaan, boodschappen had bezorgd en bijles had gegeven aan domme rijke kinderen had hij genoeg geld gespaard om naar de universiteit te gaan en af te studeren.

Dat had hem niet de minste moeite gekost. Binnen drie weken had hij zijn proefschrift af. Destijds was schrijven hem gemakkelijk gevallen.

En daarna: arts-assistent, zelfstandig arts en de baan in City Central. Zeven jaar praktijkervaring. Jocelyn.

Maar wat hij zei, was: 'Ik ben opgegroeid in het middenwesten... aha, daar komt ons eten aan.'

Tijdens de maaltijd begon een van hen, Jeremy wist niet zeker wie, over het ziekenhuis en daarna praatten hij en Angela alleen nog over hun werk. Toen ze terugliepen naar de auto gaf ze hem een arm. Bij haar voordeur keek ze naar hem op, ging op haar tenen staan, drukte een stevige kus op zijn wang en trok haar hoofd terug. 'Ik vond het ontzettend gezellig.'

De grens was meteen afgebakend: tot hier en niet verder.

Dat vond hij prima, hij werd al misselijk als hij aan hartstocht dacht.

'Ik ook,' zei hij. 'Ik hoop dat je lekker slaapt.'

Angela lachte haar prachtige witte tanden bloot, klikte haar tas open, pakte haar sleutel, zwaaide nog even en stond al binnen voordat een van beiden het nodig vond om meer te zeggen.

Jeremy bleef nog even in de smerige gang staan en wachtte tot haar voetstappen weggestorven waren voordat hij ervandoor ging.

10

In de drie weken daarna gingen Angela en Jeremy vier keer met elkaar uit. Hun werktijden zaten af en toe behoorlijk in de weg. Angela moest twee keer afzeggen omdat ze plotseling naar een patiënt toe moest en toen Jeremy onverwachts het verzoek van de geneesheer-directeur kreeg om een lezing voor het personeel te houden over angst voor behandelingen, moest hij zich excuseren omdat hij een avond nodig had om zich daarop voor te bereiden.

'Geen probleem,' zei ze en toen Jeremy zijn voordracht hield, zat ze op de vijfde rij in de aula. Na afloop gaf ze hem een knipoogje, kneep even in zijn hand en ging er samen met de andere arts-assistenten als een haas vandoor om de ochtendronde te doen.

De volgende avond hadden ze hun vijfde afspraak.

Ze deden eigenlijk niets bijzonders als ze samen waren. Gezamenlijk bungeejumpen was er niet bij, ze gingen niet naar moeilijke concerten of voorstellingen van performancekunst en ze maakten vanuit de stad evenmin lange autotochten langs de haven en de buitenwijken aan de westkant, naar de uitgestrekte vlakte waar de maan groot was en je nog een rustig plekje kon vinden om te parkeren en na te denken over de oneindigheid. Jeremy kende het vlakke land goed. Hij had het grootste deel van zijn leven in het middenwesten gewoond, maar af en toe kon hij er nog steeds ondersteboven van zijn.

Lang geleden – voor Jocelyn, toen hij nog gewoon eenzaam was – reed hij vaak naar de vlakte, waar hij met grote snelheid alleen over een slaapverwekkende snelweg raasde en zich afvroeg hoeveel platte kilometers hij nog zou moeten afleggen voordat de aarde een puist zou krijgen.

Hun relatie kreeg vorm in een volkomen normale omgeving, tijdens vijf etentjes in vijf verschillende rustige eetgelegenheden met een prettige bediening, twee Italiaanse restaurants, een

Spaans eethuisje en een quasi-Franse tent die zichzelf als 'continentaal' afficheerde. Nadat Angela had bekend dat ze van Chinees eten hield, vond Jeremy een blauw verlicht Chinees café dat in de *Clarion* een lovende recensie had gekregen. Het etentje kostte meer dan hij normaal uitgaf, maar de glimlach op haar gezicht woog daar ruimschoots tegenop.

Goed eten, ernstige gesprekken, af en toe een lichte aanraking en vrijwel niets dat zelfs maar op flirten of seksuele suggestiviteit leek.

Hoe anders was het met Jocelyn gegaan. Jeremy wist dat vergelijken dodelijk kon zijn, maar daar trok hij zich niets van aan. Dat soort vergelijkingen waren volkomen normaal en hij wist nog niet eens zeker of hij wel aan iets nieuws wilde beginnen.

Jocelyn was seks en parfum geweest, het parfum van seks. Een serpentineduel van tongen, een vochtig kruisje bij hun eerste afspraak, opgeheven heupen, een naar muskus geurende delta de geboden beloning.

Zijn eerste etentje met Jocelyn was al voorbij voordat het dessert op tafel kwam. Die rit, halsoverkop naar haar huis, waar ze elkaar de kleren van het lijf hadden gerukt... Dat zo'n onderdeurtje zo sterk kon zijn... Haar kleine, harde lichaam was zo heftig tegen dat van Jeremy geramd, dat hij bijna buiten zinnen was geraakt. Zijn botten hadden er pijn van gedaan.

Jocelyn had hem altijd naar adem doen snakken.

Angela was beleefd.

Tijdens hun tweede afspraakje zei ze: 'Ik hoop dat je me niet onbeschoft vind, maar hoe oud ben je eigenlijk?'

'Tweeëndertig.'

'Je ziet er veel jonger uit.'

Ze probeerde hem niet te paaien, het was gewoon de waarheid en zo klonk het ook.

Op zijn zestiende had Jeremy eruitgezien alsof hij een jaar of twaalf was en hij begon zich pas te scheren toen hij naar college ging. Hij had zijn trage hormonen vervloekt, want alle meisjes die hij begeerde, hadden hem als een kind beschouwd.

Toen hij de dertig had bereikt, had hij zo'n glad, hoekig gezicht gekregen dat nooit ouder lijkt te worden. Hij had fijn, steil haar van een onopvallende lichtbruine kleur en er was nog geen spoor te bekennen van kale plekjes of verdwaalde grijze haren. Hij droeg het met een scheiding rechts, maar als hij er niets in deed, viel het over zijn voorhoofd. Hij vond zelf dat hij er nogal vaal uitzag, maar van vrouwen kreeg hij altijd te horen dat hij zo'n mooie huid had. Er was er zelfs één, een dichteres, die hem 'Byron' noemde en volhield dat zijn onopvallende bruine ogen gloeiden van intensiteit.

Hij was van gemiddelde lengte en gemiddeld gewicht, niet bijzonder gespierd. Zijn schoenen waren maat 44, zijn kostuum een normale 50.

Alles zo gewoon als het maar kon zijn, vond hij zelf.

'Ik meen het,' zei Angela. 'Je ziet er echt jong uit. Ik dacht wel dat je rond die leeftijd was, omdat je me verteld had dat je al zeven jaar in Central werkt. Maar je kunt gemakkelijk voor mijn leeftijd doorgaan, of zelfs nog jonger.'

'En hoe oud ben jij dan?'

'Raad maar.'

'Omdat je twee jaar geleden je artsenexamen hebt afgelegd, kom ik uit op achtentwintig.'

'Zevenentwintig. Ik heb de derde klas overgeslagen.'

Even oud als Jocelyn. 'Daar kijk ik niet van op,' zei hij.

'Ik was gewoon een vroegrijp kind,' zei Angela en begon te praten over de druk van het arts-assistentschap.

Jeremy luisterde. Af en toe kon je op de meest onverwachte momenten baat hebben van je beroepsopleiding.

Het afscheid nemen gebeurde steeds op dezelfde manier als bij hun eerste afspraakje: als hij Angela naar haar deur had gebracht bleef het even stil, dan volgden de glimlach en de uitgestoken hand.

Meteen daarna de stevige, afwerende kus op zijn wang en de iets te nadrukkelijke opmerking dat het echt heel gezellig was geweest.

Jeremy begon zich af te vragen wat ze eigenlijk wilde.

Na hun vijfde etentje, toen ze allebei propvol Chinees eten zaten, nodigde ze hem binnen in haar overdreven nette maar enigszins haveloos ogende appartement. Ze wees hem een tweedehands bank die nog steeds naar ontsmettingsmiddelen rook, schonk twee glazen wijn in, vroeg of hij haar een moment wilde verontschuldigen en glipte de badkamer in.

Jeremy keek om zich heen. Angela had een goede smaak. Alle meubels waren goedkoop, beschadigd en opvallend modern. Op de gehavende vensterbank stond een zielige kamerplant weg te kwijnen. Desondanks maakte het geheel een gezellige indruk.

Toch bleef hij met een vraag zitten. Had ze zich, met twee ouders die arts waren, niet iets beters kunnen veroorloven?

Ze kwam uit de badkamer tevoorschijn in een lange, groene kamerjas – van zijde of zo – ging naast hem zitten, dronk haar wijn op, drukte zich tegen hem aan en deed het licht uit. Ze begonnen elkaar innig te kussen. Even later viel haar jas open en kon Jeremy zich bij haar binnendringen.

Dat hem dat lukte, bezorgde hem geen rillingen van triomf. Integendeel zelfs, hij voelde een golf van teleurstelling opkomen. Ze bewoog nauwelijks, het leek alsof ze er helemaal niet bij was. Hij bleef doorrammen, hard, regelmatig, ongeïnteresseerd, met een hoofd vol chaotische gedachten.

Misschien ligt het aan dat Chinese eten.

Misschien vindt ze dat ze me na vijf etentjes iets verplicht is...

Jocelyn was veel...

Hij deed zijn ogen open en keek neer op haar gezicht. Voorzover hij in de grauwe duisternis kon opmaken, stond het sereen. Ze lag achterover en onderging passief dat hij zich bij haar binnen had gedrongen. Haar ogen zaten stijf dicht. Zouden ze ineens opengaan als ze instinctief besefte hoe weinig betrokkenheid hij voelde?

Ach, barst, dacht hij. *Ik hoef alleen maar aan mezelf te denken en me niet druk te maken over haar*. Maar toen hij opnieuw naar haar gezicht keek, was de uitdrukking veranderd. Het leek wel alsof ze inwendig een knop had omgedraaid. Of dat ze ineens besloten had tot leven te komen. Zou ze gewoon een van die vrouwen zijn die tijd nodig had... Verdorie, met vrouwen wist je ook nooit waar je aan toe was. Nu liet ze haar hoofd opzij vallen, vertrok haar gezicht en begon tegen hem aan te slijpen. Ze klemde hem met handen en voeten vast, beet in zijn oor en begon sneller adem te halen, tot ze schor lag te hijgen terwijl ze haar dijen als een bankschroef tegen elkaar perste en hem gevangen hield.

Jeremy's objectieve, ongeïnteresseerde stijve pik veranderde in iets heel anders toen ze haar handen om zijn ballen legde, hem kuste en het uitschreeuwde.

Een kreet – een schreeuw van genot – ontsnapte hem en hij zakte in elkaar. Hetzelfde gold voor haar en ze bleven in elkaar gestrengeld op de stinkende bank liggen.

Later, toen hij onwillekeurig aan Jocelyn moest denken, bande hij die gedachten uit zijn hoofd.

Hij reed met een tintelend onderlijf naar huis. Pas veel later, uren later, toen hij alleen en met opgetrokken knieën in zijn eigen bed lag, zich bewust van alle details van de slaapkamer, stond hij toe dat die vage schuldgevoelens zijn plezier een tikje vergalden.

11

De dag nadat hij met Angela had gevrijd liet Jeremy haar oproepen, sleepte haar weg van de zaal en nam haar mee naar zijn kantoor. Nadat hij de deur op slot had gedaan, trok hij haar rok op en drukte haar hand tegen zijn eigen lichaam. Ze kreunde licht en zei: 'Meen je dat?' Met één soepele beweging trok hij haar panty en haar broekje omlaag en ze vonden elkaar leunend tegen de deur, zich bewust van de voetstappen die af en toe in de gang klonken.

Terwijl ze zich aan hem vastklemde, zei ze: 'Dit is vreselijk.'

'Moet ik ophouden?'

'Heb het lef niet. Dan vermoord ik je.'

Ze kwamen klaar op de koude linoleumvloer. Angela veegde haar witte jas af, ging rechtop staan, haalde een hand door haar haar, gaf hem een kus en zei: 'Er wachten patiënten op me.' Haar gezicht betrok. 'Zal ik je eens wat vertellen? De komende vierentwintig uur heb ik dienst.'

'Arme meid,' zei Jeremy en streelde haar haar.

'Zul je me missen?'

'Zeker weten.'

Ze legde haar hand op haar rok, vlak boven het tere plekje waar hij haar net gevuld had. 'Wil je dit weer met me doen als mijn dienst erop zit?'

'Mét je?'

Ze grinnikte. 'Mannen doen het met vrouwen, zo is het nou eenmaal.'

'Weer hier, net als nu?' vroeg Jeremy.

'Hier of ergens anders. God, wat had ik dat nodig.'

'Als je het zo stelt,' zei Jeremy, terwijl hij haar haar om zijn vinger wikkelde, 'heb ik geen keus. Het verlichten van de werkdruk en zo.'

Ze lachte en raakte zijn gezicht even aan. Meteen daarna was ze verdwenen.

Toen hij weer alleen was, probeerde Jeremy verder te gaan met het hoofdstuk over het gebrek aan zintuiglijke waarneming, maar hij schoot nauwelijks op. Hij liep naar de artsenkantine om een kopje koffie te drinken. Witte jassen kregen dat gratis, een van de weinige voordeeltjes die nog over waren, en hij maakte er vaak gebruik van. Hij wist dat hij veel te veel cafeïne binnenkreeg, maar wat zou dat? Waarom zou hij zich inhouden?

De kantine was bijna leeg, er waren maar een paar aanwezigen die zich tussen de patiënten door even rust gunden.

En er was ook iemand die nooit een grote bek kreeg van zijn patiënten. Arthur Chess zat in zijn eentje aan een hoektafeltje met een kop thee en een ongeopende krant.

Op weg naar de koffiekan moest Jeremy recht voor Arthur langs, maar de patholoog gaf geen teken van herkenning. Hij negeerde Jeremy volkomen... als hij hem al gezien had.

Jeremy vond een tafeltje aan de andere kant van het vertrek, waar hij zijn koffie opdronk en onwillekeurig Arthur bestudeerde.

Nu begreep hij waarom Arthur hem niet gezien had. De oude man zat geboeid naar andere mensen te kijken.

Het onderwerp dat hem zo fascineerde, was een groep van drie artsen, die twee tafeltjes verder achter een kopje koffie met gebak zaten. Een drietal mannen dat op het oog verwikkeld was in een heftige, academische discussie.

Jeremy herkende een van hen, een cardioloog die Mandel heette. Een goeie vent, al was hij een beetje verstrooid. Hij had een paar patiënten naar Jeremy doorgestuurd, af en toe onterecht maar altijd met de beste bedoelingen. Hij zat met zijn rug naar Jeremy iets voorovergebogen aandachtig te luisteren.

De twee andere mannen droegen groene operatiepakken. Een van hen was gebruind, misschien wel een Latino, met donker, goedverzorgd haar en een keurig geknipte zwarte snor. De ander was wit. Letterlijk. Zijn lange gezicht had de bleke kleur die Jeremy alleen kende van langdurig zieken. Een ronde kruin bedekt met kortgeknipt vaalblond haar. Hij had een haakneus en ingevallen wangen.

Aan zijn bewegende mond te zien was hij voortdurend aan het woord, terwijl hij zat te gebaren met die magere dunne handen waar een chirurg zoveel profijt van had. Mandel hing aan zijn lippen, maar de aandacht van de man met de donkere snor leek een beetje af te dwalen, alsof hij tegen zijn zin aanwezig was.

De bleke man pakte een pen uit zijn zak, tekende iets op een servetje en wapperde weer met die lange, slanke handen. Mandel knikte. De bleke man maakte een zagend gebaar en lachte. Mandel maakte een opmerking en de chirurg met het gelige haar begon opnieuw te tekenen. Iedereen droeg een verbaal steentje bij. Arthur bleef staren.

Het was kennelijk een of ander technisch verhaal. Waarom zou Arthur, een doorvorser van de doden, een man die zijn werk deed met behulp van bottenzagen en timmermansgerei, zo geboeid zijn? Was het weer alleen maar een kwestie van nieuwsgierigheid?

Waarschijnlijk wel. Arthur was geestelijk onverzadigbaar, een echte intellectueel. Jeremy, die in zijn vrije tijd gewone tijdschriften las en zelden een blik wierp in de klassieke psychologische handboeken die hij verzamelde, voelde zich vergeleken met hem erg oppervlakkig.

Hij vroeg zich af waarom de patholoog niet opstond om zich bij het groepje te voegen. Dat zou weliswaar opdringerig zijn, maar Arthur was een belangrijk man in Central en zou vanwege zijn status zeker welkom zijn.

Ineens leek Arthurs interesse te tanen en hij sloeg zijn krant open, waardoor Jeremy zich afvroeg of hij zich vergist had. Misschien zag Arthur de drie mannen net zomin als hij Jeremy had gezien. Het zou best kunnen dat er iets was dat de oude man inwendig in vervoering bracht – vlinders, roofzuchtige kevers, de bijzonderheden van lichaamssappen en ga zo maar door – en dat het feit dat zijn grote kale hoofd in de richting van de discussie neigde niets anders was dan toeval.

Nu waren de ogen van de oude man strak op zijn krant gericht. Des te beter. Zo kon Jeremy rustig zijn koffie opdrinken, zonder problemen terugkeren naar zijn kantoor, zijn voeten op zijn bureau leggen en terugdenken aan alle fantastische aspecten van het vrijen met Angela.

Onwillekeurig vroeg hij zich af hoe het de volgende keer zou zijn.

Mannen doen het met vrouwen.

De bleke man zat niet meer met zijn pen te zwaaien. Hij leek zichzelf een beetje af te zonderen van wat hij duidelijk probeerde te maken en richtte zijn ogen vanaf de andere kant van het vertrek op Jeremy.

Een strakke blik.

Of misschien verbeeldde Jeremy zich dat alleen maar, want de man ging nu weer gewoon verder met zijn verhaal.

Arthur stond op, vouwde zijn krant dicht en trok zijn vlinderdasje recht voordat hij linea recta op Jeremy's tafeltje afstevende. Met een brede glimlach op zijn roze gezicht. 'Dat is ook toevallig,' zei hij. 'Ik stond net op het punt je te bellen.'

12

Hij ging aan Jeremy's tafeltje zitten, knoopte zijn witte jas los en stopte de krant in zijn zak. Zijn overhemd was van sneeuwwitte piqué, hard gesteven en met een hoge, stijve boord. Het vlinderdasje was vandaag van mooie dikke mintgroene zijde en bezaaid met kleine gouden Franse lelietjes.

'Ik vroeg me iets af,' zei hij. 'Ik hoop dat je me niet al te brutaal vindt, maar ik zou graag willen weten of je misschien zin hebt om aanstaande vrijdag met me te dineren. Ik zou je graag willen voorstellen aan een paar interessante mensen. Ik ben zo vrij om te veronderstellen dat je het leuk zou vinden om hen te leren kennen.'

'Vrienden van je?'

'Een groep... om het zo maar eens uit te drukken.' De oude man die anders zo gemakkelijk uit zijn woorden kwam, begon een beetje te hakkelen. Arthur Chess die zich geneerde?

Hij glimlachte, misschien om dat te verbergen. 'We komen af en toe bij elkaar om over zaken te praten die ons allemaal interesseren.'

'Medische zaken?' informeerde Jeremy. Pas daarna schoot hem de hardnekkige manier te binnen waarop Arthur hem over 'zeer kwalijk gedrag' had doorgezaagd. Was dat alleen maar een inleiding geweest tot dit verzoek?

'Een breed scala aan onderwerpen,' zei Arthur. 'De bedoeling is dat we onze kennis uitbreiden, maar geen zwaarwichtige dingen, Jeremy. Het is een prettig gezelschap, het eten is uitstekend – zeer smakelijk zelfs – en we hebben uitmuntende de drank onder de kurk. We eten altijd laat, maar dat zal volgens mij voor jou geen probleem zijn.'

Hoe kon Arthur weten dat hij last had van slapeloosheid? 'Hoezo?'

'Je bent een energieke jongeman.' Een van de grote handen van de patholoog kwam met een klap op het tafeltje terecht. 'Goed. Afgesproken?'

'Het spijt me, maar vrijdag komt me slecht uit,' zei Jeremy. Hij hoefde niet te liegen. Angela moest zich tot donderdagavond beschikbaar houden. Ze hadden nog geen afspraak gemaakt voor vrijdag, maar er was geen enkele aanleiding waarom ze hem af zou wijzen.

'Ik begrijp het. Nou, misschien een ander keertje dan.' Arthur stond. 'Ik kon het allicht proberen, maar het was niet mijn bedoeling om je voor het blok te zetten. Mocht je van gedachten veranderen, laat me dat dan alsjeblieft weten.' Hij legde zijn hand op Jeremy's schouder. Die was behoorlijk zwaar en Jeremy werd zich ineens bewust van de omvang en de kracht van de patholoog.

'Dat zal ik doen. Maar bedankt dat je aan mij hebt gedacht, Arthur.'

'De uitnodiging was speciaal voor jou bedoeld.' Arthurs hand lag nog steeds op Jeremy's schouder. Jeremy rook een mengeling van rum, sterke thee en een of ander zuur, waarschijnlijk formaldehyde.

'Ik voel me gevleid,' zei Jeremy.

'Je zou dit eens in overweging moeten nemen,' zei Arthur. 'In bijzonder chaotische tijden kan een goed souper op de late avond een mens veel kracht geven.'

'Chaotisch?' vroeg Jeremy.

Maar de oude man had zich al omgedraaid en liep weg.

Toen hij weer in zijn kantoor zat, slaagde hij er niet in om zich iets met betrekking tot Angela voor de geest te halen, of dat nu op het verleden of de toekomst sloeg.

Er was maar één woord dat hem door het hoofd spookte: *Chaotisch…*

Dat sloeg niet op mij, maar op de stad. Op de hele wereld.

Het sloeg wel op mij.

De oude smeerlap had gelijk. Er was geen betere omschrijving voor een tijd waarin vrouwen als een prooi werden achtervolgd, opgejaagd en gedood, alleen maar omdat ze vrouw waren. Waarin mannen met een in rust lage hartslag hun slachtoffers uitkozen op de manier zoals iemand anders in een winkel een meloen uitzocht.

Mannen die een kick kregen van de geur van bloed en van doodsbange ogen, van het verbeurd verklaren van lichaamssappen, de ultieme macht.

Monsters van mannen die al die dingen gewoon nodig hadden om hun eigen bloed te laten bruisen.

'Chaotisch' was de perfecte omschrijving voor een wereld waarin Jocelyns dood haar in eenzelfde categorie plaatste als Tyrene Mazursky.

Hij had zich Angela niet voor de geest kunnen halen, maar nu zag hij ineens Jocelyns gezicht voor zich. De manier waarop ze zelfs om zijn flauwste grapjes had gelachen, de manier waarop ze voor haar hopeloze patiënten zorgde. Haar elfengezichtje, zoals het in uiterst genot roodaangelopen en samengeknepen was.

Als het echt goed voor haar was geweest, sloegen de vlammen haar uit. Van haar onderlichaam tot haar kin.

En daarna een ander soort gezicht. Ook samengeknepen. Maar niet van genot.

Jeremy voelde een golf van misselijkheid opkomen. Hij had het idee dat hij moest overgeven, pakte zijn prullenbak en ging er met zijn gezicht boven hangen. Maar hij kon alleen kokhalzen. Hij ging voorover zitten met de prullenbak tussen zijn knieën en zijn hoofd in zijn handen, zwetend en hijgend.

Monsters van mannen, die mensen tot vuilnis degradeerden. Waardoor andere mannen – ruwe ambtenaren als Hoker en Doresh – hun geld konden verdienen met dat afval.

Hij slaagde erin om een prop slijm uit zijn keel te persen en die in de prullenbak te deponeren. Vervolgens haalde hij de plastic zak uit de bak, liep ermee naar het herentoilet, gooide hem weg, liep terug naar zijn kantoor, deed de deur op slot en bladerde in zijn adresboek.

Hij vond het nummer en toetste het in.

Rechercheur Doresh nam de telefoon op met 'Moordzaken' en Jeremy zei: 'Ik vroeg me af hoe een zwarte vrouw aan een naam als Mazursky komt.'

'Met wie... dokter Carrier? Wat is er aan de hand?'

'Ik vond het gewoon vreemd,' zei Jeremy. *Ik vond het hele-*

maal in die chaos passen. 'Daarna dacht ik dat het misschien een pseudoniem was. Want dat gebeurt vaak bij prostituees. Dat heb ik zelf meegemaakt. We behandelen ze hier in het ziekenhuis voor hun soa's – seksueel overdraagbare aandoeningen – en voor normale dingen als infecties van de urinewegen, ondervoeding, tandheelkundige problemen en hepatitis C. Een vrouw kan wel vijf verschillende dossiers hebben. We verwachten meestal niet dat we betaald worden, maar we proberen wel om de kosten bij de staat te declareren, omdat het bestuur dat van ons eist. Maar bij prostituees heeft dat meestal geen zin, omdat ze zo snel van naam wisselen. Dat doen ze om justitie te misleiden en te verbergen dat ze al eerder zijn gearresteerd. Dus misschien heeft zij dat ook gedaan. Tyrene Mazursky. Misschien heeft ze wel meer dan een identiteit.'

'Een pseudoniem,' herhaalde Doresh langzaam. 'En u denkt dat wij dat niet overwogen hebben.'

'Ja, eh, eigenlijk denk ik dat wel. Maar het schoot me ineens te binnen.'

'Is u nog meer te binnen geschoten, dok?'

'Nee, alleen dat.'

Stilte. 'Was er nog iets anders dat u me wilde vertellen, dok?'

'Nee, dat was alles.'

'Want ik heb alle tijd,' zei de rechercheur.

'Het spijt me dat ik u lastig heb gevallen,' zei Jeremy.

'Tyrene Mazursky,' zei Doresh. 'Grappig dat u over haar begint, want ik heb net haar autopsierapport gekregen en dat ligt hier voor me. Niet bepaald fraai, dok. Alwéér niet bepaald fraai. Het lijkt wel een soort Humpty Dumpty toestand.'

De rechercheur liet zijn opmerking even bezinken. Alwéér... alsof de geschiedenis zich herhaalt... Hetzelfde wat met Jocelyn was gebeurd.

Het was meer dan hij sinds de moord te horen had gekregen. Hij schreeuwde het bijna uit. Daarna haalde hij diep adem en zei: 'Wat afschuwelijk.'

'Tyrene Mazursky,' zei Doresh. 'Toevallig is ze jaren geleden met een Poolse vent getrouwd geweest. Een beroepsvisser, een van die kerels die met een net de meren afstroopt en alles vangt wat hij te pakken kan krijgen. Hij ging ook samen met andere kerels op zoek naar gezonken boomstammen die honderd jaar geleden van boten zijn gevallen. Duur essenhout waar ze violen van bouwen. Maar goed, die vent was een eersteklas zuipschuit. Hij is een paar winters geleden omgekomen toen zijn boot omsloeg en liet haar zonder een cent achter. Maar al voor die tijd tippelde ze af en toe, aangezien hij altijd weg was en zijn hele loon verzoop. Na zijn dood begon ze serieus. Te tippelen, bedoel ik.'

De kille manier waarop Tyrene Mazursky's leven werd samengevat viel Jeremy rauw op het dak. Zijn mond werd droog en zijn handen begonnen te beven.

'Arme vrouw,' zei hij.

'Het is een triest verhaal,' beaamde Doresh. 'Maar dat is voor ons allebei niets nieuws, hè? Ik wens u verder een prettige dag toe, dok.'

Jeremy legde de telefoon neer. In gedachten zag hij Tyrene Mazursky tippelen in de haven. In afwachting van een schip dat binnen moest komen.

Jocelyn. Bezig op zaal, in afwachting van haar afspraak van die avond met Jeremy.

Mannen doen het met vrouwen. Zo is het nu eenmaal.

Hij bleef nat bezweet achter zijn bureau zitten, met een vieze smaak in zijn mond, en keek toe hoe de schemering de schacht van de airconditioning voor zijn raam steeds donkerder maakte.

Ten slotte pakte hij de telefoon weer op en toetste een toestelnummer in.

'Chess,' bulderde een bekende stem.

'Met mij, Arthur. Bij nader inzien blijkt vrijdag me wel uit te komen.'

13

Donderdag laat vond Jeremy een met de hand geschreven briefje in zijn postbakje. Een vooroverhellend handschrift, zwarte inkt op blauw geschept papier, met de vloeibare gratie van een vulpen.

> *Dr. C,*
> *Vrijdag, 21.30 uur. Ik bel nog om een nadere afspraak te maken.*
> *A.C.*

Op vrijdag begon het te stortregenen, zonder waarschuwing vooraf en even meedogenloos als een militaire aanval. Overbelaste riolen stroomden over en sommige buurten kregen een hoop smerigheid te verwerken. Aanrijdingen deden een aanslag op de gespannen zenuwen van de stad. De lucht rook naar mercurochroom. De kaden langs de haven werden glibberig van het met olie vervuilde meerwater dat er voortdurend overheen sloeg, boten klapten heen en weer en zonken, en ongeschoren mannen met gebreide mutsen op en hoge laarzen aan zochten hun toevlucht in donkere kroegen om zich een stuk in de kraag te drinken.

Jeremy's auto bleef de hele weg naar het ziekenhuis slippen. Angela belde hem zodra haar dienst erop zat en klonk bekaf.

'Heb je een zware dag achter de rug?'

'Iets zwaarder dan normaal,' zei ze. 'Maar ik zal mijn best doen om gezellig te zijn. Als ik in slaap val, moet je me maar overeind houden.'

'Het spijt me, maar er is iets tussengekomen,' zei Jeremy. 'Een afspraak met dokter Chess.'

'Met dokter Chess? Ja, daar moet je natuurlijk naartoe. Hij is briljant. Waar gaat het over?'

Jeremy had stiekem gehoopt dat ze teleurgesteld zou zijn. 'Iets geleerds. Hij heeft me niet verteld wat het precies inhield.'

'Veel plezier.'
'Ik zal mijn best doen.'
'Waarom bel je me niet als het afgelopen is?'
'Het zal wel laat worden,' zei Jeremy. 'Het diner begint pas om halftien.'
'Ik snap het... Zaterdag dan? Ik moet zondagochtend pas weer werken.'
'Oké,' zei Jeremy. 'Ik bel je wel.'
'Fijn.'

Jeremy bezocht zijn patiënten en vulde de rest van de dag met vergeefse pogingen om te schrijven. Hij verspilde twee uren in de bibliotheek van het ziekenhuis, waar hij een paar medische en gedragswetenschappelijke databases doorspitte op zoek naar literatuurverwijzingen, waarvan hij wist dat ze niet bestonden. Pure dwaasheid, maar hij maakte zichzelf wijs dat wetenschappelijk onderzoek altijd via kronkelwegen verliep en dat je van de ene op de andere dag tot de ontdekking kon komen dat alles waar je in had geloofd niet meer klopte. Maar de feiten waren de afgelopen zes maanden niet veranderd. Als hij een boek wilde schrijven – of zelfs maar een hoofdstuk – zou hij dat zelf moeten doen.

Toen hij terugkwam in zijn kantoor was het inmiddels tien over halfnegen 's avonds en zijn postbakje puilde uit. Hij keek de post door en vond midden in de stapel weer een met de hand geschreven briefje: hetzelfde schuine, zwarte handschrift op blauw papier.

Dr. C,
Het lijkt me het best als ik vanavond rijd.
A.C.

Hij belde Arthurs kantoor, kreeg geen gehoor en sjouwde naar het hoofdgebouw, waar hij de trap afliep naar het pathologielab in het souterrain en tot de ontdekking kwam dat de hele afdeling gesloten was. De gangen waren donker en stil, alleen het mechanische gereutel van de jichtige liften was te horen.

Het mortuarium, een paar deuren verder, was eveneens dicht. Arthur was weg. Had de oude man hun afspraak vergeten?

Jeremy liep weer naar boven, ging naar de cafetaria en pakte zijn achtste gratis kopje koffie van die dag. Hij dronk het langzaam op, in het gezelschap van bezorgde familieleden, slaperige arts-assistenten en uitgeputte broeders.

Toen hij terugkwam bij zijn kantoor stond Arthur voor de deur te wachten, gekleed in een lange zwarte plastic regenjas met capuchon die bijna op zijn met overschoenen bedekte voeten hing. Regendruppeltjes parelden op de jas en Arthurs neus was nat. De oude man was naar huis gegaan en weer teruggekomen.

De capuchon bedekte Arthurs gezicht vanaf zijn wenkbrauwen en tot aan zijn kin. Een paar witte baardhaartjes piepten boven het plastic uit, maar het resultaat was toch dat hij vrijwel onherkenbaar was.

Hoe toepasselijk voor een man met zijn beroep, dacht Jeremy. *Magere Hein in eigen persoon.*

'Hoera,' zei Arthur. 'Het stortregent buiten. Ik hoop dat je daarop hebt gerekend.'

Jeremy pakte zijn koffertje en zijn regenjas. Arthur keek naar het gekreukelde kaki kledingstuk met iets wat op ouderlijke bezorgdheid leek.

'Hmm,' zei hij.

'Dat is meer dan genoeg,' zei Jeremy.

'Ik hoop dat je gelijk hebt. Je vindt het toch niet vervelend dat ik rijd, hè? Zelfs in het gunstigste geval ligt onze bestemming een tikje afgelegen. En vanavond...' Arthur haalde zijn schouders op. De plastic capuchon kraakte, regendruppels spatten in het rond.

Magere Hein gaat uit vissen, dacht Jeremy.

En toen: wat zou hij voor aas gebruiken?

Het interieur van Arthurs Lincoln was warm en rook lekker. De bekleding was van een grijskleurig vilt dat Jeremy alleen kende van veel oudere auto's. De motor sloeg aan met een zacht gebrom en Arthur reed soepel achteruit van de parkeerplaats. Zodra ze de garage uit waren, ging Arthur rechtop zitten. Zijn grote handen rustten licht op het stuur en zijn ogen gleden van de voorruit naar de achteruitkijkspiegel. Na een korte blik op de beide zijspiegels vestigden ze zich weer op de weg.

Hij lette goed op, maar dat vond Jeremy een schrale troost. De stortbui zorgde ervoor dat ze maar een paar meter zicht hadden. Voorzover hij kon zien had Arthur totaal geen zicht.

De oude man ging op weg naar het centrum, maar sloeg voor de hoge, in de verte twinkelende lichtjes van de wolkenkrabbers linksaf. Jeremy probeerde te onthouden hoe Arthur reed, maar hij raakte de weg al snel kwijt.

Naar het oosten, naar het noorden en dan weer naar het oosten. Vervolgens een serie bochten snel na elkaar, waardoor Jeremy geen flauw idee meer had waar ze waren.

Arthur neuriede onder het rijden.

Toen er weer achterlichten in zicht kwamen, leek het alsof de oude man zich daardoor liet leiden. Ook als het pikdonker was en de voorruit een ondoorzichtige zwarte rechthoek leek, voelde hij zich kennelijk volkomen op zijn gemak.

De regendruppels kletterden op het dak van de Lincoln alsof ze midden in een wild steeldrum-concert zaten. Het scheen Arthur niet op te vallen, hij neuriede rustig door. Hij was volkomen ontspannen... Nee, dat was nog te zwak uitgedrukt, hij vond de verschrikkelijke omstandigheden gewoon leuk. Alsof de Lincoln zich op een vast spoor bevond en de tocht niet inspannender was dan een ritje in de botsautootjes.

Jeremy keek om zich heen. Voorzover hij in het donker kon zien, zag de Lincoln er keurig netjes uit. Er lag niets op de achterbank. Voordat ze vertrokken, had Arthur de kofferbak opengemaakt, waarbij een keurig gestofzuigde grijze bekleding zichtbaar was geworden, een EHBO-kistje en twee paraplu's in klemmen tegen de brandwerende achterwand van de stoelen. Hij had Jeremy's koffer naast het EHBO-kistje gezet en de klep weer voorzichtig dichtgedaan.

Hum, hum, hum.

Jeremy voelde zijn ogen dichtvallen. Toen hij weer wakker schrok en een blik op zijn horloge wierp, zag hij dat hij iets meer dan een kwartier had geslapen.

'Goedenavond,' zei Arthur opgewekt.

Het was nog harder gaan regenen. 'In welk gedeelte van de stad zijn we nu?' vroeg Jeremy.

'In Seagate.'

'Bij de haven?'

'Dat vind ik het leukste deel van de stad,' zei Arthur. 'Die levendigheid, die aanslag op al je zintuigen. Het werkvolk.'

'Het werkvolk.'

'De ruggengraat van elke samenleving.' En even later: 'Veel van mijn voorouders waren werkende mensen, voornamelijk boeren. Waar ben jij opgegroeid, Jeremy?'

'In het middenwesten. Niet in deze stad, maar niet ver van hier.' Jeremy noemde de naam van de stad.

'Een handelscentrum,' zei Arthur. 'Waren er ook boeren onder jouw voorouders?'

'Dat is al ettelijke generaties geleden,' zei Jeremy.

'Een boerderij kan veel opvoedkundige waarde hebben. Je leert wat een kringloop betekent. Leven en dood en alles wat zich daartussen bevindt. En uiteraard de vergankelijkheid van dat alles... Een van mijn mooiste herinneringen is de keer dat ik moest helpen bij de geboorte van een kalf. Een nogal bloederige toestand. Ik was zeven en doodsbenauwd. Verstijfd van angst dat ik meegesleurd zou worden door een of andere vloedgolf die het beest zou uitscheiden. Maar mijn vader was onvermurwbaar.'

'Heeft dat je geïnspireerd om arts te worden?'

'O, nee,' zei Arthur. 'Eigenlijk juist het tegendeel.'

'Hoezo?'

Arthur keek hem zijdelings aan en lachte. 'De koe deed het helemaal zelf, jongen. Ik had het gevoel dat ik volkomen overbodig was.'

'Maar je bent toch arts geworden.'

Arthur knikte. 'Nog een paar straten verder.'

14

Uit de geur van vis, brandstof, roest en teer kon Jeremy opmaken dat de haven niet ver weg was. Maar er was nergens water te zien, alleen lange rijen vierkante, vensterloze gebouwen zonder enige vorm van opsmuk.

Arthur Chess was naar een benauwend smalle straat gereden, met aan weerszijden panden die eruitzagen als pakhuizen. De regen veranderde het wegdek in een glijbaan en de koplampen van de Lincoln waren zielige donkergele streepjes die al verdwenen voordat ze het asfalt raakten. Geen sterren, geen maan, niets dat als navigatiemiddel kon dienen. De bui was zo hevig dat je er bijziend van werd.

De Lincoln reed opnieuw een onverlichte straat in en minderde vaart. Jeremy zag geen woonhuizen en geen trottoirs, alleen het ene na het andere saaie gebouw.

Een bloederige toestand.

Roofzuchtige insecten. Wat wist hij eigenlijk van de oude man? Wat had hij zich op de hals gehaald?

Arthur reed nog een stukje verder, remde af en stopte de Lincoln voor een twee verdiepingen hoge kubus waar niets op stond. Het enige wat Jeremy kon zien waren uit cementblokken opgetrokken muren en een smalle deur met daarboven een uitrolbare luifel. Onder de luifel verspreidde een peertje in een lamp van matglas een waaier van licht. Het licht had een kleur die Jeremy nog nooit had gezien: lichtblauw met een vleugje paars, klinisch.

Op hetzelfde moment dat Arthur de motor uitzette, ging de deur open en stapte een kleine man naar buiten die onder de luifel bleef staan. Het blauwe licht reikte maar tot zijn middel, daaronder was alles zwart, bijna onzichtbaar. Het leek alsof hij doormidden was gezaagd.

De halve man stak zijn arm uit, een paraplu sprong open en hij liep haastig naar de achterkant van de Lincoln. Arthur drukte op een knop, de kofferbak klikte open en toen de man terugliep naar het linkerportier had hij twee paraplu's in zijn hand.

Hij hield de deur open voor Arthur en ging op zijn tenen staan om de veel langere patholoog tegen de regen te beschutten, waardoor hij zelf nat werd. Nadat hij Arthur een van de paraplu's had overhandigd liep hij om de auto heen en deed Jeremy's portier open.

Van dichtbij kon Jeremy zien dat de man dichter bij Arthurs leeftijd was dan bij de zijne en hooguit een meter zestig lang. Dun haar, glad met een middenscheiding, boven een rond, rimpelig apengezichtje zoals sommige dwergen dat hebben. Heldere zwarte ogen die ergens licht vandaan haalden en Jeremy sprankelend aankeken.

Onder die ogen een glimlach rond een mond zonder lippen.

De man droeg een donker pak, een wit overhemd en een donkere das. Hij ging opnieuw in de regen staan, zodat Jeremy gebruik kon maken van zijn paraplu. Jeremy deed een stapje dichterbij, zodat ze de paraplu konden delen, maar de kleine man bleef bij hem uit de buurt toen ze samen naar de deur renden.

Toen Jeremy onder de lichtblauwe lamp stapte, werd hij bijna verblind door een fel schijnsel.

Een grote gestalte stond in de deuropening. Arthur was al binnen.

De man met het apengezichtje wachtte tot hij langs hem heen was gelopen. Hij was doorweekt, maar bleef glimlachen. Ze stonden met z'n drieën in een klein wit voorportaal met in de achterwand een witte deur. Het plafond bestond uit geluiddempende tegels. Het felle licht was afkomstig van een bedrijfslamp die op een uitgerekte wafel leek. Geen meubels, geen luchtjes, geen kou. Een volkomen steriele ruimte, als je niet lette op de spetters, de strepen en de plasjes goor water op de zwarte linoleumvloer.

'Bedankt dat je ervoor hebt gezorgd dat we niet nat werden, Laurent,' zei Arthur.

'Graag gedaan, dokter.' De kleine man pakte de twee paraplu's en zette ze in een hoek. Hij nam Arthurs jas aan en keerde zich om naar Jeremy.

'Dit is dokter Carrier, Laurent.'

'Aangenaam kennis te maken, dokter.' Laurent stak zijn hand uit en Jeremy schudde iets wat aanvoelde als een knoestig stuk eikenhout.

'De anderen zijn er al,' zei Laurent tegen Arthur. Zijn pak was net als dat van Arthur uitmuntend van snit, maar uit een ander tijdperk. Blauwzwarte gabardine met daaronder een wit overhemd met een wit motiefje. De boord van het overhemd was vastgezet met een gouden speld. Zijn das was van echt zwart satijn. Smalle voetjes staken in korte zwarte laarzen met een apart neusstuk, die zo glanzend gepoetst waren dat het regenwater als druppeltjes op het leer bleef staan en vervolgens op de grond rolde.

'Geweldig,' zei Arthur.

'Alles ziet er prachtig uit, meneer.' Laurent keek Jeremy opnieuw aan. Er stond een blos op zijn gezicht. 'U bent een geluksvogel, jongeman.'

Arthur duwde de witte deur open en wachtte tot Laurent langs hem heen naar binnen schoot. Achter Jeremy viel de deur met een zoevend geluid weer dicht en zijn ogen moesten opnieuw aan het licht wennen, dat hier een stuk zachter was. Een liefkozend, amberkleurig schijnsel.

Hij zag een lange gang voor zich, met een lambrisering van goudgeel hout. Langs de bovenkant van de met de hand bewerkte panelen liep een rand met inkepingen. Onder zijn voeten lag vloerbedekking van een nog warmere gouden tint, even luxueus als de bekleding van Arthurs Lincoln. Het rondlopende plafond was van pleisterwerk, bedekt met een laagje bladgoud.

Een vogel in een gouden kooi, dacht Jeremy.

Laurent liep voor hen uit door de stille gang. De warme lucht rook naar rozenwater. Uiteindelijk kwamen ze bij een massieve, dubbele deur. Er hing een stenen bordje op, waarin drie sierlijke letters waren gegraveerd: CCC.

Het jaar driehonderd?

Iets uit de voormalige Sovjetunie? Zou Arthur een hardnekkige communist zijn?

Jeremy moest inwendig lachen om dat idee, maar voordat hij verder kon speculeren had Laurent beide deuren al opengegooid. Hij stond samen met Arthur aan weerszijden van de ingang. Arthurs lange arm maakte een theatraal gebaar. 'Na jou, beste vriend.'

Jeremy keek met grote ogen naar een schitterende ruimte. Vier gezichten staarden hem aan.

Een kwartet glimlachen.

Hier hing een ander soort stilte… de plotselinge, pulserende rust van een gesprek dat abrupt was afgebroken. Het aroma van gebraden vlees drong in zijn neus. Opnieuw moesten zijn ogen aan een ander soort licht wennen: het grote aantal lampjes van een kroonluchter die een gedempt schijnsel verspreidde. Een enorme kroonluchter, een wirwar van kristallen slingers, hangers en bolletjes.

De geur van het vlees was verrukkelijk.

Jeremy stapte naar binnen.

Het vertrek was meer dan zes meter hoog, even breed als een danszaal in een kasteel, even lang als een jacht. Net als in de gang waren de wanden van hout – genopt notenhout met de kleur van warme chocola, zo vaak in de was gezet dat het glom. De panelen waren achthoekig en versierd met opgelegd hout. Alle metalen onderdelen van de kroonluchter waren van sterling zilver. Het gestucte plafond was gewelfd en versierd met slingers en medaillons. Een stuk of tien schilderijen – landelijke tafereeltjes – hingen aan ijzerdraad dat aan de stevige plafondfriezen was vastgemaakt.

In de achterwand van het vertrek bevond zich een tweetal klapdeuren en Laurent verdween door een ervan. Tussen de deuren stond een enorm, klassiek dressoir met koperen sloten en handgrepen. Midden op de kast een bloemstuk met een groot aantal witte orchideeën.

De kroonluchter hing boven een spiegelend gepoetste chippendale eettafel van mahonie, afgewerkt met vanillekleurig satijnhout. Meer dan genoeg plaats voor twintig personen, maar gedekt voor zes mensen.

Zes identieke onderzetters van spiegelglas. Aan beide zijden van de tafel was één plaats vrij.

Arthur gebaarde dat Jeremy aan de linkerkant moest gaan zitten en nam zelf de stoel tegenover hem. 'Beste vrienden, dit is onze gast, dokter Carrier.'

Vier maal een beleefd gemompel.

Drie mannen, één vrouw. Een van de mannen was zwart. Hij was net als zijn seksegenoten gekleed in een mooi pak met een opvallende stropdas. De vrouw droeg een witte jurk van gebreide stof en een streng opvallende, paarszwarte parels zo groot als wilde druiven.

Ze waren alle vier bejaard. Met zijn aanwezigheid zorgde Jeremy voor een spectaculaire daling van de gemiddelde leeftijd.

Waar is de tafel voor de kinderen?

Hij probeerde zoveel mogelijk details in zich op te nemen zonder onbeschoft te lijken. De schilderijen leken van Franse origine. Ze zaten stuk voor stuk in rijk bewerkte lijsten en de onderwerpen waren aan de suikerzoete kant: weelderige bossen, gouden zonnestralen, dartelende bosgoden, vrouwen met tere borsten en een lege blik in de ogen, vastgelegd in roerloze rust.

Langs de wanden stonden extra stoelen bekleed met frambooskleurige zijde en nog een viertal kleinere dressoirs. Schitterend beschilderde Chinese vazen stonden op marmeren pilaren. Een paar perfect geplaatste bijzettafels met ingelegde bladen. Een glazen etagère met jade beeldjes. Jeremy wist wel iets van antiek, zijn lankmoedige grootmoeder van vaders kant had een groot deel van haar pensioen besteed aan een paar prachtige zeventiende-eeuwse stukken. Maar dit leek allemaal nog duurder dan de dingen die oma had verzameld. Wat was daar eigenlijk mee gebeurd?

Niemand zei iets. De oude mensen bleven hem glimlachend aankijken. Hij verwachtte ieder moment een klopje op zijn hoofd. Terwijl hij hun glimlach retourneerde, bleef hij om zich heen kijken. Midden op de tafel stond een schaal met drie dozijn rode rozen. De spiegelende glazen onderzetters waren zevenhoekig, met een platina rand. Op elk ervan stond een simpel, maar sierlijk gevormd wit porseleinen bord, geflankeerd door zilveren bestek, dieprode servetten in vergulde ringen, kristallen glazen voor water, rode en witte wijn en veel grotere drinkbekers van gehamerd zilver op een hoge voet. Het zilver was ingezet met glas.

Zes plaatsen, vijf wijnbekers.

Rechts van Jeremy's plaats stond een eenvoudige champagnefluit – een grof, goedkoop glas dat afkomstig leek uit de eerste de beste discountzaak.

Het lidmaatschap bracht privileges mee...

Arthur had het woord genomen en onderstreepte zijn betoog met handgebaren. '... bijzonder fijn zijn om wat vers bloed bij ons bejaarde gezelschap te krijgen.'

Goedkeurend gegrinnik.

'Jeremy, laat me je deze verzameling bejaarde onverlaten voorstellen.' Arthur wees naar de man die aan dezelfde kant van de tafel als Jeremy het verst van hem af zat. Een man met een witte baard en felblauwe ogen, die zelfs op een afstand nog vlamden als gasbranders. 'Professor Norbert Levy.' Arthur voegde er de naam van een bekende universiteit aan de oostkust aan toe.

Levy had een blozend gezicht met zware kaken en een slordige bos golvend haar. Hij droeg een antracietkleurig tweed pak met brede revers, een geruit overhemd en een caramelkleurige das met een forse windsorknoop.

'Professor,' zei Jeremy.

Levy salueerde en grinnikte. 'Professor emeritus. Ik ben de wei ingestuurd, om het zomaar eens te zeggen.'

'Norbert heeft hun technologieafdeling letterlijk uit de grond gestampt,' zei Arthur.

'Je kunt beter zeggen dat ik op een groot aantal tenen ben gaan staan,' zei Levy.

De vrouw die tussen de ingenieur en Jeremy in zat, legde haar hand op haar borst. De zwarte parels tinkelden. 'Een plotselinge paradigmatische ommekeer naar bescheidenheid, Norbert?

Ik weet niet of mijn hart die schok wel kan verdragen.'

'De edelachtbare rechter Tina Balleron, voormalig lid van het hooggerechtshof.'

'En tegenwoordig alleen nog maar op de golfbaan te vinden,' zei de vrouw met een rokerige stem. Ze had de gerimpelde huid en de met gevaarlijk veel sproeten bedekte handen van iemand die inderdaad achttien holes per dag speelt. Ze was slank en stevig gebouwd, met kort golvend haar dat goudblond was geverfd. De parels waren de enige juwelen die ze droeg, maar die waren dan ook meer dan voldoende. Zelfs nu kon haar slappe en geplooide huid niet verbergen hoe vastberaden haar kaaklijn was. Ze mompelde meer dan ze sprak, maar Jeremy vond dat verrassend verleidelijk klinken. Haar ogen waren helder, donker en geamuseerd.

'Het hooggerechtshof,' zei professor emeritus Norbert Levy. 'De vraag is hoger dan wat? Is er dan ook een laaggerechtshof, lieve meid?'

Rechter Tina Balleron produceerde een schor keellachje. 'Gezien de kwaliteit van de huidige advocatuur meer dan genoeg, lijkt me.'

Arthur richtte zijn blik op zijn kant van de tafel en keek naar de man die het verst van hem af zat. 'Edgar Marquis.'

Geen beroep, alsof de naam alleen voldoende was.

Marquis leek de oudste van de groep, ver in de tachtig. Met zijn verschrompelde lichaam en zijn blauw dooraderde, flinterdunne huid maakte hij de indruk dat hij verzwolgen werd door zijn kleren. Zijn gezicht hing vlak boven zijn schouders, een tikje voorover, alsof hij geen nek had om het overeind te houden. Hij had een vooruitstekende bovenlip, waardoor je onwillekeurig aan een schildpadbek moest denken. Hij droeg een zwartzijden pak met een doffe streep en satijn beklede knopen aan de mouwen. Die kende Jeremy alleen van smokings. Het overhemd van Marquis was parelgrijs en zijn dunne stropdas had de vrolijke rode kleur van zuurstofrijk bloed. Een oude dandy, die Edgar Marquis.

Hij wekte de indruk dat hij in slaap was gevallen, en Jeremy wilde zijn blik al afwenden, toen Marquis ineens een sikkelvormige plooi op de plaats waar zijn wenkbrauwen hadden moeten zitten optrok en knipoogde.

'Edgar,' zei Tina Balleron, 'was een zeldzaam voorbeeld van gezond verstand en een juist oordeel bij wat zo toepasselijk aan de Foggy Bottom is gevestigd.'

'Het ministerie van Binnenlandse Zaken,' zei Arthur alsof hij iets aan een schoolkind uitlegde.

Iedereen glimlachte opnieuw, met inbegrip van Marquis. Niet omdat er iets amusants gebeurde, maar een soort laten-we-het-ons-gezellig-maken-glimlach. Ze deden allemaal hun uiterste best om vriendelijk te zijn.

Ze behandelen me, dacht Jeremy, *met de omzichtige eerbied die speciaal bedoeld is voor een intelligent maar onvoorspelbaar kind.*

Alsof ik een of andere prijs ben.

Edgar Marquis ging verzitten. 'Dokter Carrier,' zei hij met een verbijsterend diepe en duidelijke stem, 'ik hoef me niet langer diplomatiek op te stellen, dus vergeef me als ik af en toe een uitstapje maak naar de werkelijkheid.'

'Als het maar bij af en toe blijft,' zei Jeremy met een poging tot een kwinkslag. Hij wilde vooral Marquis – en de anderen – op hun gemak stellen.

'Absoluut, meneer,' zei Marquis. 'Vaker dan af en toe zou stuitend zijn.'

'Aan die uitspraak zal ik je helpen herinneren,' zei Tina Balleron terwijl ze met haar lange, gebogen nagels tegen haar zilveren wijnbeker tikte.

De man die naast haar zat – de zwarte man – zei: 'De gemiddelde burger zou er wel bij varen als hij af en toe met zijn neus op de waarheid werd gedrukt.' Hij keek Jeremy aan. 'Harry Maynard. Uiteraard moest ik tot het laatst wachten. En ik zit bovendien aan het uiterste eind van de tafel. Hmm. Sommige dingen veranderen kennelijk nooit.'

'Nou, nou,' zei Norbert Levy. Een brede grijns hakte zijn baard in tweeën.

'Zo wordt onze kleine bijeenkomst plotseling geconfronteerd met een maatschappelijk probleem,' zei Edgar Marquis. 'Zullen we maar meteen een enquêtecommissie samenstellen?'

'Wat dacht jij dan?' zei Harry Maynard. 'Ik benoem mezelf ook meteen tot voorzitter. Jullie zijn allemaal schuldig aan het ten laste gelegde. Een gevoel van schaamte lijkt me terecht.'

'Waar hebben we ons schuldig aan gemaakt?' wilde Levy weten.

'Vul dat zelf maar in.'

'Iedereen die het daarmee eens is, mag de hand opsteken,' zei Edgar Marquis.

Ze schoten allemaal in de lach.

'Kijk eens aan,' zei rechter Balleron. 'Participerende democratie op haar best. Hou je nu even koest, Harry, dan kom je vanzelf aan de beurt.'

Maynard schudde met een opgestoken vinger. 'Het leven is te kort om je koest te houden.' Hij richtte zich weer tot Jeremy. 'Je opleiding zal je hier goed van pas komen. Prettig kennis met je te maken, kerel.'

Hij was waarschijnlijk de jongste van het stel, een grote, gezette vent van ergens in de zestig in een donkerblauw pak, een lichtblauw overhemd en een paarsblauwe das. Zijn huid was een paar tinten lichter dan de notenhouten lambrisering, zijn haar – dat op staalwol leek – was kortgeknipt en zijn smalle snorretje was precies even breed als zijn mond.

'Lest best de onschatbare Harrison Maynard. Hij leeft in zijn eigen wereld.'

'Harry schrijft boeken,' zei Tina Balleron.

'Schreef,' zei Maynard. En tegen Jeremy: 'Rotzooi. Pure rotzooi onder pseudoniem. Geweldig om te doen. Ik heb gedolven in de hoofdader van het oestrogeen.'

'Harrison heeft zich in het verleden beziggehouden met het schrijven van wat destijds liefdesroman werd genoemd. Ontelbare vrouwen kennen hem als Amanda Fontaine of Chatelaine DuMont of Barbara Kingsman en soortgelijke mierzoete pseudoniemen. Hij is de meester van het geplette lijfje. God mag weten hoe jij research pleegde, Harry.'

'Door mijn ogen open te houden en te luisteren,' zei Maynard.

'Dat zeg jij,' zei de rechter. 'Maar volgens mij heb je te vaak aan deuren geluisterd.'

Harrison Maynard lachte. 'Een mens doet wat hij moet doen.' Zijn blik gleed naar de achterkant van de eetkamer. De rechterdeur was opengezwaaid en Laurent dook op met een serveerwagen. De man met het apensmoeltje had een gesteven wit kelnersjasje aangetrokken. Op de wagen stonden zes zilveren stolpen. Achter hem liep een vrouw die even groot was als hij en van dezelfde leeftijd. Ze droeg een zwarte overhemdjurk en zeulde een magnum wijn mee. Haar donkere haar was glad achterovergetrokken in een knotje. Haar huid had de kleur van slagroom en haar ogen leken op geroosterde amandelen. Ze stonden een tikje schuin.

Jeremy kwam tot de conclusie dat ze van Europees-Aziatische afkomst was. Toen ze dichterbij kwam, kruisten hun blikken elkaar. Ze glimlachte verlegen en bleef naast de stoel van Edgar Marquis staan.

'Eindelijk iets te eten,' zei de stokoude diplomaat. 'Ik val bijna flauw van de honger.'

Jeremy keek naar zijn verschrompelde gestalte en vroeg zich af in hoeverre dat een grapje was. Laurent zette de serveerwagen rechts van Tina Balleron stil.

'Het ruikt heerlijk,' zei Marquis. 'Maar helaas gaan dames voor.'

'Dames hebben het recht om voor te gaan,' zei de rechter.

Marquis kreunde. 'Op een moment als dit, lieve meid, kan een mens plotseling begrip opbrengen voor die arme stakkers die hun sekse operatief laten veranderen.'

'Wijn, meneer?' vroeg de half Aziatische serveerster.

Marquis keek naar haar op. 'Je mag mijn glas tot de rand vullen, Genevieve.'

15

Genevieve schonk een witte wijn en Laurent diende de eerste gang op, visquenelles in een gevulde pepersaus met een licht citroensmaakje.

Edgar Marquis nam een hapje, likte zijn lippen af en verkondigde: 'Snoek.'

'Snoek en tarbot,' zei Arthur Chess.

'Met sint-jakobsschelpen en kreeftkuit in de saus,' vulde Norbert Levy aan.

'Genoeg gespeculeerd,' zei Tina Balleron en drukte op een knop bij haar voeten. Een tel later dook Laurent op.

'Madame?'

'De ingrediënten, alstublieft.'

'Zoetwaterforel, tarbot en zwaardvis.'

'Zwaardvis is in principe snoek,' zei Edgar Marquis.

'Ik ben in principe *homo sapiens*,' zei Harrison Maynard.

'En de saus, Laurent?' vroeg Tina Balleron.

'Krab, rivierkreeft, citroengras, een scheutje anisette, gemalen peper en een snufje geraspte grapefruitschil.'

'Verrukkelijk. Dankjewel.' Terwijl Laurent wegliep, pakte de rechter haar wijnglas op en de anderen volgden haar voorbeeld.

Er werd geen dronk uitgebracht. Na een moment van stilte werden de kristallen glazen aan de mond gezet.

Edgar Marquis dronk sneller dan de anderen en Genevieve dook als bij toverslag op om zijn glas opnieuw te vullen. De wijn was licht en fruitig, met een flauwe citroensmaak die goed bij de verrukkelijke vulling van de quenelles paste.

Ze waren zo licht dat ze op Jeremy's tong smolten. Hij merkte dat hij te snel at en dwong zichzelf wat rustiger aan te doen.

Neem beschaafde hapjes en kauw ze onopvallend maar vastberaden weg. Een jonge heer slokt niet.

En een jonge heer houdt ook zijn mond als meneren uit de hoogste kringen 's avonds bij hem in bed kruipen...

Jeremy dronk zijn wijnglas leeg en werd vrijwel meteen draaierig. Hij had wel ontbeten, maar niet geluncht en het vismengsel was net zo voedzaam als bladerdeeg. De wijn was naar zijn hoofd gestegen.

Laurent dook weer op met een mandje vol harde en zachte broodjes. Jeremy nam een plakje olijfbrood en een bolletje dat met sesamzaad bestrooid was. Een paar zaadjes rolden op zijn das en hij veegde ze met een bespottelijk gevoel van schaamte weg.

Niemand had het gezien. Er was gewoon niemand die naar hem keek.

Iedereen concentreerde zich op het eten.

Dat was hem bij oude mensen wel vaker opgevallen. In de wetenschap dat er niet veel tijd meer restte en dat je moest genieten van elk pleziertje?

Jeremy's vork met een hapje van het boterzachte visgerecht bleef even in de lucht hangen toen hij zijn metgezellen bestudeerde en luisterde naar het geklik van vorken tegen het porselein en de nauwelijks hoorbare samba van vastberaden malende kaken.

Wat een concentratie. Alsof dit hun laatste maal kon zijn.

Hij vroeg zich af of hij ook zo zou worden, als de tand des tijds zijn werk zou hebben gedaan.

Arthur Chess had de groep onze 'vergrijsde kleine bijeenkomst' genoemd, maar terwijl Jeremy's blik de tafel ronddwaalde, zag hij opmerkzaamheid, zelfgenoegzaamheid en zelfstandigheid. Konden deze mensen terugkijken op een welbesteed leven?

Wat een zegen... En toen dacht hij ineens aan Jocelyn, die de kans niet had gekregen om rustig oud te worden.

Tyrene Mazursky.

Hij probeerde de stroom van gedachten die daardoor opwelde te dempen met een slokje koele wijn. Op het moment dat hij zijn glas leeg had, werd het onmiddellijk weer gevuld. Tina Balleron wierp hem een blik toe... was hij indiscreet geweest? Had hij zijn gevoelens verraden?

Nee, haar aandacht was alweer op haar bord gericht. Hij zou het zich wel verbeeld hebben.

Hij dronk te veel en nam nog een paar stukjes brood voordat hij zijn bord leegat. Het gesprek was hervat en ging volkomen langs hem heen. De oude mensen praatten aan één stuk door, maar wel op hun gemak. Geen ruzie, geen zwaarwichtige onderwerpen, alleen een luchtig gebabbel over het laatste nieuws. Daarna maakte Norbert Levy een opmerking over een hydro-elektrisch project waarvoor twee staten verder een dam gebouwd moest worden, schotelde hun de gegevens en de cijfers voor en begon over de ramp met de Assoeandam in Egypte en andere vergeefse pogingen om de natuur in bedwang te krijgen.

Tina Balleron kwam met een citaat uit een boek dat ze had gelezen over de onafwendbaarheid van overstromingen van de Mississippi.

Harrison Maynard noemde de genietroepen van het leger 'in kaki gehulde monsters van Frankenstein' en merkte op dat Jonathan Swift had gezegd dat iemand die geleerd had om twee maïsplanten te laten groeien op een plek waar er eerder maar één stond de mensheid een betere dienst had bewezen dan 'al die volksstammen politici'.

'Swift was een van de grootste denkers aller tijden,' zei Arthur Chess. 'Zijn opvatting van onsterfelijkheid is zo scherpzinnig dat het bijna bijbels lijkt.' De patholoog beschreef vervolgens hoe hij een keer het graf van Swift in Dublin had bezocht en dwaalde toen af naar de genoeglijke leeskamers in de bibliotheek van Trinity College.

Edgar Marquis zei dat de Ieren eindelijk het licht hadden gezien door zich in plaats van op aardappels op technologie te concentreren. 'In tegenstelling tot... andere nationaliteiten kunnen ze nog koken ook.'

Norbert Levy had het over een fantastische maaltijd in een familierestaurant bij de haven van Dublin. Perfect gegrilde zwarte tong, die door de Ieren nooit Dover-tong genoemd zou worden omdat ze zo'n hekel hadden aan de Engelsen. De man was de chef-kok geweest, de vrouw de sommelier.

'Wat zijn de kinderen geworden, bakkers?' vroeg Harrison Maynard.

'Artsen en advocaten,' antwoordde Levy.
'Jammer.'
Tina Balleron keek Jeremy aan. 'Hoe smaakt de vis, beste kerel?'
'Heerlijk.'
'Dat doet me genoegen.'

De tweede gang was een warme salade van duivenborst en porcini-paddestoelen over veldsla die was aangemaakt met een met pancetta gelardeerde saus. Hier werd een andere witte wijn bij geschonken, warmer van kleur, houtachtig, droog en scherp en Jeremy goot de drank genietend naar binnen en vroeg zich een beetje duizelig en bezorgd af of hij niet buiten westen zou raken.

Maar hij bleef bij de tijd, zijn lichaam scheen de alcohol beter te verwerken. De prachtige kamer was scherper en helderder, zijn smaakpapillen tintelden van verlangen naar de volgende hap en de stemmen van zijn metgezellen waren balsem voor zijn ziel.

Arthur begon over vlinders in Australië.

Edgar Marquis meende dat Australië sprekend leek op de Verenigde Staten in de jaren vijftig en dat Nieuw-Zeeland net Engeland in de jaren veertig was. 'Drie miljoen mensen en zestig miljoen schapen. En reptielen mogen niet ingevoerd worden.'

Harrison Maynard beschreef een plek in Nieuw-Zeeland waar je tegelijkertijd uitzicht had op de Tasmanzee en op de Stille Oceaan. 'Het is een volmaakt contrast. De Tasmanzee golft aan een stuk door, de Stille Oceaan is een spiegel. Ik vond een spleet waarin jan-van-genten paarden. Grote vogels met een goudkleurige kop, die wel iets van meeuwen weghebben. Ze zijn monogaam. Als hun partner sterft, worden het kluizenaars. Je kon de frustratie in die spleet ruiken.'

'Dat pleit niet voor hun aanpassingsvermogen,' zei Jeremy.

Vijf paar ogen keken hem aan.

'Met betrekking tot hun voortplanting,' zei hij. 'Wordt er soms geprobeerd het geboortecijfer te drukken?'

'Dat is een goede vraag,' zei Maynard. 'Ik ging er gewoon van uit dat het een stelletje zedenmeesters was.'
'Het is inderdaad een goede vraag,' zei Arthur.
'Dat zou eigenlijk uitgezocht moeten worden,' zei Tina Balleron.

De derde gang was een bleekroze sorbet met een smaak die Jeremy niet thuis kon brengen en een glas ijswater.
Alsof hij instinctief aanvoelde dat hij nieuwsgierig was, verklaarde Norman Levy: 'Bloedsinaasappels en pomelo's. Die laatste vrucht is een neefje van de grapefruit. We hebben vandaag kennelijk iets met citrusvruchten.'
'Maar ze zijn toch groter dan een grapefruit?' vroeg Edgar Marquis. 'Volgens mij worden ze in Mexico op dorpsmarkten verkocht.'
'Het zijn grote misbaksels,' beaamde Levy. En tegen Jeremy: 'Ze zijn zoeter dan grapefruits, maar ongeschikt voor commerciële teelt vanwege de ongunstige verhouding van vruchtvlees en schil.'
'Het middel is belangrijker dan het doel,' merkte Harrison Maynard op.
'Voor de zoveelste keer,' zei Tina Balleron.
'Dat is maar al te waar,' beaamde Arthur. Hij raakte even zijn vlinderdasje aan.
Ze keken allemaal neer op hun bord.
Stilte.
Het leek alsof alle energie uit de kamer was weggevloeid. Jeremy keek Arthur vragend aan. De patholoog schonk hem een lange, onderzoekende blik. Een trieste blik.
'Nou,' zei Jeremy, 'misschien moeten we ons dan op het doel concentreren.'
De stilte hield aan. Een drukkende stilte.
Arthur boog zijn hoofd en zette zijn lepel in zijn sorbet.

16

Jeremy wist niet zeker wanneer het precies gebeurde – ergens tijdens de vleesgerechten.

Drie soorten vlees, uitgestald als stoffelijke sieraden, samen met gestoofde bietjes, haricots verts en spinazie, en aangevuld met een fluwelen bourgogne.

Jeremy, die vroeger een grage eter was geweest, maar zichzelf dat genoegen de laatste tijd zelden had gegund, had zijn bord gevuld met een tournedos, plakken ganzenborst en in kalfslende gewikkelde bolletjes ganzenlever. Laurent deelde het vlees uit, terwijl Genevieve de groente opschepte.

Alles paste ruim op zijn bord. Nu drong het pas tot Jeremy door dat het serviesgoed erg groot was – de borden leken meer op schalen.

Uit het plafond daalde zachte vioolmuziek neer. Was die voortdurend te horen geweest? Jeremy ging op zoek naar de luidsprekers en ontdekte er acht, verdeeld over de hele kamer en keurig verborgen in het stucwerk.

Een kamer die met zorg was ingericht. En met veel geld.

De oude mensen aten gretig door. 'Genevieve,' zei Edgar Marquis, 'wil je de ganzenpoot brengen?'

De vrouw liep de kamer uit en kwam kort daarna terug met een onthutsend brok vlees. Marquis tilde de poot met twee handen op, begon aan de bovenkant en knaagde langzaam maar zeker de hele poot af. Jeremy probeerde niet te staren en geen van de anderen leek het een vreemde gang van zaken te vinden. Marquis maakte langzaam maar zeker vorderingen, maar bleef desondanks nog even verschrompeld.

Er kwam een herinnering bij Jeremy bovendrijven, waarvan hij zich nooit echt bewust was geweest: een grapje dat een of ander ver familielid hem tijdens een familiebijeenkomst had toegevoegd. In de tijd dat hij nog deel uitmaakte van een familie. Min of meer. Hoe oud was hij geweest? Waarschijnlijk net de kleuterleeftijd ontgroeid.

Waar laat je dat allemaal, jochie? Heb je een holle darm?

Wie had dat gezegd? Een oom? Een neef? Was hij echt zo'n gulzig kind geweest? Wat was er met zijn eetlust gebeurd? Wat was er met zijn leven gebeurd?

Naast hem schudde Tina Balleron haar servet los en depte haar lippen af met een koket gebaar. Aan de overkant zat Arthur Chess te eten als een paard.

'Mmm,' zei Norbert Levy.

Jeremy keek naar zijn bord en viel aan.

Het was niet Arthur die het onderwerp ter sprake bracht, dat wist Jeremy bijna zeker. Bijna, omdat hij min of meer uitgeteld was geweest door de rode wijn en de grote dosis proteïnen.

Wie was het geweest? Maynard? Of misschien Levy?

Iemand was begonnen over misdadig geweld.

Aha, dacht Jeremy. *Dit is de clou. Dit is de reden waarom ik uitgenodigd ben.*

Maar niemand vroeg hem naar zijn mening. Integendeel. Ze zaten er met elkaar over te praten alsof hij niet aanwezig was.

Ze hadden me net zo goed aan de tafel van de kinderen kunnen zetten.

Hij besloot om zich in zijn eigen gedachtewereld terug te trekken. Maar de stemmen van de oude mensen bleven tot hem doordringen.

Harrison Maynard was aan het woord. 'Deskundigheid is niets anders dan een stel stomme verwaande kwasten die dezelfde kolder zo vaak herhalen dat ze er zelf in gaan geloven. Armoede leidt tot misdaad. Haha.' Hij legde zijn mes neer. 'Ik zal jullie niet vervelen met de zoveelste treurige herinnering aan mijn ellendige, door discriminatie geteisterde jeugd in een tijd van brute rassenscheiding, maar laat ik het erop houden dat het, waar je ook opgroeit, al snel duidelijk wordt wie de booswichten zijn. En het fenomeen zelf is kleurenblind. Boeven zijn net zo opvallend als puisten op een supermodel.'

Tina Balleron maakte een pistool van haar wijsvinger en richtte het op niemand in het bijzonder.

'Wat bedoel je daarmee, beste meid?' vroeg Maynard.

'Booswichten en brave mensen, Harry. Wat een macho idee. Het lijkt wel... Louis L'Amour.'

'Een geweldig schrijver,' zei Maynard. 'En een geweldig mens. Ben je het niet eens met dat principe?'

'Ik ben rechter geweest, schat. Ik weet alles af van booswichten. Het zijn de zogenaamde brave mensen waar ik vraagtekens bij zet.'

'Ik heb in de kringen van de diplomatie veel kwaad zien gebeuren,' zei Edgar Marquis. 'Mensen die logen voor de grap of uit winstbejag, om het zo maar eens te zeggen... Af en toe kreeg je het gevoel dat omkoopbaarheid het voornaamste product van het korps was. Het beroep trekt schelmen áán.'

'Typisch dingen die je bij je opleiding nooit te horen krijgt,' zei Maynard.

'Inderdaad,' zei Marquis. Bedroefd, alsof het hem werkelijk dwarszat.

'Zit er maar niet over in, Edgar, want hetzelfde geldt voor de academische wereld,' zei Norbert Levy. 'Ik kon het aan omdat ik me niets aantrok van al die idioten en me op mijn werk concentreerde. Maar ik veronderstel dat jij dat voorrecht bij jouw werk niet had, Eddie. Omdat je daarbij wel met iedereen moet samenwerken en zo. Hoe heb je dat kunnen harden?'

'Dat heeft me ook jarenlang de grootste moeite gekost, jongen. De tijd die ik in Washington heb doorgebracht was één doffe ellende. Maar ik kwam er uiteindelijk achter dat de oplossing lag in het mijden van de zogenaamde beschaving. Ik kreeg een functie in Engeland aangeboden, aan het hof van Sint-James, om het zo maar eens te zeggen. Als assistent van de schooier die tot ambassadeur was benoemd. Ik kon me niets stuitenders voorstellen dan die combinatie van adel, list en bedrog. Ik heb het aanbod afgeslagen, waardoor ik mijn carrière verder wel kon vergeten en ben verder alleen maar naar afgelegen gebieden getrokken waar ik zinvol werk kon doen zonder deel uit te maken van die cultuur van lafhartigheid.'

'In Micronesië,' legde Arthur Jeremy uit. Het was al een tijdje geleden dat iemand zich om hem had bekommerd.

'De kleinere en onbekendere eilanden van Micronesië en Indonesië,' verklaarde Marquis. 'Plaatsen waar antibiotica en gezond verstand een omwenteling teweeg konden brengen.'

'Goh, Eddie,' zei rechter Balleron, 'in je hart ben je dus eigenlijk een maatschappelijk werker.'

De oude man zuchtte. 'Er is een tijd geweest dat een goede daad niet bestraft werd.'

Opnieuw daalde er een stilte neer in de kamer en opnieuw vond Jeremy dat ze er allemaal treurig uitzagen.

Er is een of ander achterliggend verhaal waarvan ik de strekking niet ken. Iets dat ze met elkaar gemeen hebben en wat ik niet te horen krijg omdat ik maar een tijdelijke gast ben.

Maar waarom ben ik hier eigenlijk?

Een hernieuwde poging om Arthurs blik te vangen leverde niets op. De patholoog pleegde sectie op zijn kalfsvlees en zijn ogen bleven strak op zijn bord gericht.

'Ik denk dat we allemaal precies begrijpen wat je bedoelde, Harry,' zei Norbert Levy. 'Er zullen zich altijd booswichten onder ons bevinden en het is niet moeilijk om ze te ontdekken. Integendeel zelfs, ze zijn banaal.'

'Banaal en wreed,' zei Harrison Maynard. 'Denken dat ze overal recht op hebben, ongevoelig en niet in staat om zichzelf in de hand te houden.'

Jeremy hoorde zichzelf zeggen: 'Dat blijkt inderdaad uit de gegevens die ons ter beschikking staan, meneer Maynard. Misdadigers die altijd gewelddadig te werk gaan, zijn impulsief en ongevoelig.'

Vijf paar ogen richtten zich op hem.

'Hebben we het over vaststaande psychologische gegevens, dokter,' vroeg Tina Balleron, 'of zijn dat slechts vermoedens?'

'Gegevens.'

'Actuele voorbeelden of groepsstudies?'

'Beide.'

'Geaccepteerd of voorlopig?' De zachte stem van de vrouw deed niets af aan de scherpte van haar vragen. Rechters zijn altijd eerst advocaat geweest. Jeremy kon zich voorstellen dat een door Balleron afgenomen kruisverhoor de sterkste mannen in een hoopje doffe ellende kon veranderen.

'Voorlopig, maar bijzonder suggestief.' Jeremy gaf bijzonderheden. Niemand reageerde. Hij ging dieper op de zaak in, gaf bronvermeldingen en meer details.

Nu was hun interesse gewekt.

Hij ging verder en stak een kleine lezing af. Langzaam maar zeker werd hij intenser en het kostte hem moeite om de kille feiten te scheiden van de beelden die door zijn hoofd tolden.

Het lijkt wel een soort Humpty Dumpty toestand.

De wetenschap was hopeloos ontoereikend.

Hij voelde een snik opwellen in zijn keel, hield op met zijn verhaal en zei: 'Dat is alles.'

'Fascinerend,' zei Arthur Chess. 'Ongelooflijk fascinerend.'

Harrison Maynard knikte. De anderen volgden zijn voorbeeld.

Zelfs Tina Balleron leek onder de indruk. 'Ik denk dat ik iets heb opgestoken,' zei ze. 'Hartelijk bedankt daarvoor, dokter Carrier.'

Een moment van onbehaaglijkheid. Jeremy wist niet wat hij moest zeggen.

'Zou iemand er bezwaar tegen hebben als ik om de ganzenvleugel vraag?' vroeg Edgar Marquis.

'Stop jezelf maar vol, Eddie,' zei Harrison Maynard. 'Ik laat de champagne komen.'

Dit keer werd er wel een dronk uitgebracht.

Heldere, droge Moët & Chandon sprankelde in de drinkbekers van gehamerd zilver en de kou drong door de glazen inzetjes waardoor het zilver besloeg.

De wijn bruiste in Jeremy's goedkope fluit. Hij pakte het glas en hief het toen Arthur een dronk uitbracht.

'Op onze welbespraakte gast.'

De anderen herhaalden zijn woorden.

Vijf glimlachen. Welgemeend, vol hartelijkheid.

De avond was goed verlopen.

Jeremy had zich goed gehouden. Hij wist het zeker.

Hij nam een slokje van zijn champagne en dacht dat hij nog nooit zoiets heerlijks had geproefd.

Hij had zich ook nog nooit zo welkom gevoeld.

17

Er werd verder over koetjes en kalfjes gepraat en na de Sachertorte en de cognac was hij aan het eind van zijn Latijn.

'Vrienden, het lijkt me beter dat we nu gaan,' zei Arthur Chess. Hij stond van tafel op en Jeremy wankelde even toen hij dat voorbeeld wilde volgen.

Tina Balleron pakte zijn elleboog.

'Ik red me wel,' mompelde hij.

'Daar ben ik van overtuigd,' antwoordde ze, maar ze hield zijn mouw vast tot hij stond. Het was al ver na twaalven, maar de anderen bleven gewoon zitten. Jeremy liep om de tafel heen om iedereen de hand te schudden en te bedanken. Arthur kwam naar hem toe en nam hem mee naar buiten. Alsof Jeremy zich iets te veel uitsloofde.

Genevieve stond vlak achter de deur met hun jassen en toen Jeremy de drempel over was keek hij nog een keer om naar de drie in steen gegraveerde C's.

De zwarte Lincoln stond met draaiende motor langs het trottoir te wachten en toen Genevieve met hen meeliep, bleef ze vlak bij Jeremy.

Hij had opnieuw het gevoel dat hij een kind was. Alsof hij vertroeteld werd. Geen onprettige ervaring. Hij stond toe dat Genevieve zijn portier opende. Ze wachtte tot hij zijn gordel om had gedaan, zwaaide, deed het portier dicht en verdween in de duisternis.

Het regende niet meer, maar nu hing er een vochtige mist die naar natte wol rook. Jeremy was niet meer in staat om te rijden en vroeg zich af hoe het met Arthur was gesteld. Arthur zat rechtop, met beide handen aan het stuur. Hij leek prima in orde.

De Lincoln trok op en gleed weg.

'Arthur, wat betekent CCC?'

Arthurs aarzeling duurde net lang genoeg om op te vallen. 'Dat is maar een grapje. Zit je goed?'

'Prima.'
'Mooi zo.'
'Wel een uitmuntende keuken, hè?'
'Uitstekend.'
Arthur glimlachte.

Hij deed zijn mond niet open terwijl Jeremy afwisselend wegdommelde en weer wakker schrok. Het werd iets beter toen hij het raampje een stukje opendraaide en toen ze bij het ziekenhuis aankwamen, was Jeremy inmiddels weer helder van geest en was zijn ademhaling tot rust gekomen.

Arthur reed naar de parkeergarage van de artsen en bracht Jeremy door de vrijwel lege ruimte naar zijn auto.

'Ik hoop dat je je hebt geamuseerd,' zei Arthur.

'Het was geweldig, hartelijk bedankt. Je hebt interessante vrienden.'

Arthur zei niets.

'Ze maakten de indruk,' zei Jeremy, 'dat ze een vol leven achter de rug hebben.'

Het bleef even stil. 'Dat klopt inderdaad.'

'Hoe vaak komen jullie bij elkaar?'

Dit keer duurde de stilte iets langer. 'Op onregelmatige tijden.' Arthur frunnikte aan zijn vlinderdasje en drukte op een knop om het slot van Jeremy's portier te openen. Zonder hem aan te kijken pakte hij zijn zakhorloge en wierp er een blik op.

Het was inrukken geblazen.

'Een interessant stel,' zei Jeremy.

Arthur klapte het horloge dicht en keek strak voor zich uit.

Waar was Arthurs vriendelijkheid gebleven? De opgelegde gezelligheid van de oude man had Jeremy tegen de borst gestuit, maar gek genoeg verlangde hij er nu naar.

Hij vroeg zich af of zijn kleine lezing wel zo geslaagd was geweest als hij had gedacht. Was hij te lang van stof geweest? Saai? Of op een of andere manier beledigend?

Heb ik me soms vergaloppeerd?

Waarom zou ik me daar druk over maken?

Maar toch trok hij het zich aan, hij hoopte echt dat hij geen flaters had geslagen. De motor van de Lincoln liep nog steeds en de ogen van Arthur bleven op de voorruit gericht.

Jeremy deed zijn portier open en gaf Arthur nog één kans. Vanbinnen gloeide nog steeds het warme gevoel van ergens bij te horen. Plotseling en om onverklaarbare redenen verlangde hij ernaar om ‘gewild’ te zijn.

Arthur bleef strak voor zich uit kijken.

‘Goed,’ zei Jeremy.

‘Welterusten,’ zei Arthur.

‘Nogmaals bedankt.’

‘Graag gedaan,’ zei Arthur. En dat was alles.

18

Tegen de tijd dat hij thuiskwam, had Jeremy de eigenaardige, plotseling koele houding van Arthur van zich afgezet. Er waren ergere dingen in het leven dan sociale blunders. Toen hij in bed kroop, was zijn hoofd leeg en hij sliep als een blok.

In het kille licht van de morgen – gekoppeld aan een kater – verdween elke neiging tot zelfbespiegeling. Hij nam een paar aspirientjes, ging tegen beter weten in een eind hardlopen in de kou, nam een gloeiend hete douche en belde het nummer van Angela, dat niet opgenomen werd. Het was zaterdagochtend, maar er waren patiënten die hem nodig hadden en hij had ineens zin om te gaan werken. Om negen uur zat hij achter zijn bureau en probeerde zijn plotseling brandende oogleden en het bonzen van zijn hoofd te negeren.

Zijn pathetische pogingen om een hoofdstuk voor zijn boek op te zetten keken hem verwijtend aan. Hij besloot om eerder dan normaal een ronde te gaan lopen, zodat hij al zijn patiënten voor de lunch bezocht zou hebben en aan elk van hen meer tijd zou kunnen besteden.

Hij had dezelfde kleren aangetrokken die hij altijd droeg,

maar hij had het gevoel dat alles slonzig en verkreukeld was. Hij pakte zijn witte jas, die aan een haak op de deur hing, en schoot die aan. Meestal deed hij dat niet, om zich te onderscheiden van de artsen.

Ik ben de dokter die jullie geen pijn doet.

Bij kinderen hielp dat. Al had hij tegenwoordig niet zo veel kinderen meer als patiënt. Zo veel verdriet. Er waren dingen die hij gewoon niet kon verwerken.

Volwassen patiënten schenen het niet belangrijk te vinden hoe je gekleed was, zolang je maar niet overdreven veel zorg besteedde aan je uiterlijk en je houding. Sommigen putten zelfs troost uit het zien van de witte jas.

Ziekenhuisrituelen, priestergewaden. *U hebt een deskundige voor u.*

Ze moesten eens weten.

Een paar kleine problemen zorgden ervoor dat hij tot na twaalven aan het werk was en hij maakte de dag nog langer door uitgebreid aandacht te besteden aan elke patiënt, de tijd te nemen om even met de verpleegkundige staf te praten en alle dossiers zorgvuldig bij te houden, in tegenstelling tot zijn gewoonte in een keurig handschrift.

Angela stuurde hem een boodschap met de tekst: 'Het spijt me van vandaag, maar ik ben opgeroepen.'

Vlak voor drie uur brak er paniek uit: er was in de buurt van de afdeling gynaecologie een man met een pistool gesignaleerd en de omroepster van dienst eiste op hoge toon dat *dokter Carrier* ernaartoe zou gaan.

Het gevaar bleek gevormd te worden door de man van een patiënte bij wie de baarmoeder verwijderd moest worden. Een verpleegkundige had een verdachte bobbel onder zijn trui gezien en de man zat nu alleen en kokend van woede in een lege wachtkamer.

De hoofdverpleegkundige vertelde Jeremy dat de veiligheidsdienst al was gewaarschuwd. De echtgenoot was een slechtgehumeurde man die haar altijd zenuwachtig maakte. Het ziekenhuis schreef voor dat er in een dergelijk geval altijd iemand van de afdeling geestelijke gezondheidszorg aanwezig moest zijn en volgens zijn afdeling was hij nu aan de beurt.

Het geval bleek meer triest dan beangstigend. Jeremy negeerde het advies dat hij van alle aanwezigen kreeg en liep de kamer binnen voordat de bewakers arriveerden. De man was ongeschoren, zijn ogen waren rood en hij had duidelijk last van een depressie. Jeremy ging zitten om met de man te praten, luisterde naar wat hij te vertellen had en toen de man zei: 'Waarom doet iedereen zo zenuwachtig?' wees hij naar de bobbel.

De man begon te lachen en tilde zijn trui en overhemd op. Daaronder zat de zak van een stoma. 'Ze mogen me fouilleren als ze dat zo graag willen,' zei de man. 'Maar dan wel op eigen risico, verdomme.'

Hij begon nog harder te lachen en Jeremy volgde zijn voorstel. Ze bleven nog even doorpraten en de arme kerel kwam met dingen aan waarover hij nog nooit zijn mond had opengedaan. Hij was woest over zijn eigen ziekte, over wat zijn vrouw te wachten stond en over het feit dat ze kinderloos zouden blijven. Genoeg om je kwaad over te maken. Na een uur maakte hij een kalme indruk, maar Jeremy zou niet vreemd opkijken als hij een volgende keer wel gewapend opdook.

Toen ze samen de wachtkamer uitkwamen, stonden drie leden van de nutteloze veiligheidsdienst die het ziekenhuis had ingehuurd voor de deur en probeerden een competente indruk te maken.

'Alles is onder controle,' zei Jeremy. 'Jullie kunnen wel gaan.'

De grootste bewaker zei: 'Hoor eens, dok...'

'Ga weg.'

Hij was opgekikkerd van het gesprek dat hij met de arme vent had gehad. Andermans problemen. Hij had meteen gereageerd, zoals het een bewaker van het geestelijk welzijn betaamde. Elke goede soldaat wist waar het in de strijd op aankwam: het individu moest opgeofferd worden aan het hoogste doel.

Met een nobel gevoel en het idee dat hij deel uitmaakte van een groter geheel keerde hij terug naar zijn kantoor.

Angela had een halfuur geleden gebeld. Hij liet haar oproepen en werd doorverbonden met interne geneeskunde, waar hij van een zaalhoofd te horen kreeg dat dr. Rios net was opgeroepen voor een spoedeisende longoperatie.

Daar begreep hij niets van. Angela was arts, geen chirurg. Maar er zou ongetwijfeld een verklaring voor zijn.

Hij keek naar de stapel papieren die hem spottend toelachte en ging zijn post ophalen. Het was vandaag een behoorlijke hoeveelheid en hij keek de gebruikelijke memo's, verzoeken, uitnodigingen voor conferenties en symposia door tot hij bij de bruine interne envelop kwam die onderop lag.

Die was afkomstig van de afdeling KNO. Er stond geen naam op. Het was al een paar maanden geleden dat hij bij een van hun gevallen assistentie had verleend – een tumor in het binnenoor, met een fatale afloop – en hij vroeg zich af wat ze nu van hem zouden willen.

In de envelop zaten fotokopieën die niets met kelen, neuzen of oren te maken hadden.

Een zeventien jaar oud artikel, gekopieerd uit een oftalmologisch tijdschrift, luidde:

> Het verwijderen van hoornvliesweefsel met behulp van het CO2 Vari-Pulsar 4532 tweede-generatie laserscalpel...

Het was geschreven door een operatieteam van het Koninklijk Medisch College van Oslo. Een internationaal gezelschap: Noorse, Engelse en Russische namen. Geen van die namen kwam Jeremy bekend voor.

Kennelijk een vergissing, hij had de post van iemand anders gekregen, iets wat wel vaker voorkwam bij de antieke buizenpost die de vermolmde wanden van het ziekenhuis dooraderde. Misschien had een of andere secretaresse niet goed geluisterd en spraakpathologie verward met psychologie.

Hij belde de afdeling KNO en kreeg een secretaris aan de lijn die op geen uren na wist waar hij het over had. Nadat hij het artikel in de prullenbak had gegooid, legde hij de envelop opzij voor hergebruik. Zuinigheid met vlijt enzovoort. De financiële afdeling had alweer opdracht gegeven tot bezuinigingen.

Toen hij de envelop dubbelvouwde, voelde hij iets. Er was iets onderin blijven zitten en hij haalde het tevoorschijn. Een kleine, witte archiefkaart met een getypte mededeling.

Te uwer informatie.

Hij bekeek de envelop opnieuw. Er stond geen naam in het vakje voor de geadresseerde, dus dit moest wel een fout zijn. Hij had zelden patiënten met oogafwijkingen, hij kon zich van de laatste tijd niemand herinneren. Vijf jaar geleden was hij bij een blinde vrouw geroepen, die had besloten dat ze genoeg had van het leven. Na twee maanden psychotherapie was Jeremy ervan overtuigd geweest dat hij haar daarvan had genezen en niemand had het tegendeel beweerd. Nee, daar kon dit nooit verband mee houden. Waarom zou hij in vredesnaam geïnteresseerd zijn in lasers?

Hij viste het artikel weer uit de prullenbak, las het door en kwam tot de ontdekking dat het typisch medisch vakgeleuter was, vol getallen en tabellen en nauwelijks te volgen. Hij bladerde verder tot hij de samenvatting vond. Waar het om ging, was dat men zeventien jaar geleden tot de conclusie was gekomen dat laserscalpels een goede, schone manier waren om incisies te maken.

Incisies... messen... *de geschiedenis herhaalt zich*... nee, dat was belachelijk. Als hij niet zo'n duffe kop had gehad van alle drank die hij de avond ervoor had gehad en van de raadsels en die preek over criminaliteit, zou hij nooit zo'n vergaande conclusie hebben getrokken.

Maar het was wel een vreemde avond geweest. Bij nader inzien zowel komisch als surrealistisch. Hij lachte een beetje verdrietig bij de herinnering aan zijn plotselinge behoefte aan waardering. Wat kon het hem nou schelen wat een stel bejaarde excentriekelingen van hem vond? Als ze hem opnieuw zouden vragen, zou hij de uitnodiging toch niet aannemen.

Morgen was er weer tumorenoverleg. Hij was nieuwsgierig hoe Arthur hem zou behandelen.

Toen kreeg hij plotseling een idee. Misschien had Arthur dat artikel gestuurd.

Nee, de patholoog schreef alles met de hand en hij gebruikte een vulpen en dat zware, blauwe papier. Hij was een man van gewoonten, een ouderwets man, zoals viel op te maken uit de antieke pakken, de oude auto en zijn eigenaardige taalgebruik.

Een getypte boodschap op iets dat zo gewoon was als een archiefkaartje paste niet bij zijn karakter.

Tenzij Arthur zich op de vlakte hield.

De onduidelijkheid klopte wel... Dat zou echt iets voor de patholoog zijn. De ene dag overdreven hartelijk, een dag later ijzig koel.

Een man die van spelletjes hield en van alles een raadsel probeerde te maken. Was dit soms een uitdaging voor Jeremy om erachter te komen wat de bedoeling was?

Het verwijderen van hoornvliesweefsel? Oogoperaties met behulp van een laser? Zou Arthur ervan uitgaan dat Jeremy net zo'n brede belangstelling had als hijzelf? De oude man schakelde net zo gemakkelijk over van vlinders via kankergezwellen op Uitvoerige Discussies over Zaken-die-van-Belang-Zijn, dus waarom geen lasers?

Maar hij had Jeremy niet zomaar op goed geluk benaderd. Integendeel. Arthur had zijn best gedaan om een onderwerp te vinden waarvoor ze allebei belangstelling hadden. Het raakpunt tussen pathologie en psychologie. Het kille zwarte gat, waarin verwrongen geesten bloedige moorden pleegden.

De wortels van bijzonder kwalijk gedrag.

Arthur had precies geweten wat hij wilde en Jeremy's veronderstelling dat de uitnodiging voor het diner daar iets mee te maken had, was correct geweest.

Hij herinnerde zich de sombere stilte die in de kamer was gevallen toen iemand – hij wist bijna zeker dat het de schrijver, Maynard, was geweest – had gezegd: 'Het middel is belangrijker dan het doel.'

'Voor de zoveelste keer,' had de vrouwelijke rechter, Balleron, daaraan toegevoegd.

Daarna was die stilte gevallen. Het onderwerp van gesprek was allesbehalve zwaarwichtig geweest – het ging over grapefruits... nee, die andere dingen, pomelo's. Zoet van smaak, maar niet gemakkelijk te verwerken.

En toch had er heel even een andere sfeer in de kamer gehangen.

Het middel is belangrijker dan het doel..

Wat was het toch een raar stel, het had geen zin om daar nog meer gedachten aan te verspillen.

En hetzelfde gold voor dit... laserscalpels... Er was gewoon iets misgegaan bij de post, daar moest hij niet zoveel achter zoeken.

Al die rare gedachten bleven alleen maar door zijn hoofd tollen omdat hij geen zin had om verder te gaan met dat hoofdstuk.

Toch moest hij onwillekeurig weer aan Arthur denken. Die hem zonder aanwijsbare reden zo koel bejegend had... in feite zelfs onbeschoft.

Een raadsel. Maar belangrijk was het niet.

Jeremy maakte een vliegtuigje van het archiefkaartje en zeilde het regelrecht de prullenbak in. Het artikel volgde. En de envelop ook, die bezuinigingen konden hem gestolen worden.

Twee alinea's van de opzet voor het hoofdstuk keken hem vanaf zijn bureau aan.

Het was hoog tijd om al die malle dingen uit zijn hoofd te zetten en zich bezig te gaan houden met zijn creatieve impasse.

19

Het was tien uur 's avonds en ze lagen naakt in het donker in Angela's bed, klaarwakker.

Ze waren inmiddels bijna drie uur bij elkaar. Jeremy had op het punt gestaan om naar huis te gaan toen Angela belde. 'Mooi,

ik heb je nog net te pakken,' zei ze. Haar stem klonk ver weg.
'Is alles in orde?' vroeg hij.
'Ja, hoor,' zei ze. 'Nee, ik jok. Kunnen we een afspraak maken om ergens een hapje te gaan eten en dan gewoon lekker in mijn appartement onderuit te zakken?'
'Het lijkt wel alsof je erover nagedacht hebt. Heb je al bedacht waar je wilt gaan eten?'
'Wat dacht je van dat Italiaanse tentje op Hampshire... Sarno's? Dat is dichtbij en ik heb behoefte aan een wandelingetje.'
'Mij best. Ik trakteer.'
'Nee, het is mijn beurt om te betalen.'
'Jij komt helemaal niet aan de beurt. Je bent een straatarme arts-assistent, je verdient een gratis maaltijd.'
Ze lachte. Het was het fijnste geluid dat hij die dag had gehoord.
Ze spraken af bij de ingang van het ziekenhuis en liepen arm in arm naar het restaurant. Angela droeg een lange, donkerblauwe jas. Haar donkere haar viel over de imitatiebontkraag. Ze zag eruit als een verwaarloosd kind, jong en uitgeput, en haar blik was op haar voeten gericht, alsof ze een punt van houvast zocht. Het regende zo licht dat hun kleren nauwelijks nat werden.
Jeremy sloeg een arm om haar schouder en haar hoofd zakte opzij. Hij kuste haar haar. Als ze zich had opgemaakt, was daar allang niets meer van te zien. De geur van de shampoo die ze die ochtend had gebruikt, was vermengd met de stank van de ontsmettingsmiddelen uit de operatiekamer.
Binnen de kortste keren leunde ze met haar volle gewicht tegen hem aan. Ze was behoorlijk zwaar voor iemand die zo slank was. Ze liepen langzaam en moeizaam de drie donkere straten door naar het restaurant.
Toen de neonreclame van Sarno's – de driekleurige Italiaanse laars – in zicht kwam, zei Angela: 'Jeremy, ik ben zo moe.'

Ze slaagde erin om een derde van haar pasta *carbonara* en een half glas ijsthee naar binnen te werken. Jeremy's eetlust was ook weer terug bij af, de vraatzucht van de avond ervoor leek ver weg, een soort misstap. Hij zat een beetje te spelen met zijn ravioli en kon één glas zware chianti achteroverslaan.

Ze kibbelden gezellig over de rekening, maar uiteindelijk liet Angela hem toch betalen. Haar pieper ging af en ze liep naar de telefoon. Toen ze terugkwam, lachte ze breed. 'Dat was Marty Bluestone, ook een arts-assistent. Morgen is zijn trouwdag en hij wil met zijn vrouw uit eten gaan. Dus bood hij aan om mijn dienst van vanavond over te nemen. Ik ben tot morgen vrij.'

Onder haar blauwe jas droeg ze de gebruikelijke kleding van een arts-assistent: trui, spijkerbroek en sportschoenen. Zonder de jas en haar stethoscoop zag ze eruit als een eerstejaars studentje.

'Toen je me belde, zei je dat alles niet oké was.'

'Ik stelde me gewoon een beetje aan,' zei ze. 'Toen mijn dienst erop zat, was ik er alweer overheen.'

'Dus je hebt een zware dag gehad?'

'Echt een van die bekende rotdagen. Een paar plotselinge bloedingen en nog wat andere vervelende verrassingen.' Ze probeerde nog een hapje pasta en gaf het toen op.

'Vanmorgen heb ik gezien hoe dokter MacIntyre de borstkas openzaagde van een vrouw die nooit heeft gerookt. Haar rechterlong was zo zwart als roet. Het leek op de as van een barbecue. En de linker is er niet veel beter aan toe. Ik had er niet bij hoeven te blijven, maar ik had het opnamegesprek gedaan en ik vond haar aardig. Bovendien wilde ik zien wat er precies met mijn patiënten gebeurt. Ze is echt een lieve, vriendelijke vrouw, Jeremy, die vroeger non was en voor de armen zorgde. Nu wacht haar een afschuwelijke lijdensweg.'

'Arm mens.'

'Ze kwam naar het ziekenhuis in de veronderstelling dat ze bronchitis had, of een soort chronische kou. Ik heb haar die proef laten doen waarbij een bal moet worden opgeblazen en ik had nog nooit iemand met zo'n kleine longinhoud gezien. Het is niet te geloven dat ze nog op haar benen kon staan. Ik heb haar regelrecht naar de röntgen gestuurd. Ik was met haar begonnen en dus kwam ze ook weer bij mij terug. Eigenlijk had de behandelend arts haar moeten vertellen wat er precies aan de hand was, maar hij schoof het op mij af... hij had het te druk. Ik ging bij haar zitten om haar te vertellen dat ze geopereerd moest worden en waarom. Ze knipperde niet eens met haar ogen. Ze zei alleen maar: "Bedankt dat u me dit op zo'n vriendelijke manier vertelt, dokter."'

'Dan heb je je werk kennelijk goed gedaan.'

De tranen sprongen Angela in de ogen. Ze veegde ze weg en pakte Jeremy's glas chianti op. 'Mag ik?'

'Ik bestel ook wel een glas voor jou.'

'Nee, laten we het maar samen opdrinken.' Ze nam een slokje en hield hem het glas voor. Nadat ze hun armen in elkaar hadden gehaakt nam Jeremy een slok. Hij had dat wel eens bij een bruiloft gezien, een soort volksgebruik. Misschien was het wel een joodse bruiloft geweest. De bruid en de bruidegom met elkaar verstrengeld. Een gebaar dat droop van de symboliek.

'Dus ze rookte niet,' zei hij. 'Rookte ze mee?'

'Met haar vader,' zei Angela. 'Hij is oud, een ernstig geval van suikerziekte, en ze heeft de afgelopen twintig jaar in een tweekamerappartement voor hem gezorgd. Hij is een kettingroker en zij ademt alles in. Vorig jaar is er een scan van zijn borst gemaakt. Zijn suiker is 320 en zijn bloedsomloop deugt voor geen meter, maar zijn longen zijn zo schoon als wat.'

'De erfzonde,' zei Jeremy zonder na te denken.

'Ja, dat zal wel.' Haar stem klonk zacht en verslagen. Ze speelde met haar vork.

Jeremy vroeg zich af of hij iets te vlot had geklonken. 'Je hebt wel wat ontspanning verdiend,' zei hij. 'Als je hulp en troost nodig hebt, kun je op me rekenen.'

'Dat klinkt me als muziek in de oren. Laten we maar meteen gaan.'

Ze was met de bus naar het ziekenhuis gegaan, dus Jeremy reed haar naar huis. Onderweg legde ze haar hand op zijn dij. Op een gegeven moment, voor een rood stoplicht, boog ze zich naar hem over en gaf hem een innige kus. Hij kon haar horen spinnen.

Toen ze bij haar thuis waren, ging alles weer net als de eerste keer. Hij ging op de sjofele bank zitten en zij glipte naar de badkamer om haar groene kamerjas aan te trekken. De verlepte kamerplant op de vensterbank was verdwenen. Maar daar knapte het appartement nauwelijks van op.

De deur van de badkamer ging open en Angela kwam lichtvoetig naar hem toe lopen. De kamerjas zat stevig dicht. Ze ging op de bank liggen, met haar hoofd op zijn schoot. Hij raakte haar kin aan en streelde haar haar. 'Laten we maar naar bed gaan,' zei ze.

Het was koud in de slaapkamer. Toen ze de dekens tot aan hun kin optrokken, zei ze: 'Ik hoop dat je het niet verkeerd opvat, maar ik heb er vanavond geen zin in. Ik wil alleen maar dat je me vasthoudt.'

'Hoezo verkeerd?'

'Alsof ik je met valse bedoelingen heb meegelokt.'

'Dat is niet zo.'

'Goed.'

Ze bleven hand in hand op hun rug liggen.

'Weet je het zeker?' vroeg Angela.

'Heel zeker.'

'Het betekent niet dat ik je niet wil. Want dat is wel zo. In lichamelijk opzicht. Alleen... geestelijk zou ik het nu niet aankunnen. Snap je?'

'Je hoeft het niet uit te leggen.' Jeremy bracht haar hand naar zijn lippen.

Ze kroop tegen hem aan en gleed omlaag tot haar hoofd op zijn schoot lag. Jeremy hoorde haar zacht en tevreden zuchten. Om de een of andere idiote reden deed het geluid hem aan de fluisterende stem van rechter Tina Balleron denken.

Een oude vrouw, maar nog steeds... aantrekkelijk. Nee, eigenlijk ging het niet om haar. Om vrouwen in het algemeen. De geluidjes die ze maakten. De fantastische dingen die ze deden. Jeremy gaf de voorkeur aan vrouwen boven mannen. Dat was altijd zo geweest. Met name een bepaald type vrouw: intelligent, belezen, een tikje terughoudend. Kwetsbaar.

Jocelyn had daar totaal niet op geleken, maar toch...

Hij boog zijn hoofd, legde zijn handen om Angela's gezicht en drukte een kus op haar voorhoofd.

Ze ging verliggen en stak haar hand uit. 'Jij hebt wél zin.'

'Alleen lichamelijk.'

'Wat een gelul.'

'Ik vind het een belediging dat je denkt dat ik zo lomp ben.'

Ze lachte en schoof weer omhoog tot ze hem in de ogen kon kijken. Ze gaven elkaar een kus die een eeuwigheid leek te duren. Geen gewurm, geen tongen die elkaar bestookten, alleen vluchtige aaitjes van lippen over lippen.

'Sjonge,' zei Angela.

'Wat is er?'

'Gewoon sjonge. Je maakt me blij.'

'Fijn zo.'

'Maak ik jou ook blij?'

'Natuurlijk.'

'Echt waar?'

'Hoezo?'

'Ben je wel gelukkig? Ik zou het niet weten, want je praat niet veel,' zei ze. 'Over het algemeen vind ik dat wel prettig. Mijn vader en mijn broer houden geen moment hun mond. Het zijn geweldige kerels, maar verbaal leg ik het tegen hen af. Iedere keer dat mijn broer thuiskwam van college werd ik tot toeschouwer gedegradeerd.'

'En je moeder dan?'

'Die loopt gewoon de kamer uit. Omdat ze dokter is, kan ze zelf bepalen of ze het druk heeft of niet.'

'Ja, je kunt altijd zeggen dat er een patiënt komt,' zei Jeremy.

'Daar weet jij alles van, hè? Vertel me nou eens waarom je nooit over jezelf wilt praten.'

'Dat wordt zo'n saai verhaal.'

'Dat maak ik wel uit.'

Jeremy gaf geen antwoord. De ramen in Angela's slaapkamer waren bedekt met goedkope rolgordijnen. Het maanlicht maakte er grote vellen perkament van. Ergens buiten op straat klonk een radio. Krassende rockmuziek met een veel te sterke bas.

'Nu heb ik je in verlegenheid gebracht,' zei Angela.

'Helemaal niet.'

'Ik wil niet nieuwsgierig zijn, maar we zijn wel... intiem met elkaar geweest.'

'Je hebt gelijk,' zei Jeremy. 'Wat wil je weten?'

'Waar je bent geboren, hoe je familie is...'

'Ik heb geen familie.'

'Helemaal niemand?'

'Eigenlijk niet.' Hij vertelde haar hoe dat kwam. En hij bleef praten. Hij begon met het ongeluk en over het feit dat hij van de een naar de ander werd gestuurd. Het gevoel van alleenzijn... een gevoel dat hij nooit onder woorden had gebracht, niet bij het consult dat hij tijdens zijn opleiding had gehad, niet tegenover zijn meerderen in het ziekenhuis en niet tijdens avontuurtjes met andere vrouwen.

En ook niet tegenover Jocelyn. Hij realiseerde zich met een schok hoe weinig Jocelyn en hij met elkaar gepraat hadden.

Hij snakte bijna naar adem toen hij het hele verhaal had verteld. Hij wist zeker dat het heel onverstandig was geweest om zijn hart uit te storten. Een leuk, gezond meisje dat afkomstig was uit een welgesteld en hecht gezin – beroepsmensen vol zelfvertrouwen – zou vast van de wijs raken door zijn trieste gebrek aan achtergrond.

Mensen praten altijd over alles delen, maar het verleden kun je niet delen. Net zomin als andere dingen die belangrijk zijn.

Hij lag er net over na te denken wat dat voor gevolgen had voor het beroep dat hij had gekozen, toen Angela rechtop ging zitten, haar armen om hem heen sloeg, zijn haar streelde en met zijn oren speelde.

'Dat is het hele verhaal,' zei hij. 'Niet veel soeps.'

Ze drukte een van zijn handen tegen haar borst. 'Ik hoop dat je nu geen verkeerde conclusies trekt, maar ik ben van gedachten veranderd.'

'Waarover?'

'Ik heb er toch zin in.'

Later, toen ze begon te gapen, zei Jeremy: 'Ga nu maar lekker slapen.'

'Sorry. Ik ben echt bekaf.' Ze drukte hem stijf tegen zich aan. 'Wil je vannacht hier blijven?'

'Het lijkt me beter van niet,' zei hij.

'Dat heb je nog nooit gedaan. Er zal wel een reden voor zijn.'

'Ik slaap heel onrustig en ik wil jou niet wakker houden. Je hebt een lange dag voor je, aangezien je ook de dienst van die kerel over moet nemen.'

'Ja,' zei ze. 'Je zult wel gelijk hebben.'

En tegelijkertijd zeiden ze: 'Het werkschema.'

Toen ze met hem meeliep naar de deur, zei ze: 'Hoe was dat dineetje met dokter Chess eigenlijk?'

'Niets bijzonders.'

'Had het iets met medicijnen te maken?'

'Nee,' zei hij. 'Gewoon iets algemeens. Geloof me, het is de moeite van het vermelden niet waard.'

Hij liep haar pension uit, stapte in zijn Nova en startte de motor. Toen hij zijn lichten aandeed, gingen ook de koplampen van een auto achter hem aan, ergens halverwege de straat. En toen hij wegreed, volgde de andere auto dat voorbeeld en reed achter hem aan in dezelfde richting.

Wat is dit nu weer, verdomme?

Jeremy trapte het gaspedaal in. De andere auto bleef met dezelfde snelheid doorrijden. Aan de hoogte van de koplampen te zien, was het een grote terreinwagen. Toen hij linksaf sloeg naar Saint Francis Avenue reed de wagen rechtdoor.

Er was dus geen sprake van spannende intriges.

'Ik moet wel met twee benen op de grond blijven staan,' zei hij hardop.

Hoe dat stel oude dwazen ook over de werkelijkheid denkt, ik heb er dringend behoefte aan.

20

Arthur was niet bij het tumorenoverleg. Een andere patholoog trad als voorzitter op, een lector die Barbard Singh heette, een intelligente man met een tulband op en gekleed in een onberispelijk grijs pak. Hij kwam meteen terzake en liet dia's voorbijkomen van lymfekanker. Viooltjes-blauwe kleurstof maakte er een boeiend schouwspel van.

'Waar is dokter Chess?' vroeg Jeremy aan de radioloog naast hem. De man haalde zijn schouders op.

Hij wachtte ongeduldig tot het uur voorbij was, onwillekeurig toch een beetje nieuwsgierig.

Hij belde Arthurs toestelnummer en hoorde de telefoon overgaan. Hij werkte zijn spreekuur af en probeerde het drie uur later nog een keer, ook al had hij geen flauw idee wat hij moest zeggen als Arthur opnam.

'Ik wou alleen maar even hallo zeggen, beste kerel. Hmm, tsja. Hoe gaat het met de oude kameraadski's van de CCC?'

Geen gehoor.

Ineens dacht hij: stel je voor dat er iets met hem is gebeurd? Ondanks zijn robuuste uiterlijk was Arthur een oude man. En de hoeveelheden alcohol en cholesterol die hij wegwerkte...

Misschien had hij een hartaanval gehad en lag hij nu in zijn lab op de vloer zonder dat iemand naar hem omkeek. Of nog erger.

Jeremy zag in gedachten de grote gestalte van de patholoog languit op de grond, omringd door potten met ingewanden op sterk water, modelskeletten en lichamen in diverse stadia van ontleding. Steriele instrumenten die klaarlagen om in een mens te gaan hakken en zagen... *een laserscalpel?* Dat was wel een heel duur apparaat. Zou een patholoog reden hebben om daar veel geld in te steken?

Hij liep haastig naar het hoofdgebouw en holde de trap af

naar het souterrain. Opnieuw zat de deur van Arthurs kantoor op slot. Op Jeremy's kloppen werd niet opengedaan.

Het mortuarium bevond zich aan het eind van de gang en de deur daarvan stond wel open. De slaperige assistent aan de balie was bezig met de administratie. Nee, hij had dr. Chess vandaag niet gezien en hij had ook geen flauw idee waar hij was.

'Was hij er gisteren wel?'

'Eh, nee, dat geloof ik niet.'

Jeremy liep terug door de gang en sloeg aan het eind linksaf naar de afdeling pathologie.

Een mollige vrouw van in de veertig hield de wacht.

'Hallo,' zei ze. 'Waarmee kan ik u van dienst zijn, dokter?'

'Ik ben op zoek naar dokter Chess.'

'Die is niet aanwezig.'

'Gaat het goed met hem?'

'Waarom zou het niet goed met hem gaan?'

'Ik vroeg het me gewoon af,' zei Jeremy. 'Hij was niet bij het tumorenoverleg en bij mijn weten heeft hij dat nooit eerder gemist.'

'Nou,' zei ze, 'hij maakt het echt uitstekend, hoor. Ik geloof dat hij een tijdje vrijaf heeft genomen.'

'Op vakantie?'

'Dat niet precies,' zei de receptioniste.

Ze moest lachen toen Jeremy haar verwonderd aankeek. 'U kent hem niet echt goed, hè? Hoe lang maakt u al deel uit van het tumorenoverleg?'

'Een jaar.'

'Aha,' zei ze. 'Nou, dokter Chess maakt eigenlijk geen deel meer uit van de staf. In ieder geval niet officieel.' Ze hield haar hand naast haar mond en fluisterde: 'Hij wordt niet betaald.'

'Dus hij werkt hier op vrijwilligersbasis?' vroeg Jeremy.

'Zo zou je het kunnen noemen, maar in feite zit het anders.' Ze begon nog zachter te praten, waardoor Jeremy zich naar haar over moest buigen. 'Hij doet geen autopsies meer en ook geen analyses van monsters. Eigenlijk doet hij niet veel, behalve het tumorenoverleg. Maar hij is zo'n briljant man en hij heeft zoveel voor dit ziekenhuis gedaan, dat ze hem zijn kantoor hebben laten houden. Hij mag ook net zoveel onderzoek doen als hij wil. Het is geen geheim, maar we hangen het ook niet aan de grote klok. Uit respect voor dokter Chess. Hij zit ons echt niet in de weg, hoor. Hij is een belangrijk man voor deze afdeling, alleen al vanwege zijn reputatie. In feite heeft hij deze afdeling op poten gezet, laat ik u dat wel vertellen.'

Ze was weer wat harder gaan praten. Verontwaardigd. Beschermend.

'Hij is briljant,' beaamde Jeremy en dat bracht haar kennelijk weer tot kalmte.

'Daarom praten we ook niet over zijn... status als werknemer. Wat ons betreft, is hij gewoon een volwaardig lid van de afdeling en hij is altijd welkom. Het feit dat hij voorzitter is van het tumorenoverleg is daarbij van het grootste belang. Iedereen zegt dat hij een encyclopedisch geheugen heeft. En natuurlijk is hij altijd bereid om vragen van de jongere pathologen te beantwoorden. En die kloppen regelmatig bij hem aan. Ze hebben enorm veel respect voor hem, dat geldt voor iedereen. Hij is toonaangevend op zijn terrein.'

'Ja, inderdaad,' zei Jeremy. 'Goed... dus volgens u heeft hij gewoon besloten om vandaag niet te komen.'

'Dat komt wel vaker voor. Waarom vraagt u dat, dokter... Carrier?'

'Ik heb twee avonden geleden samen met dokter Chess gedineerd. Toen leek hij een beetje... gammel.'

De receptioniste sloeg haar hand voor haar mond. 'O, hemeltje, als er maar niets met hem aan de hand is.'

'Misschien heb ik me wat overdreven uitgedrukt. Hij maakte gewoon een vermoeide indruk. In ieder geval minder energiek dan we van hem gewend zijn. Dus toen hij vanmorgen bij het tumorenoverleg ontbrak, werd ik een beetje bezorgd.'

'Wie had vanmorgen de leiding bij het overleg?'

'Dokter Singh.'

'Ik bel hem wel even.' Ze toetste een nummer in. 'Dokter Singh? Met Emily. Neem me niet kwalijk dat ik u stoor, maar dokter Carrier is hier en hij vroeg naar dokter Chess... Carrier. Van...' Ze bestudeerde Jeremy's naamplaatje. 'Psychiatrie. Hij heeft gisteravond met dokter Chess gegeten en volgens hem zag dokter Chess er een beetje vermoeid uit. Hij wil zeker weten dat er niets met dokter Chess aan de hand is... Wat zei u? Goed, dat zal ik hem doorgeven. Bedankt, dokter Singh.'

Ze legde de telefoon neer. 'Dokter Singh zegt dat dokter Chess hem gisteravond heeft gebeld met de mededeling dat hij een paar dagen vrij wilde nemen en niet bij het tumorenoverleg aanwezig zou zijn. Volgens dokter Singh klonk hij prima in orde.'

'Geweldig, ik ben blij dat te horen. Bedankt.' Jeremy draaide zich om en wilde weglopen.

'Het is zo fijn dat hij daar iedere keer weer in slaagt,' zei ze.

'Dat wie waarin slaagt?'

'Dokter Chess. Hij krijgt mensen altijd zover dat ze zich bezorgd over hem maken. De lieverd.'

Haar telefoon ging en toen ze de hoorn oppakte, raakte ze verwikkeld in een gesprek met iemand die Janine heette en die net een baby had gekregen. Geweldig, hè, ze wist zeker dat het een schatje was, echt een schatje en wanneer kon ze op kraambezoek komen, want ze had zo'n ongelooflijk snoezig rompertje voor hem gekocht.

21

De secretaresse van de afdeling psychologie die Jeremy belde, zei: 'Ze hebben u nodig op Zes West.'

Het was woensdag en zijn late avondmaal met de oude excentriekelingen was inmiddels al zo lang geleden dat hij het uit zijn hoofd had gezet. Als hij er al aan terugdacht, was het met een gevoel van onwerkelijkheid. Hij had Arthur Chess ook uit zijn hoofd gebannen. Hij kon zich niet meer voorstellen dat hij echt zo bezorgd was geweest over de gezondheid van de oude man.

De afgelopen dagen had hij Angela maar één keer gezien. Een halfuurtje waarin ze koffie hadden gedronken en elkaars hand hadden vastgehouden, voordat ze er weer als een haas vandoor moest. Bij die gelegenheid begon ze opnieuw over haar patiënt met longkanker, met wie het helemaal niet goed ging, en ze zei: 'Voor de rest van de tijd dat ik op die afdeling moet werken, schakel ik over van long- naar hartproblemen. Dat lijkt me veel beter.'

'Uit de long uit het hart?'

'Hè bah,' zei ze.

'Neem me niet kwalijk.'

'Nee, ik vind het juist leuk. Zo laat je je van een heel andere kant zien.'

'Wat voor kant is dat dan?'

'Gewoner. Niet zo... beheerst.'

'Zo ben ik anders heel vaak.'

'Nou, ik had het nog nooit meegemaakt. Ik vind het leuk.'

Ze kneep even in zijn hand en ging toen weer terug om met stervende mensen te praten.

'Wie heeft naar me gevraagd?' wilde hij weten.

'Dokter Dirgrove,' zei de secretaresse van psychologie.

'Die ken ik niet.'

'Ik heb de naam hier voor mijn neus. "Dirgrove". Een chirurg.' Dat was overbodige informatie. Zes was de afdeling chirurgie. 'Hij wil uw mening horen over een patiënt die geopereerd moet worden.'

'Waaraan?'

'Dat is het enige wat ik weet, dokter Carrier.'

'Heeft hij specifiek naar mij gevraagd?'

'Zeker weten. Ik denk dat u beroemd begint te worden.'

Toen hij Dirgrove vond, zat de chirurg in de artsenkamer van Zes West dossiers bij te werken. Hij droeg een operatiepak.

Het was de bleke, blonde man die hij in de kantine had gezien toen hij een of andere techniek had uitgelegd aan Mandel, de cardioloog, en de donkere chirurg met de snor.

Het drietal waarin Arthur volgens Jeremy zo geïnteresseerd was geweest. Alleen was Arthur daarna rustig de krant gaan zitten lezen, voordat hij had gevraagd of Jeremy met hem wilde dineren.

Zittend had Dirgrove een lange man geleken. Nu hij stond, bleek hij van gemiddelde lengte te zijn, niet langer dan Jeremy en een pond of zeven lichter. Hij was een van die slanke mannen die nooit stil leken te staan. Hij begroette Jeremy met een warme glimlach en een stevige handdruk. 'Dokter Carrier. Aangenaam kennis te maken. Hartelijk bedankt dat u bent gekomen. Ik ben Ted.'

De foto op zijn identiteitsplaatje leek sprekend, iets wat zelden voorkwam. Op het pasfotootje glimlachte Dirgrove op dezelfde manier als hij nu deed.

T.M. DIRGROVE, CARDIOCHIRURGIE.

'Jeremy. Wat kan ik voor je doen?'

Dirgrove legde het dossier opzij, leunde tegen het bureau en wreef de ene papieren slipper over de andere. Zijn ogen waren donkerblauw, omringd door lachrimpeltjes, helder, ernstig en vermoeid. Vage, geelgrijze stoppeltjes op zijn hoekige gezicht. De handen, roze van het veelvuldige wassen, waren voortdurend in beweging. Zijn operatiepak was wijnrood. Onwillekeurig dacht Jeremy: om de bloedspatten beter te verbergen.

'Ik sta op het punt een jonge vrouw te opereren aan een lekkende hartklep. Op het eerste gezicht een routinegeval.' Dirgrove glimlachte. 'Maar je kent het gezegde: "Routine is wat met andere mensen gebeurt." Hoe het ook zij, ik maak me zorgen over dat meisje. Ze is ontzettend bang. Als chirurg trek je je van dat soort dingen meestal niet veel aan, maar ik heb geleerd daar wat voorzichtiger mee om te gaan.'

'Met angst?' vroeg Jeremy.

'Met het hele verband tussen geest en lichaam.' Dirgrove zette zijn lange dunne vingers tegen elkaar. Zijn nagels waren schitterend gemanicuurd, maar verder maakte hij een slonzige indruk met zijn korte, sprieterige, ongelijk geknipte haar en zijn verkreukelde operatiepak. Hij had zich onzorgvuldig geschoren, zodat er op de grens van zijn kaak en zijn hals een plukje langere lichte haren was achtergebleven. 'Iemand als ik kan in technisch opzicht perfect werk afleveren, maar als de geest niet meewerkt, kan dat problemen geven.'

'Ben je bang voor een angstaanval tijdens de operatie?'

'Voor elke belangrijke reactie die door het zenuwstelsel wordt veroorzaakt. Dat heb ik ondanks de premedicatie wel vaker zien gebeuren. Patiënten die ogenschijnlijk bewusteloos zijn, maar als je ze openmaakt, gaat hun adrenalinegehalte om de een of andere manier omhoog, hun somatisch zenuwstelsel slaat op hol en hun bloeddruk stijgt de pan uit. Als de anesthesist zijn handen vol heeft, kan ik niet rustig werken. Daarom laat ik in de operatiekamer altijd zachte muziek draaien en moet iedereen zijn mond houden. Ik heb instinctief het gevoel dat dit meisje tot rust gebracht moet worden. Ik heb gehoord dat jij daar de man voor bent, dus als je het niet erg vindt, zou je dan naar haar toe willen gaan? De familie is uitstekend verzekerd.'

'Wat kun je me over haar vertellen?'

Dirgrove rommelde in een stapel dossiers, pakte er één uit, sloeg het open, gaf het aan Jeremy en liep naar de deur. 'Alles wat je moet weten, staat daarin. Vast bedankt. En ik zou het op prijs stellen als je het zo snel mogelijk zou kunnen doen. De operatie staat voor morgen gepland, vroeg in de ochtend, dus als je denkt dat we het beter kunnen uitstellen, laat me dat dan alsjeblieft voor vijf uur vanmiddag weten.'

Een knipoogje en hij was weg.

Merilee Saunders. In het dossier stond meer dan genoeg informatie over haar aangeboren hartafwijking en over het feit dat de familie zich de operatie kon veroorloven (ze hadden inderdaad een uitstekende particuliere verzekering), maar niets over haar geestesgesteldheid. De verpleegkundige staf had geen enkele aantekening gemaakt over angstgevoelens en de enige bevestiging van Dirgroves vermoedens in die richting was in keurige blokletters toegevoegd aan de aantekeningen van de dag ervoor: MOG. ANGSTGEV. BEL PSYCH.

Jeremy ging naar haar toe.

Dirgrove had haar niets over het consult verteld.

Ze was een mollige jonge vrouw met een grove huid en een wilde bos donker haar, dat in een knotje was opgestoken. Haar ziekenhuisjak was rond haar schouders opgeschoven en ze lag in een ongemakkelijke houding tegen de kussens. Ogen als zwarte kooltjes keken Jeremy recht aan toen hij de kamer binnenkwam en wierpen hem een boze blik toe, maar ze zei niets. Om acht van haar vingers zaten goedkope zilveren ringen. Drie gaatjes in het ene oor, vier in het andere. Aan een roze stipje boven haar linkerneusvleugel was te zien dat ze van gedachten was veranderd over een neusknopje.

In het dossier stond dat ze twintig was, maar op het tafeltje naast haar bed lagen alleen tienerbladen.

Jeremy stelde zich voor en ze fronste.

'Een psychiater? Is dat een geintje? Denken ze soms dat ik niet goed snik ben?'

'Nee, helemaal niet. Dokter Dirgrove wil graag dat je voor de operatie zo kalm mogelijk bent en hij dacht dat ik je daarbij misschien zou kunnen helpen.'

'Als hij wil dat ik kalm ben, moet hij me niet opensnijden.'

Jeremy trok een stoel bij. 'Mag ik even gaan zitten?'

'Heb ik een keus?'

'Ja, natuurlijk.'

Merilee Saunders sloeg haar ogen ten hemel. 'Ach, wat maakt het ook uit. Val neer.'

'Goed,' zei hij. 'Dus jij vindt het helemaal geen leuk idee dat je geopereerd moet worden.'

Ze draaide met een ruk haar hoofd om en keek hem aan alsof zijn hoofd ineens was opengespleten en zijn hersenen op zijn schouders hingen. 'Welja,' zei ze. 'Ik vind het een te gek idee, ik kan niet wachten tot ze me openmaken. Wat een kick.'

'Hebben ze je precies uitgelegd waarom je geopereerd...'

'Bla-bla-bla en nog eens bla-bla-bla. Ja, hoor. Dirgrove de Griezel heeft me verteld wat eraan de hand is.'

'De Griezel,' zei Jeremy.

'Hij is een hark. Net een robot. Behalve als hij iemand om zijn vinger wil winden. Mijn moeder is dol op hem.'

In het dossier stond dat het gezin Saunders compleet was.

'En je vader?' vroeg Jeremy.

'Wat is er met mijn vader?'

'Vindt hij dokter Dirgrave ook aardig?'

'Ja hoor, waarom niet.' Merilee Saunders keek naar het tv-toestel dat aan het plafond hing. 'Wat een stomme kanalen hebben ze hier. Alleen maar homeshopping, Spaanse rotzooi en andere troep.'

'Dat is waar,' zei Jeremy. 'In dat opzicht lopen we hier achter.'

De jonge vrouw ging onder de dekens verliggen. 'Heeft Dirgrove tegen jou gezegd dat ik niet goed wijs ben?'

'Welnee. Hij wil er alleen zeker van zijn dat je in optimale conditie bent voor...'

'Misschien ben ik dat wel,' zei ze. 'Niet goed wijs. Nou en? En wat heeft dat te maken met het feit dat ze mijn hart gaan opensnijden? En waarom nu? Jarenlang was er niets met me aan de hand en ineens... Ik ben twintig. Ik hoef niets te doen wat ik niet wil.'

'Als je twijfels hebt over de...'

'Hoor eens, ik heb dit...' Ze klopte even op haar linkerborst, 'al sinds mijn geboorte. Ze zeggen dat er een gat in mijn hart zit, maar ik voel me precies zoals andere mensen. Tot een of andere doktersfiguur zijn stethoscoop tegen me aandrukt, iets hoort en iedereen ineens helemaal gaat doordraaien.'

'Als je je zo goed voelt, waarom zou je dan...'

'Het voelt gewoon verkeerd aan, snap je wat ik bedoel? Ik voelde me prima toen ik die klotetent hier binnenkwam, maar toen begonnen ze me ineens te bekloppen, spoten me vol troep, lieten röntgenfoto's en CAT-scans maken en weet ik wat nog meer voor gelul, zodat ik morgen als ik weer bijkom het gevoel zal hebben dat er een vrachtwagen over me heen is gereden. Het slaat nergens op, maar probeer mijn moeder dat maar eens te vertellen. Ze doet het alleen voor *míjn* bestwil.'

'Je moeder...'

'Mijn moeder is helemaal leip van dokters,' zei Merilee. 'Vooral als het een lekker stuk is. Zij vindt Dirgrove een stuk. Ik niet. Ik vind hem een hark. En aangezien je wel over mijn vader zult beginnen, laten we het er dan maar op houden dat hij ongeveer achthonderd uur per week werkt, de rekeningen betaalt en zich bij alles neerlegt.'

'Maar je had gelijk,' zei Jeremy. 'Je bent volwassen en het gaat om jouw lichaam. Dus als je echt serieus twijfelt of...'

'Nee. Ik leg me er ook wel bij neer. Waarom niet? Wat is het ergste dat me kan overkomen? Dat ik erin blijf?' Ze lachte.

Jeremy wilde iets zeggen, maar ze snoerde hem de mond met een achteloos gebaar. 'Je hoeft niet te denken dat ik tegen een psychiater ga zitten leuteren. De ballen daarmee. Ook al ben ik niet goed wijs, wat maakt dat nou uit? Het gaat om mijn hart, niet om mijn hersens.'

'We hebben middeltjes om het allemaal wat rustiger onder ogen te zien,' zei Jeremy. 'Ontspanningsoefeningen.'

'Ik haat oefeningen.'

'Dit is meer een vorm van meditatie... hypnose.'

Ze keek Jeremy met samengeknepen ogen aan. 'Wat? Wou je me in slaap brengen en dan tegen me zeggen dat er niets met mijn hart aan de hand is, zodat het gat vanzelf dichtgaat? Als je dat voor elkaar krijgt, doe ik mee.'

'Het spijt me,' zei Jeremy. 'Dat zal ik niet voor elkaar kunnen krijgen.'

'Wie heeft jou dan in vredesnaam nodig?' zei Merilee Saunders, terwijl ze haar vingers schudde alsof er zand aan zat. 'Laat me alleen, ik ben moe.'

Pt. eerder kwaad dan bang. Kan verstand. begrip opbrengen voor op., maar niet emot. Adv. dat dr. Dirgrove nogmaals uitleg geeft over behand. Pt. weigert ontspanningsoef.
J. Carrier, arts

Niet een van zijn successen.

Maar later die dag, toen hij een stuk of tien voicemails afluisterde, hoorde hij bij het derde bericht: 'Met Ted Dirgrove, Jeremy. Je hebt me echt geholpen. Bedankt.'

22

Hij kreeg opnieuw een envelop toegezonden via de interne post. Dezelfde afzender: KNO. En opnieuw ontbrak de naam van een geadresseerde, maar hij was wel tussen Jeremy's post terechtgekomen. Ditmaal was het een kopie uit een vijf jaar oud gynaecologisch tijdschrift. De verwijdering van de baarmoeder met behulp van lasertechniek in het geval van gezwellen, baarmoedervliesontsteking en bekkenbodemproblemen.

> Voor een optimaal resultaat dient de patiënt ruggelings in de lithotomiehouding te liggen, met lage stijgbeugels, geheel voorbereid en bedekt met...

Opnieuw meerdere auteurs, artsen en biomedische technici. Amerikanen, werkzaam in een universiteitsziekenhuis aan de westkust. Constructie van een blaasklep... dissectie van de brede gewrichtsbanden...

Jeremy stopte het artikel weer in de envelop, liep naar de afdeling psychiatrie en vroeg aan Laura, de secretaresse die de post verdeelde, of ze enig idee had wie de envelop had afgegeven.

'De postkamer levert alles tegelijk af, dokter Carrier.' Laura was nog maar net twintig en kwam rechtstreeks van college. Ze was nog groen genoeg om ontzag te hebben voor stafleden.

'Maar hier stond mijn naam niet op.' Hij liet haar de envelop zien. 'Dus die moet door iemand afgegeven zijn. Heb je enig idee hoe die tussen mijn post terecht is gekomen?'

'Eh... nee. Sorry.'

'Als de post hier aankomt, waar ligt die dan?'

'Hier.' Ze wees naar een bak die links van haar op de balie stond. 'Ik neem alles door, sorteer het op naam, doe dan om elke stapel een elastiekje en stop daar een plakbriefje met de naam onder. Dan wordt het naar de verschillende kantoren gebracht, door mij, door een van de administratieve krachten of door een vrijwilliger. U bent altijd het laatst aan de beurt, omdat u op een andere etage zit.'

'Dus zodra de post is gesorteerd, kan iedereen nog een envelop aan de stapel toevoegen.'

'Dat denk ik wel... Is er iets mis, dokter Carrier?'

'Nee, ik was gewoon nieuwsgierig.'

'O,' zei ze met een angstige blik. 'Prettige dag.'

Hij liep naar de receptionist van KNO. Een jongeman, die keurig gekleed en verzorgd achter de computer zat. Zijn vingers vlogen over het toetsenbord.

'Waarmee kan ik u van dienst zijn?' vroeg hij zonder op te kijken. Het was dezelfde stem waarmee Jeremy had gesproken nadat hij de eerste envelop had gekregen.

'Ik wou hier iets over vragen,' zei Jeremy.

De jongeman hield op met tikken en Jeremy gaf hem de envelop.

'Hebt u me hier ook al niet eens over gebeld?'

'Dat was de eerste keer, dit is de tweede. Dus ik geloof niet dat het per ongeluk is gebeurd. Ik word kennelijk verward met iemand anders.'

De jongeman bestudeerde het gekopieerde artikel. 'Hmm... nou, dit heb ik niet verstuurd. Maar die enveloppen worden steeds opnieuw gebruikt.'

'Dan heeft iemand kennelijk een stapeltje KNO-enveloppen.'

De jongeman grinnikte. 'Dat komt omdat we zo charmant zijn.' Hij wilde het artikel teruggeven.

'Hou het maar,' zei Jeremy.

De jongeman streek over zijn haar. 'Het is lang geleden dat iemand me iets wilde géven, maar nee, dank u wel.'

Hij legde het artikel op de balie. Jeremy nam het weer mee.

Maar nu vroeg hij zich ineens iets af.

Dissectie van de brede gewrichtsbanden.

Hij liep terug naar zijn kantoor en belde rechercheur Bob Doresh op. Dit keer noemde hij zijn naam wel. Hij hoorde Doresh zuchten.

'Ja, dok?'

'De laatste keer dat we elkaar spraken had u het over een soort Humpty Dumpty toestand, en u deed het voorkomen dat het bij Jocelyn...'

'Ik heb niets doen voorkomen, dok, ik heb alleen maar...'

'Ja, het is al goed, rechercheur, laten we daar nu maar niet over kibbelen. Ik wilde u iets vragen. Bleek uit de moorden dat er chirurgische vaardigheden aan te pas waren gekomen? Was er sprake van ontleding?'

Doresh gaf geen antwoord.

'Rechercheur...'

'Ik heb u wel verstaan, dok. Maar hoe komt u op die vraag?'

'Vanwege een ei,' jokte Jeremy. 'Dat breekt in stukken. Rechte breuklijnen, er zit een zekere logica in. Bedoelde u dat toen u het over "Humpty Dumpty" had, of sprak u in het algemeen?'

'Dok, ik geloof niet dat ik zin heb om uit te leggen wat ik precies bedoelde.' De stem van Doresh klonk ineens zacht en dreigend.

Nerveus. Jeremy had hem in ieder geval nerveus gemaakt. Wat hem betrof, zei dat voldoende. 'Mij best. Neem me niet kwalijk dat ik u lastig heb gevallen.'

'Het was een kleine moeite,' antwoordde Doresh. 'We vinden het altijd prettig om iets te horen van bezorgde burgers. Want zo ziet u zichzelf toch?'

'Nee, rechercheur. Ik ben meer dan dat. Ik hield van Jocelyn.'

'Dat zei u ook al toen we elkaar voor het eerst ontmoetten.'

'O ja?' Jerry had alleen vage herinneringen aan die eerste ontmoeting op het bureau. Een kleine kamer, felle lichten, dingen die in een razend tempo voorbijschoten.

'Zeker weten,' zei Doresh. 'Het was zelfs het eerste wat u zei. "Ik hou van haar".'

'Oké,' zei Jeremy.

'Ik vond dat nogal interessant. Dat u dat als eerste zei.'

'Hoezo?'

'Dat had ik nog nooit eerder gehoord. Niet onder die omstandigheden.'

'Zo zie je maar weer,' zei Jeremy. 'Een mens leert iedere dag iets nieuws.'

'Net als iemand met Alzheimer,' zei Doresh. 'Dat is het leuke van die ziekte, hè... dat je iedere dag nieuwe mensen leert kennen.'

Het bleef een tijdje stil.

'U lacht niet eens,' zei Doresh.

'Dan moet u me eerst iets grappigs vertellen.'

'Ja, u hebt eigenlijk gelijk, dok. Het was een beetje smakeloos. Maar dat word je vanzelf als je alleen maar met de zogenaamde donkere kant van het leven te maken hebt. Het is een manier om de stress te verlichten. Maar dat zult u vast wel begrijpen.'

'Ja,' zei Jeremy. 'Bedankt dat u...'

'Mevrouw Banks,' zei Doresh. 'Die werkte met Alzheimerpatiënten, hè? Allerlei patiënten met... hoe heet dat ook al weer... cognitieve problemen?'

'Dat klopt.'

'Ik heb gehoord dat mensen die in het ziekenhuis werken er ook wel eens grapjes over maken. Dat ze het de "groenteafdeling" noemen. Dus eigenlijk zijn ze bij jullie net als bij ons. Zo kun je er gemakkelijker mee omgaan.'

'Ja, dat is zo.'

'Kunt u ermee omgaan, dok? Gaat het verder wel goed met u?'

'Verder?'

'Afgezien van dat gepieker over het bewijsmateriaal.'

'O, ja, hoor,' zei Jeremy. 'Het leven swingt de pan uit.'

Hij verbrak de verbinding met trillende vingers, en toen hij naar het postbakje in de gang liep om zijn post te halen voelde hij zich nog steeds onzeker.

Dat telefoontje naar Doresh sloeg nergens op. Wat had hij daarmee willen bereiken?

Dat tweede artikel zat hem echt dwars, waardoor hij het niet als een vergissing van de post van zich af kon zetten. Maar hij kon zich toch ook best vergissen? Misschien had een of andere sufferd gewoon twee keer dezelfde fout gemaakt.

Dissectie... zelfs als iemand echt probeerde hem psychisch op stang te jagen, dan had dat vast niets met Jocelyn te maken.

Zou het Arthur zijn?

In gedachten zag Jeremy de oude man die in zijn stoffige oude Victoriaanse huis stapels interne enveloppen en andere ziekenhuisspulletjes bewaarde.

Hij was gepensioneerd, maar daar wilde hij nog niet aan.

Hamsteren paste niet alleen bij Arthurs kleren en zijn auto, maar ook bij zijn neiging om voortdurend herinneringen op te halen. Hij kon het verleden niet loslaten.

Jeremy nam zich heilig voor om hem en de enveloppen voorgoed uit zijn hoofd te bannen. Hij kon beter doorgaan met het hoofdstuk van zijn boek, dat om de een of andere onverklaarbare reden plotseling vorm begon te krijgen. Nadat hij dat eerste artikel over die laser ontvangen had en zich realiseerde hoe slecht het geschreven was – hoe log en hoogdravend de meeste medische lectuur was – was hij tot de slotsom gekomen dat hij dat beter kon.

Hij had twintig goede pagina's geschreven en nadat hij die nog een keer geredigeerd had, wist hij zeker dat hij eindelijk op de goede weg was.

En niet alleen met het boek, maar ook met Angela.

Ze hadden elkaar de afgelopen acht dagen maar twee keer gezien. Beide keren waren ze met elkaar naar bed geweest, hadden wijn gedronken en urenlang met elkaar gekletst. Het begon erop te lijken dat ze die toestand van welbehagen hadden bereikt die tussen twee mensen ontstaat als de aanvankelijke zinderende opwinding bedaart zonder te verdwijnen.

Eén ding was wel duidelijk geworden nadat hij met Angela over hun werk had zitten praten: zij had zijn naam doorgegeven aan dr. Ted Dirgrave.

'Ik had dienst op de cardio-afdeling en hij gaf ons een geweldige lezing over transmyocardiale revasculatie. Daarna begon hij over angst als risicofactor bij operaties en dat vond ik bewonderenswaardig voor zo'n slager.'

'Dat hij zich zorgen maakt over angst?'

'Doorgaans kijkt dat soort lui niet verder dan hun scalpel

lang is. Maar Dirgrove is zich er kennelijk wel degelijk van bewust dat het om mensen gaat. Ik begon over het werk dat jij in dat opzicht hebt gedaan en zei dat jij echt in staat was om angstige mensen tot rust te brengen. Ik heb hem het geval verteld van Marian Boehmer, mijn lupuspatiënte. Het gaat trouwens heel goed met haar. Wat die afwijkingen in haar bloed ook heeft veroorzaakt, het is vanzelf verdwenen. Maar goed, Dirgrove leek heel geïnteresseerd. Ik hoop dat je het niet erg vindt.'

'Helemaal niet,' zei Jeremy. 'Maar helaas kon ik voor zijn patiënt niet veel betekenen.'

'Echt niet?' zei Angela. 'Volgens hem wel.'

'Dat zal dan wel vriendelijk bedoeld zijn.'

'Misschien heb je toch meer bereikt dan je denkt.'

Jeremy dacht terug aan zijn korte onderhoud met de vijandige Merilee Saunders en waagde te betwijfelen dat hij meer had bereikt dan het feit dat haar angst was omgeslagen in boosheid.

Dat kon trouwens ook heel gezond zijn, als de patiënt door die boosheid het idee kreeg dat hij of zij zelf de touwtjes in handen had, waardoor het paniekgevoel dat voortvloeide uit een verpletterende onmacht afnam.

Desondanks kostte het hem moeite om het meisje Saunders niet als een mislukte poging af te schrijven. Hoe lang was hij bij haar geweest? Vijf minuten, tien?

'Dirgrove klonk bijzonder tevreden,' zei Angela.

Ze zou wel gelijk hebben. Hij had meegemaakt dat patiënten jaren na hun behandeling contact met hem opnamen om hem te bedanken. En sommigen wisten precies wat hen geholpen had.

Iets wat hij had gezegd. Of niet had gezegd. Een bepaalde woordkeuze of een manier van uitdrukken die hen net over de therapeutische streep had getrokken.

Bij al die gevallen was het 'geneesmiddel' onbedoeld geweest. Hij had geen flauw idee gehad dat hij met zijn aanpak midden in de roos had geschoten.

Lijnrecht daartegenover stonden de gevallen waarbij hij elke techniek die hem als psyschiater ter beschikking stond, had aangewend en waarbij hij toch op zijn bek was gegaan.

Wat viel daaruit op te maken? Dat hij een pion was en geen koning?

Wat een rare manier om je brood te verdienen.

'Volgens mij doe jij jezelf af en toe te kort,' zei Angela.

'O ja?' Hij kuste haar neus.

'Ja.' Ze haalde haar vingers door zijn haar.

'Je bent een lieve vrouw.'

'Soms wel.'

'Ik heb nog niets van het tegendeel gemerkt.'

'Haha,' zei ze.

'Probeer je me bang te maken?'

'Nee,' zei ze, plotseling ernstig. Ze drukte haar wang tegen de zijne. Haar adem was warm en licht, met een zoet vleugje alcohol. 'Dat zou ik nooit doen. Ik zou nooit een wig tussen ons willen drijven.'

23

Het tumorenoverleg werd die week afgelast. De keer daarna stond Arthur weer achter de lessenaar om als voorzitter op te treden.

Jeremy was een beetje laat en moest dus achteraan zitten. De vergaderruimte was verduisterd – dia's, altijd weer dia's – en dat bleef vrijwel het hele uur zo. De sonore bariton van de oude man wijdde enthousiast uit over mediastinale teratomen.

Maar toen het licht aanging, was Arthur verdwenen en dr. Singh, die zijn plaats had ingenomen, verklaarde: 'Dokter Chess had nog een andere afspraak en moest vroeg weg. Laten we maar verdergaan.'

De laatste tien minuten werden in beslag genomen door een verhitte discussie over de doordringbaarheid van celwanden. Jeremy had moeite om zijn ogen open te houden en slaagde daar alleen in door zichzelf minachtend voor te houden: *In ieder geval is dit echte wetenschap en niet een of ander nauwelijks afgebakend terrein waarvan de zogenaamde deskundige de ballen afweet.*

De volgende dag kwam de derde envelop. Jeremy was bijna klaar met de ruwe opzet van zijn hoofdstuk en hij had het gevoel dat het eindelijk begon te lopen. Maar toen hij KNO in het vakje van de afzender zag staan, bleef hij verstijfd achter het toetsenbord zitten.

Hij overwoog om de envelop ongeopend weg te gooien. Maar hij kon de verleiding toch niet weerstaan en rukte de flap zo hard open dat het metalen klemmetje er afvloog.

Dit keer zat er geen kopie van een medisch artikel in. In plaats daarvan vond Jeremy een verfomfaaid en vergeeld krantenknipsel. De herkomst was niet duidelijk – het artikel was zonder de naam van de krant uitgeknipt – maar de toon en de plaatsnamen deden hem vermoeden dat het afkomstig was uit een Britse roddelkrant.

VERDWENEN VRIENDIN VAN BRIDGET BLIJKT VERMOORD

Twee jaar geleden verdween de knappe Bridget Sapsted spoorloos nadat ze de hele avond in een pub in Broadstairs, Kent, achter de tap had gestaan. Ondanks een uitgebreid politieonderzoek is nooit ontdekt wat er met het aantrekkelijke meisje is gebeurd. Nu is een goede vriendin van de knappe brunette op brute wijze vermoord en worden pogingen in het werk gesteld om te achterhalen of dat wellicht iets te maken heeft met wat het andere meisje is overkomen.

De zaak nam een griezelige wending toen het lichaam van de drieëntwintigjarige Suzie Clevington vanmorgen vroeg werd gevonden door een man die op weg was naar zijn werk aan de rand van Broadstairs. Suzie en de vrolijke Bridget zaten bij elkaar in de klas op de Belvington School in Branchwillow, Kent, en de beide meisjes waren boezemvriendinnen gebleven. Suzie, die danseres wilde worden, had een tijdje in Londen en op het Europese vasteland gewoond, maar ze was nog niet zo lang geleden teruggekomen om in de buurt van haar vroegere woonplaats een baan te zoeken.

'Op dit moment,' aldus inspecteur van recherche Nigel Langdon, die de leiding over de zaak heeft, 'beschouwen we het nog als twee afzonderlijke voorvallen. Maar als er toch een onderling verband blijkt te bestaan, zullen we beide zaken als zodanig behandelen.'

Op het gerucht dat het lichaam op afschuwelijke wijze verminkt was, reageerde inspecteur Langdon alleen met de opmerking dat de politie in het belang van het onderzoek geen verdere bijzonderheden over de misdaad wenste prijs te geven.

Suzie Clevington was volgens vrienden en familieleden een gezellig, vriendelijk...

En daar eindigde het artikel, midden in een zin.

Laserscalpels, een gynaecologische operatie, een dood meisje. Verminking.

Een Humpty Dumpty toestand.

Dit was geen fout van de postkamer.

Iemand in het ziekenhuis wilde Jeremy iets duidelijk maken.

Wie kon dat anders zijn dan Arthur?

Hij belde Arthurs kantoor. Daar werd niet opgenomen. Zou de oude man nog steeds verwikkeld zijn in zijn 'andere afspraak' van gisteren? De dringende reden die de patholoog had genoodzaakt om het tumorenoverleg te verlaten voordat de vergadering voorbij was?

Het drong plotseling tot Jeremy door dat alledrie enveloppen waren gearriveerd op een tijdstip waarop Arthur niet bereikbaar was geweest. Wat had dat te betekenen? Een alibi?

Waarvoor?

Hij trok zijn witte jas aan en liep naar de administratie van het ziekenhuis, waar hij de secretaresse – een bijzonder opgewekte dame die Anna Colon heette en met wie hij altijd goed had kunnen opschieten – op de mouw speldde dat hij een cadeautje voor dr. Chess had gekocht en dat hij zijn privé-adres nodig had.

'Ik wist niet dat jullie bevriend waren,' zei Anna terwijl ze hem de zwarte map met het opschrift MEDISCHE STAF overhandigde. Het kwam niet bij haar op om te vragen: 'Als dat zo is, waarom weet je dan niet waar hij woont?' Sommige mensen waren gewoon te goed van vertrouwen, terwijl Jeremy 's nachts vaak wakker werd en niet kon geloven dat hij bestond.

'Het is meer een verhouding van leraar en leerling,' zei Jeremy. 'Ik heb veel van dokter Chess geleerd en daarvoor wilde ik hem graag bedanken.'

'Nou, dat is heel aardig van je. Hier staat het.'

24

Het was niet het Victoriaanse huis in Queen's Arms dat Jeremy zich voor de geest had gehaald. Een appartement in Ash View, een voorstad aan de zuidkant, ver van het water en zeker dertig kilometer van het centrum van de stad.

Weer verkeerd gegokt. Als het om Arthur ging, werd hij constant op het verkeerde been gezet.

Of misschien had hij beter naar Arthur moeten luisteren. Ash View was vroeger boerenland geweest en Arthur had vol genegenheid over zijn boerenafkomst gesproken.

De geboorte van kalveren... een bloederig proces. De oude man was gevoelig voor griezelige dingen.

Besefte hij instinctief dat hetzelfde voor Jeremy gold?

Vanwege Jocelyn?

De laatste tijd had hij vaak aan Jocelyn moeten denken.

Hij kon met Angela praten en hij kon met Angela vrijen. Maar Jocelyn.

Zo onafwendbaar wég.

Hij moest naar de oude man toe.

Omdat hij haast had, liep hij zijn ronde vroeg, ging bij al zijn patiënten langs en hoopte dat hij niemand van hen tekort had gedaan omdat hij zijn hoofd er niet bij had.

De mensen glimlachten tegen hem – vertrouwde en dankbare lachjes. Een echtgenote bedankte hem en een dochter kneep in zijn hand en vertelde hem dat haar moeder zich altijd op zijn bezoek verheugde, omdat hij de enige dokter was die haar geen pijn deed.

Kennelijk had hij geen flaters begaan, ook al was hij nog zo'n bedrieger.

Morgen zou hij beter zijn best doen.

Vlak na het middaguur reed hij in zijn Nova de parkeergarage van de artsen uit. Het was voor de verandering droog, maar het was een sombere dag, met op vliegende schotels lijkende regenwolken aan de horizon die het door de wind kolkende water van het meer zwart maakten. De voorspelling dat er opnieuw zwaar weer op komst was, spookte de andere weggebruikers kennelijk door het hoofd. Vanaf het moment dat Jeremy de Asa Brander Bridge opreed tot het punt waarop hij de snelweg verliet om via een industriegebied naar de zuidelijke tolweg te rijden, zag hij automobilisten de ene fout na de andere maken, botsingen die op het nippertje vermeden werden en ten slotte een aanrijding die een omleiding noodzakelijk maakte en voor files en ergernis zorgde. Uiteindelijk slaagde hij er toch in om zich bij het drukke verkeer op de tolweg te voegen. Maar pas kilometers verder nam de middagdrukte af en kon hij doorrijden.

Hij stoof over het vlakke land. Voordat hij op weg ging, had hij op de kaart gekeken, maar toch miste hij bijna de onopvallende afslag naar links, die hem langs een begraafplaats zo groot als een stad, een doorsnee winkelcentrum en diverse wijken met bejaardenwoningen voerde, die allemaal 'zelfstandig wonen' in het vaandel hadden.

Zou Arthur daarvoor hebben gekozen? Canasta, bingo en accordeonconcerten, waar hij samen met zijn toegewijde echtgenote gezellig aan meedeed?

Een vrolijk gekleurd bord met de mededeling: ASH VIEW 4 km. De omgeving werd iets minder aantrekkelijk: goedkopere winkels, benzinestations, firma's in autobanden en goedkope huisjes met roestende auto's in de voortuin.

Mijlenver verwijderd van de luxe van CCC. Wat dat ook mocht betekenen.

Jeremy reed langs een paar goedkope restaurants en vestigingen van drie verschillende hamburgerketens. En ganzenlever zou je hier ook met een lantaarntje moeten zoeken.

Zelfstandig wonen overdag, luxe gourmetmaaltijden 's avonds. Arthur Chess was een man om rekening mee te houden.

Ash View bestond uit een kaal landschap met zwerfhonden en een paar verspreide appartementsgebouwen. Arthurs adres bleek een groot, met hout betimmerd huis met een plat dak te zijn, dat uitkeek over wat vroeger een tarweveld was geweest en nu alleen maar gras voorzover het oog reikte. Het dichtstbijzijnde herkenningspunt lag een meter of vijfhonderd naar het noorden, een ongebruikt drive-intheater met een kapotte luifel.

De regenwolken veranderden het vlakke land in een overschaduwd maanlandschap.

Jeremy stopte en bestudeerde het gebouw. Het was vroeger een mooi pand geweest, maar nu was het sjofel en onderverdeeld in appartementen. Het leek wel een beetje op het huis waar Angela woonde.

De oude man woonde in een pension. Hij had de geneugten van de stad en God mag weten wat nog meer willens en wetens achtergelaten.

Een vrijstaande stenen schuur rechts van het huis was omgebouwd tot vier garages. Vier gesloten deuren, maar geen slot te zien. Jeremy stapte uit, tilde de meest linkse deur op en zag een

Nissan staan. In de volgende garage stond een Ford Falcon, de derde was leeg en in de laatste trof hij Arthurs zwarte Lincoln Town Car aan.

Een andere afspraak. De oude man was gewoon eerder bij het tumorenoverleg vertrokken om naar huis te gaan.

Jeremy liep de betonnen trap van het grote huis op en keek naar de namen op de verweerde koperen brievenbus.

A. CHESS – zonder titelvermelding – woonde in Appartement Vier.

De voordeur was van gegraveerd glas, een overblijfsel van vergane glorie. Jeremy trok de deur open.

De trap op en rechtsaf. Het huis rook naar maïs, zure melk en waspoeder. De trap was steil en voorzien van een smetteloze witte houten leuning. De muren waren gegranold, even wit en even schoon. De vloer onder Jeremy's voeten was van oude grenen planken onder een veelgebruikt blauw tapijt. Oud hout, maar er was geen gekraak te horen. Het gebouw werd zorgvuldig en met liefde onderhouden.

Er hing geen naamplaatje op Arthurs deur. *Oké, vooruit met de geit.*

Op Jeremy's kloppen werd niet opengedaan.

'Arthur?' riep hij. Geen antwoord. Toen hij nog luider klopte, ging de deur van het appartement aan de andere kant van de gang op een kier open. Toen hij Arthurs naam herhaalde en riep dat hij het was, ging de deur nog iets wijder open en Jeremy zag één donkere iris naar buiten gluren.

'Hallo,' zei hij. 'Ik ben dokter Carrier en ik ben op zoek naar dokter Chess.'

De deur ging helemaal open en een lief uitziend, dik vrouwtje in een gele huisjurk kwam tevoorschijn. Ze had wit haar en opvallende, rossige wenkbrauwen. Weer iemand van Arthurs leeftijd. Ze had een gebloemd theekopje in haar hand en glimlachte tegen hem. Haar ogen waren donkerbruin. Nog een tintje donkerder en ze waren zwart geweest. Grote oorringen bungelden aan haar oren.

Net een oude waarzegster.

'Had je een afspraak met de professor, jongen?'
'Nou nee,' zei Jeremy. 'Ik werk in het Central Hospital en ik wilde het met hem over een patiënt hebben.'
'Is het een noodgeval?'
'Niet precies, mevrouw. Maar het is wel belangrijk.'
'O... en nou ben je helemaal hiernaartoe gereden. Wat een plichtsbesef... Het is echt een goed ziekenhuis. Al mijn kinderen zijn daar geboren. Toen was professor Chess nog maar een jongeman. Lang en knap. Hij ging altijd op zo'n fijne manier met zijn patiënten om.' Ze giechelde. 'Natuurlijk was ik toen ook nog jong. Hij heeft prima werk geleverd.'
'Heeft professor Chess uw kinderen op de wereld geholpen?'
'Ja, hoor. Ik weet wel dat hij tegenwoordig patholoog is, maar destijds was hij nog gewoon arts. Wat een fantastische man. Ik vond het echt ontzettend leuk toen ik ontdekte dat we buren zouden worden. Maar ik ben bang dat hij niet thuis is, jongen.'
'Weet u misschien waar hij is?'
'O, hij gaat heel vaak op reis,' zei de vrouw. 'Zal ik tegen hem zeggen dat u langs bent geweest, dokter...'
'Carrier. Dus hij is echt op reis?'
'Ja, hoor. Als professor Chess op reis is, zorg ik altijd voor zijn post en let op of er ook boodschappen voor hem zijn.' Ze glimlachte, nam haar theekopje in haar andere hand en stak haar rechter uit. 'Ramona Purveyance.'
Jeremy liep naar de andere kant van de gang. Haar hand was zacht en een tikje vochtig. Mollige vingers die geen druk uitoefenden.
'Dus hij houdt van reizen,' zei hij.
Ramona Purveyance knikte enthousiast.
'Ik vraag me af hoe lang hij dit keer wegblijft,' zei Jeremy.
'Dat is moeilijk te zeggen. De ene keer is het een dag, dan weer een week. Hij stuurt me altijd ansichten.'
'Waarvandaan?'
'Overal. Kom maar, dan zal ik je ze laten zien.'

Jeremy liep achter haar aan een klein appartement binnen. Het was licht, dankzij de ramen aan de achterkant die uitzicht boden op de oneindige zee van gras. In feite was het een weiland, dat op weg naar de horizon heel licht omhoogliep. Erboven fladderden een stuk of tien raven rond, die af en toe helemaal wegvielen tegen de donkere lucht om dan weer plotseling op te duiken in de banen licht die tussen de wolken door vielen. Het was een verrassend gezicht... acrobatiek in de lucht.

'Die vliegen daar altijd,' zei Ramona Purveyance. 'Prachtige dieren, ondanks hun reputatie.'

'Over welke reputatie hebt u het?'

'Nou, u weet wel, uit de bijbel. Noach stuurde de raaf weg om op zoek te gaan naar de vrede, maar de raaf slaagde daar niet in. Het was de duif die terugkwam met de olijftak. Desondanks vind ik het toch prachtige beesten. Maar ze zijn niet erg vredelievend. Soms zien we hier wel eens kardinaalvogels, van die mooie rode. Die worden door de raven altijd weggejaagd.'

Ze zette haar theekopje op een lage, glazen salontafel, waggelde naar een essenhouten bureau, trok de bovenste la open en zei: 'Ik weet bijna zeker dat ik ze hier ingelegd heb.'

Jeremy keek om zich heen. De muren waren groen geschilderd – ziekenhuisgroen – en het meubilair was van licht hout, vrij nieuw en niet duur. Het enige wat aan de muur hing, waren een paar ingelijste kalenderfoto's van zeegezichten. Geen snuisterijen, geen herinneringen. Er was niets te zien van de familiegeschiedenis die je bij zo'n oude vrouw verwachtte.

Maar dat was een dwaas idee, een geromantiseerde versie van het gezinsleven. Soms stortte alles als een kaartenhuis ineen. Of het kwam nooit van de grond.

Wat zou hij zelf om zich heen hebben als hij oud was?

Ramona Purveyance trok de ene na de andere la open en zei: 'Hmm.' Direct naast de woonkamer was een kleine, brandschone keuken. Als de vrouw zelf kookte, liet dat geen luchtjes achter.

'Ach, daar zijn ze,' zei ze. Ze had een stapel ansichten in de hand die bij elkaar werden gehouden door een breed rood elastiek. Zonder een moment te aarzelen gaf ze de stapel aan Jeremy.

Pakweg de eerste tien kwamen uit het buitenland. Londen, Parijs, Istanbul, Stockholm, München. De kanaalzone – had Arthur de plek waar hij zijn dienstjaren had doorgebracht weer opgezocht? – Brazilië, Argentinië. De volgende stapel kwam uit Amerika: Crater Lake in Oregon, New York City, St. Louis, Los Angeles, Bryce Canyon, Santa Fe, New Mexico.

Prachtige foto's van bekende bezienswaardigheden aan de ene kant, op de andere kant steeds dezelfde boodschap in een bekend handschrift.

> *Beste mevrouw P.,*
> *Op reis en ik kom steeds meer te weten.*
> *A.C.*

'Het is echt lief van hem om aan mij te denken,' zei Ramona Purveyance.

'Hij woont hier al sinds ik hem ken,' jokte Jeremy. 'Dat zal toch gauw...'

'Tien jaar,' zei ze. 'Vijf jaar nadat ik hier kwam wonen. Het is hier wel erg rustig en sommige stadsmensen hebben moeite om zich aan te passen. Maar de professor helemaal niet. Nadat hij zijn grote huis met alles erop en eraan verkocht had, voelde hij zich hier helemaal thuis.'

'Het huis in Queen's Arms.'

'Ja, dat klopt,' zei Ramona. 'Hij heeft me er foto's van laten zien. Een groot, oud geval... Victoriaans.'

Dus dat was toch waar! Eindelijk!

'Het moet een pracht huis zijn geweest om in te wonen,' ging ze verder. 'Mooie, antieke meubels en van die leuke glas-in-loodramen. Maar veel te groot voor één persoon. De professor heeft me verteld dat hij daar veel te lang in zijn eentje heeft gezeten. Nou ja, na... dat was logisch.' Ze vertrok haar gezicht. 'Bent u ook patholoog, dokter Carrier?'

'Nee, psycholoog. Wat was logisch, mevrouw Purveyance?'

De chocolabruine ogen gaven geen krimp. 'Nadat het tot hem was doorgedrongen dat zo'n groot huis niet geschikt was om alleen in te wonen.'

'Alleen zijn kan ook een vorm van aanpassing zijn.'
'Hebt u wel eens alleen gewoond, dokter?'
'Mijn hele leven.'
Ramona Purveyance strengelde haar vingers in elkaar en keek hem aan. 'Een psycholoog. Dat is vast heel interessant.'
Ze glimlachte, maar haar gebrek aan belangstelling bleek duidelijk uit de toon waarop ze sprak. 'Professor Chess en ik praten van tijd tot tijd over geneeskundige zaken. Hij is bijzonder geïnteresseerd in psychosociale onderwerpen.'
'Ja, natuurlijk,' zei ze. 'De man is zo nieuwsgierig als een kind. Soms zie ik hem daar wel eens.' Ze gebaarde naar de eindeloze grasvlakte achter het raam. De raven hadden zich ergens in de buurt van de horizon verzameld, klein en zwart als vlekjes vliegenpoep. 'Dan loopt hij rond en onderzoekt alles. Af en toe knielt hij neer en houdt het gras opzij, op zoek naar insecten en weet ik wat nog meer. Soms heeft hij zijn metaaldetector bij zich en loopt klikkend rond. Af en toe neemt hij een schop mee en gaat graven.'
'Heeft hij wel eens iets gevonden?'
'Nou en of. Pijlpunten, oude munten en flessen. Op een keer vond hij een snoertje parels dat hij aan mij heeft gegeven. Kleine barokke parels, hier en daar wat beschadigd, maar toch nog steeds heel mooi. Ik heb ze aan mijn kleindochter Lucy gegeven. Die is net oud genoeg om dat soort mooie dingen op prijs te stellen. De wereld is één grote schatkamer, als je maar weet waar je moet kijken.' Ze wierp een blik op de deur. 'Heb je zin in een kopje thee?'
'Nee, dank u wel. Ik kan er maar beter vandoor gaan.'
'Dokter Carrier,' zei ze, 'dat woord dat u gebruikte... "psychosociaal". Wat betekent dat precies?' Ze hield haar hoofd schuin in een soort parodie van bedeesdheid. 'Ik vind het leuk om mijn woordenschat uit te breiden.'
'Dat slaat op de wisselwerking tussen psychologie en maatschappelijke problemen. Problemen die de samenleving ondermijnen. Armoede, misdaad en geweld. Professor Chess heeft met name belangstelling voor crimineel geweld.'
Ramona Purveyance keek naar haar handen. 'Ik begrijp het...

goed, ik moet de was gaan doen. Zal ik hem vertellen dat u langs bent geweest?'

'Ja, graag,' zei Jeremy. 'Ik neem aan dat we niet weten wanneer hij weer terugkomt... Heeft hij veel bagage meegenomen?'

'Ik zou het niet weten, meneer,' zei Ramona, terwijl ze haar theekopje weer oppakte. De inhoud moest inmiddels koud zijn, maar ze nam er toch een slokje van. Over de rand van het kopje keken de donkere ogen hem onderzoekend aan.

'Geen flauw idee?' vroeg Jeremy.

'Hij heeft gisteravond een briefje onder mijn deur door geduwd waarin hij me vroeg voor zijn post te zorgen. Dat moet laat zijn geweest, want om elf uur was ik nog op. En toen ik om zes uur wakker werd, was hij al weg.'

Het theekopje zakte. Op het gezicht van Ramona Purveyance stond niets te lezen, maar ze had een behoedzame blik in haar ogen. Jeremy glimlachte. 'Dat is echt iets voor professor Chess. Om weer op avontuur te gaan in die prachtige Lincoln.'

'Wat een mooie auto is dat, hè? Hij onderhoudt hem ook met de regelmaat van de klok. Iedere week wordt de wagen gewassen, gepoetst en gezogen. Maar nee, ik denk niet dat hij met de auto is weggegaan. Als hij op reis gaat, belt hij meestal een taxi. Of hij neemt zijn andere auto en laat die op het vliegveld staan.'

'Zijn andere auto?'

'Zijn busje,' zei ze. 'Hij heeft een Ford-busje. Oud, maar nog in prima staat. Hij heeft me verteld dat hij dat op een veiling van de gemeente heeft gekocht. Het was vroeger eigendom van de gerechtelijke medische dienst, enig hè?' De oude vrouw sloeg haar armen over elkaar. 'Maar professor Chess verzekerde me dat het grondig schoon is gemaakt. Dat zijn ze altijd.'

'Ze?' vroeg Jeremy.

'Dingen van het mortuarium.' Weer dat gegiechel. 'Dingen die met de dood in aanraking zijn geweest.'

25

De bui kwam halverwege de terugweg naar de stad. Jeremy reed kilometers lang over een glibberige weg, met een beslagen voorruit en remmen die het langzaam maar zeker leken te begeven, en wist een kettingbotsing van zeven auto's nog maar net te omzeilen. Uiteindelijk legde hij zich bij zijn lot neer, maar wonder boven wonder slaagde hij erin heelhuids thuis te komen. Bij wijze van avondeten maakte hij een blikje soep open en nam daar geroosterd brood en zwarte koffie bij.

De volgende avond kon hij eindelijk samen met Angela stiekem het ziekenhuis uitglippen en hij nam haar mee naar het duurste restaurant waar ze tot nog toe waren geweest. In een zijstraat van Hale Boulevard, in het North End. Vanwege het weer namen ze een taxi en Jeremy had voor hun allebei een paraplu meegenomen.

Dat had hij van Arthur geleerd.

Het restaurant had groene, suède muren, bankjes van graniet en gesteven tafelkleedjes in de kleur van verse boter. Op weg naar hun tafeltje achter in de zaak kwamen Jeremy en Angela langs een vriesbox met vis die nog zo vers was dat de beesten hen verwijtend aan leken te staren. In een andere koeling lagen met vet dooraderde, dikke biefstukken en karbonades. Strijdlustige kreeften, met vastgebonden scharen, klauwden tegen de smetteloze ruiten van een drie meter breed aquarium.

De wreedheid van het goede leven.

Jeremy had het tafeltje twee dagen daarvoor al gereserveerd en een andere arts-assistent zover gekregen dat hij Angela's dienst overnam. Een knul die als co-assistent op de afdeling psychologie had gewerkt en ook een paar van Jeremy's lezingen had bijgewoond.

De omgeving, het eten, alles was geweldig. En Angela was zo onder de indruk van het feit dat hij het allemaal van tevoren had geregeld, dat de tranen haar bijna in de ogen sprongen.

Ze ging zo stijf tegen hem aan zitten dat het leek alsof hun dijen aan elkaar vastgeplakt zaten.

'Hoe moet ik na al dit lekkers nu weer wennen aan het voer dat een arts-assistent voorgezet krijgt?'

'Heel langzaam,' zei Jeremy. 'Probeer onnodige schokken te vermijden.'

'Dit is al een hele schok voor me,' zei ze. 'Om op zo'n manier verwend te worden.'

'Ik wed anders dat je dat wel gewend bent.'

'Waarom zeg je dat?'

'De enige dochter in een tweeverdienersgezin. Daar durf ik toch uit op te maken dat de mooie dingen in het leven jou niet vreemd zijn.'

'Je hebt gelijk,' zei ze. 'Ze hebben me met liefde grootgebracht, me altijd gegeven waar ik om vroeg en altijd tegen me gezegd dat ik alles kon bereiken als ik mijn best maar deed. Als je dat allemaal bij elkaar optelt, moet ik toch barsten van het zelfvertrouwen, hè? Maar dat is niet zo. Ik twijfel iedere dag weer aan mezelf. Dat komt door mijn baan en al die mensen die van mij afhankelijk zijn. Stel je voor dat ik een keer de komma op de verkeerde plek zet als ik een recept uitschrijf? Of het niet in de gaten heb als iemand anders dat heeft gedaan? Dat is me een keer overkomen toen ik nog co-assistent was. Een of andere blaaskaak van een behandelend arts, die zich drukker maakte over de rekeningen die hij indiende dan over zijn patiënten, schreef in vliegende haast een recept uit voor een diabeticus. Honderd keer te hoog. Dan hadden we met een onverwacht overlijden gezeten en daar zou iedereen vraagtekens bij hebben gezet.'

'Maar je zag het wel?' vroeg Jeremy.

Ze knikte. Een serveerster die op een Chinees poppetje leek, bracht twee gratis meloenlikeurtjes in groene glaasjes en een gelakt blad met diverse warme hapjes. Angela wreef met haar vingers over haar glas. Ze pakte een klein inktvisje op, mompelde: 'Wat wreed', en legde het terug op het bord.

'Dus je hebt iemand het leven gered. Knappe meid.'

'Ik had het bijna niet gezien, Jer. De injectienaald lag al klaar, daar had een verpleegkundige voor gezorgd, en ik moest de injectie geven. Puur toevallig viel mijn oog op het recept. Ik zal nooit de blik op het gezicht van die patiënt vergeten. Een oude man, een potige oude kerel die vroeger altijd met zware machines had gewerkt en die nog steeds graag flirtte. Hij kon waarschijnlijk aan mijn gezicht zien dat ik me een ongeluk geschrokken was. "Is alles in orde, meid?" vroeg hij. "Ja, hoor," zei ik en ik deed net alsof ik de spuit nakeek. Daarna heb ik hem een leugentje verteld. Ik zei dat er iets mis was met de naald, dat er luchtbelletjes in zaten en dat er een nieuwe moest komen. Ik liep bij hem weg, smeet die verdomde spuit in de dichtstbijzijnde bak voor gevaarlijke stoffen, riep de hoofdverpleegkundige en liet haar het recept zien. Ze was een intelligente vrouw, met veel ervaring, en ze wist net zoveel van doseringen als de meeste artsen. "Lieve help," zei ze. Maar ze had zich meteen weer in de hand en zei: "Dat kunnen we maar beter niet rondvertellen, hè?" En ik zei: "Nee, natuurlijk niet." Ze stelde voor dat ik het oorspronkelijke recept zou veranderen en dat heb ik ook gedaan. Daarna heb ik een nieuwe spuit klaargemaakt, ging weer naar binnen en gaf die arme patiënt zijn injectie. Hij lachte tegen me. "Daar ben je weer, ik had je al gemist. Misschien moeten we maar eens een keer samen gaan stappen, lekker ding, gewoon ergens gaan dansen." Daar moest ik om lachen. Ik was veel te geschrokken om beledigd te zijn en trouwens, zo'n ouwe knar, iemand van een andere generatie, daar trek je je toch niets van aan? Dus zei ik: "Nou, meneer Dinges, je weet maar nooit." En toen ik wegliep, heb ik expres met mijn kont gewiebeld. Om hem een beetje op te vrolijken. Ordinair, dat weet ik ook wel, maar die vent was bijna dood geweest en dan had ik dat op mijn geweten gehad. Dat verdiende hij wel, hè? Op die manier kon ik het nog een beetje goedmaken.'

Haar lippen trilden. Ze tilde het groene glaasje op en dronk het in één teug leeg.

'Je had helemaal niets goed te maken,' zei Jeremy. 'Jij bent de heldin van het verhaal.'

'Puur geluk. Het scheelde maar een haartje. Sindsdien ben ik paranoïde met betrekking tot doses, ik controleer alles altijd twee of drie keer. Misschien word ik daardoor wel een betere arts. Weet je wat het ergst van alles is? Die behandelend arts – de klootzak die zijn decimalen niet beheerste – heeft het nooit te horen gekregen. We hebben hem in bescherming genomen en het hem nooit verteld. Dus wat ben ik dan? Medeplichtig?'

'Als je het hem wel had verteld, had hij het toch ontkend. En dat zou jou geen goed hebben gedaan.'

'Ik weet het,' zei Angela verdrietig. 'Ik maak er wel een romantisch avondje van... Het spijt me, Jer.'

Jeremy drukte zijn neus tegen het warme, zachte plekje achter haar oor. Wat waren vrouwen toch heerlijk glad. En zo fijn gebouwd.

'Je bent een geweldige vent,' zei ze. 'Laten we alsjeblieft bij elkaar blijven.'

Een week later kreeg hij een ansicht uit Oslo.

Een schitterende foto van iets dat de Vigeland Beeldentuin heette. Enorme standbeelden van supergespierde gestalten die tentoongesteld stonden in een groene, parkachtige omgeving. De beelden kwamen overdreven proletarisch op Jeremy over... wagneriaans.

Op de achterkant van de kaart stond een boodschap in een vooroverhellend handschrift, geschreven in zwarte vulpeninkt:

Beste dr. C.,
Op reis en ik kom steeds meer te weten.
A.C.

De ouwe vent had zijn biezen gepakt en was er gewoon vandoor gegaan. En waarom ook niet? Arthur was gepensioneerd, hij woonde alleen, hij hoefde geen rekening te houden met zijn werk.

En hij was kleiner gaan wonen.

Jeremy was ervan overtuigd dat het Victoriaanse huis niet alleen was afgedankt omdat Arthur plotseling had begrepen dat het huis veel te groot voor hem was.

Ramona Purveyance wist waarom hij daar weg was gegaan,

ze had bijna haar mond voorbijgepraat... *Hij was daar al veel te lang blijven zitten nadat...*

Maar toen Jeremy had aangedrongen, had ze niet thuis gegeven.

Had Arthur een of andere tragedie meegemaakt? Iets waardoor zijn hele leven was veranderd? Misschien had de oude man alleen maar een van de normale tragedies meegemaakt die een mens kunnen overkomen: het feit dat hij weduwnaar was geworden.

Het verlies van de toegewijde echtgenote die Jeremy zich had voorgesteld. Dat zou een enorme klap zijn geweest voor Arthur, die zo van gezelligheid hield. En de reden dat hij zijn genoegens buitenshuis ging zoeken.

Soupeetjes op de late avond met gelijkgestemde excentriekelingen.

Jeremy legde de ansicht in een van zijn bureaulades. Toen hij Anna, de secretaresse van de afdeling administratie, weer tegenkwam, bedankte hij haar nogmaals voor Arthurs adres, zei dat Arthur het cadeautje heel leuk had gevonden en dat hij nu op reis was.

'Ja, dat doet hij vaak,' zei ze. 'Hij stuurt me altijd de mooiste ansichten. Zo attent.'

'Het is een leuke manier om jezelf bezig te houden,' zei Jeremy.

'Wat?'

'Reizen. Omdat hij toch alleen woont en zo.'

'Ja, daar zou je wel eens gelijk in kunnen hebben.'

'Hoe lang woont hij alweer alleen?'

'Zolang ik hem ken,' zei Anna. 'Volgens mij heeft hij altijd alleen gewoond, dokter Carrier. Een verstokt vrijgezel en zo. Eigenlijk jammer, hè? Van zo'n aardige man.'

Als je alleen woonde, hield dat in dat je op stel en sprong naar het vliegveld kon gaan om een kaartje te kopen, in te stappen, je schoenveters los te maken, zoute pinda's te knabbelen, een martini met twee zilveruitjes soldaat te maken en achterover te leunen voor een lange vlucht.

Als Arthur achter dat gedoe met de interne enveloppen zat, had hij Jeremy twee artikelen gestuurd over laserchirurgie en was hij het land uitgegaan vlak nadat hij een oud krantenknipsel had gepost over een vermist Engels meisje en haar vermoorde vriendin.

Jeremy was er tenminste van uitgegaan dat het een oud verhaal was, vanwege het droge, vergeelde papier. Maar waar sloeg het op? Een les in criminele geschiedkunde? Was het zijn bedoeling dat Jeremy ging zitten piekeren over dit zoveelste voorbeeld van zeer kwalijk gedrag?

Hij wilde Jeremy iets duidelijk maken...

Maar in dat geval bleef de oude man toch waanzinnig onduidelijk.

Waar was dat knipsel... Jeremy zocht in zijn bureau en herinnerde zich toen dat hij het weggegooid had. Hoe heette dat vermoorde meisje ook alweer... Suzie nog wat en haar achternaam begon met een c. Hij probeerde de naam uit zijn geheugen op te diepen, maar die bleef hem ontglippen, om gek van te worden. Het bezorgde hem een vieze smaak in zijn mond, ergens diep in het zachte, sponsachtige weefsel achter zijn tong...

Maar de andere naam schoot hem te binnen zonder dat hij er moeite voor moest doen.

Het meisje dat verdwenen was... Een ongewone naam – *Sapsted – Bridget Sapsted.*

Hij zette zijn verouderde computer aan, luisterde geduldig naar het gepiep van zijn wispelturige modem (het ziekenhuis was pas jaren na elke andere gezondheidsinstelling overgegaan op computers en weigerde nog steeds een kabelnetwerk te installeren), leunde achterover en telde de putjes in de akoestische tegels aan zijn plafond, tot hij eindelijk verbinding kreeg met het internet.

Hij tikte de naam van het vermiste meisje in bij een van de zoekmachines en hoorde de computer zuchten, steunen en winden laten... 'indatagestie'.

Drie resultaten, allemaal uit Britse roddelbladen.

De zaak was nog helemaal niet zo oud: het van zuur vergeven goedkope papier was gewoon snel verouderd.

Zes jaar geleden was Bridget Sapsted verdwenen, precies zoals in het knipsel had gestaan.

Twee jaar later was Bridget Sapsted dood teruggevonden.

De tot een skelet gereduceerde stoffelijke resten van de jonge vrouw lagen in een ondiep graf, in een gebied met dichte bossen, op nog geen vijfhonderd meter van het lijk van haar 'vriendin' Suzie *Clevington.* Ze was drie weken na Suzie gevonden. Alleen maar botten en de lijkschouwer schatte dat Bridget Sapsted daar die volle twee jaar begraven had gelegen, voordat ze door honden was ontdekt.

> 'Nadat we Suzie hadden gevonden, konden we het gebied dat we moesten afzoeken beperken,' zei inspecteur van recherche Nigel Langdon. 'We gaan er nu vanuit dat beide jongedames het slachtoffer zijn geworden van dezelfde moordenaar. Om bewijstechnische redenen kunnen we nu niet ingaan op de reden waarom we dat momenteel denken.'

Jeremy voerde de naam van de politieman in bij diverse databanken. De naam *Nigel Langdon* leverde maar één resultaat op en dat had niets te maken met politiewerk. Vorig jaar had een man die zo heette een lezing gehouden over het kweken van pioenrozen bij de Millicent Haverford Memorial Garden Club in Kent.

Dezelfde provincie, dus dat moest dezelfde vent zijn. Misschien was de inspecteur ook met pensioen gegaan en hield hij zich bezig met rustiger dingen.

Jeremy belde Inlichtingen voor buitenlandse telefoonnummers en kreeg na een paar vergeefse pogingen inderdaad een Engelse telefoniste aan de lijn, die hem het nummer gaf van een zekere Nigel Langdon in Broadstairs.

Waar de beide vermoorde meisjes op school hadden gezeten.

Vanwege het tijdsverschil zou het nu in Engeland avond zijn, maar het was nog vroeg genoeg voor een beleefd telefoontje.

Hij toetste het nummer in, luisterde naar de ruis op de trans-

atlantische lijn en zat heel even met zijn mond vol tanden toen een vrolijke vrouwenstem tjilpte: 'Hallo, met wie spreek ik?'
'Is meneer Langdon misschien thuis?'
'Die zit tv te kijken. Wie kan ik zeggen dat er is?'
'Dokter Carrier, uit de Verenigde Staten.'
'De Verenigde Sta... u houdt me voor de gek.'
'Nee, hoor. Bent u mevrouw Langdon?'
'Voorzover ik weet wel. Dus het is geen grapje? Waar gaat het dan om? Wat bent u voor dokter in Amerika?'
'Een psycholoog,' zei Jeremy. 'Ik ben een vriend van dokter Chess.'
'O ja?' zei de vrouw. 'Nou, dat is vast heel fijn voor hém, wie hij ook mag zijn. Dus u denkt dat Nige een psychiater nodig heeft?'
'Daar gaat het helemaal niet om, mevrouw Langdon. Dokter Arthur Chess... proféssor Chess is een beroemd patholoog, die belangstelling heeft voor een van de zaken van meneer Langdon... we hebben het toch over inspecteur van recherche Nigel Langdon?'
'Gepensionéérd inspecteur... Nigey heeft al die ellende van zich afgezet... het gaat zeker over die vermoorde meisjes, hè? Dat kan haast niet anders.'
'Om eerlijk te zijn, ja...'
'Aha! Zie je nou wel wie de echte detective van de familie is!' De vrouw lachte.
'Hoe wist u dat?' vroeg Jeremy.
'Omdat het de enige zaak is die Nigel heeft behandeld die de belangstelling van een psycholoog zou kunnen wekken. Het moet wel een gek zijn geweest die dat heeft gedaan... maar daar kan ik beter niets meer over zeggen. Dat zou indiscreet zijn en zo. Wat willen u en uw vriend de professor van Nigey?'
'Ik wil hem alleen maar een paar vragen stellen.'
'Net als de rest.'
'Zijn er onlangs nog meer mensen geweest die nieuwsgierig waren naar die zaak?'
'Niet onlangs. Maar vlak nadat het gebeurd was – toen ze dat tweede meisje, Bridget, hadden gevonden... toen stond de

telefoon roodgloeiend.' Het bleef even stil. 'Maar gelukkig is dat allemaal verleden tijd,' zei de vrouw. 'Dus u wilt met hem praten?'

'Heel graag. Het hoeft maar heel even...'

'Ach, ik denk niet dat het kwaad kan. De laatste tijd zeurt hij steeds dat hij zich verveelt. *Nige!*'

De stem van de man klonk gesmoord, alsof hij een mond vol eieren had.

'Wat is er aan de hand?' wilde hij weten. 'Gaat het over Suzie en Bridget? Wie bent u eigenlijk? Wat wilt u precies weten?'

Jeremy hing een verhaal op over Arthur die op het gebied van de gerechtelijke medische wetenschap zo'n kei was, over de geleerde gesprekken die ze samen voerden over belangrijke moordzaken en over het feit dat de oude man Jeremy had gevraagd om een psychosociaal onderzoek te doen naar de gevallen die volgens hem nog steeds onopgelost waren.

'Nou, dat deze zaak onopgelost is, staat als een paal boven water,' bromde Nigel Langdon. 'Het onderzoek is nooit afgesloten. Elke nieuwe ontwikkeling sloeg me weer met stomheid. Omdat er al twee lijken waren, had ik verwacht dat er meer zouden volgen. Een soort seriemoorden, snapt u? Maar het bleef bij twee. De klootzak heeft die twee arme meiden verschrikkelijk toegetakeld en hield er toen mee op. Een van hen had een vriendje dat voor geen meter deugde en een tijdje wegens geweldpleging in Broadmoor had gezeten. Ik was ervan overtuigd dat hij het was geweest. Maar hij had een alibi. Hij zat vast in Broadmoor... en een beter alibi kun je je niet wensen, hè? Maar verder was er niemand. Goed, welterusten dan maar...'

'Toegetakeld,' zei Jeremy. 'Waren ze seksueel misbruikt?'

'Dat bedoelde ik eigenlijk... bij wijze van spreken, meneer. En waarom zou ik ú dat vertellen? Het is wel een beetje brutaal...'

'Mag ik u alstublieft nog één vraag stellen, inspecteur? Waren er bij die moorden sporen van chirurgische precisie?'

Stilte.

'Wat wilt u nu eigenlijk precies weten?' vroeg Langdon.

'Wat ik al gezegd heb. Waren de lichamen ontleed op een opvallend... vaardige manier? Waaruit een bepaalde medische kennis bleek?'

'Waar werkte je ook alweer voor, jongen?'

'Het City Central Hospital.' Jeremy raffelde het adres af en zei tegen Langdon dat hij hem met plezier zijn nummer wilde geven, zodat Langdon terug kon bellen om dat te controleren.

'Vanwaar al die belangstelling van het City Central Hospital, meneer?' viel Langdon hem in de rede.

'Dat heb ik u al verteld, inspecteur. Intellectuele nieuwsgierigheid. En het feit dat professor Chess en ik ons grote zorgen maken over bepaalde psychosociale kwesties. De oorsprong van geweld.'

'Jullie hebben zeker een soortgelijk geval daarginds?'

Jeremy aarzelde.

'Houdt u nu uw mond terwijl ik netjes op alle vragen antwoord heb gegeven?' vroeg Langdon.

'Die kans bestaat, inspecteur. Maar zeker weten doen we het niet. Professor Chess is patholoog en hij heeft hier voor de gerechtelijke medische dienst gewerkt. We bespreken samen bepaalde gevallen... Hebt u wel eens van professor Chess gehoord?'

'C-h-e-s-s?'

'Dat klopt.'

'Nee, volgens mij niet.'

'Hij is bekend over de hele wereld,' zei Jeremy. 'Momenteel zit hij in Oslo.'

'Wat vervelend voor hem,' zei Langdon. 'Voor een uit z'n krachten gegroeid vissersdorp kan het ermee door. Maar die kérels daar. Het enige waar ze belangstelling voor hebben, is sardientjes en olie. Eigenlijk niet onlogisch, haha. De vis die ze eten zwemt altijd in olie en door de olie zwemmen die Noren in het geld. Ze zijn nog erger dan Arabieren. Al dat geld en ze kunnen het niet eens opbrengen om hun zomerhuisjes van fatsoenlijk sanitair te voorzien. En ze lopen nog altijd met rugzakken rond. Snapt u dat nou, zulke rijke lui die niet eens stromend water en een wc binnen hebben?'

Het was een heel verhaal. Langdons stem klonk hoger – en bezorgd – en Jeremy vroeg zich af of hij maar een beetje uit zijn nek zat te kletsen omdat hij iets te verbergen had.

'Bent u ook in Oslo geweest, inspecteur?'

'Ik ben in allerlei uithoeken geweest,' zei Langdon. 'Maar goed, ik ga nu ophangen want u herinnert me aan allerlei vervelende dingen die ik heb meegemaakt. Geef mij maar bloemen. Ik hou van bloemen. Bloemen maken niet zonder enige reden gehakt van elkaar, om vervolgens te verdwijnen en hun lelijke psychopathische smoelen nooit meer te laten zien.'

Hij snoof even en verbrak de verbinding.

Langdon was naar Oslo geweest, maar daar wilde hij niet over praten.

Jeremy bleef er nog even over nadenken en kwam tot de conclusie dat hij geen stap verder zou komen. Dit was het wel.

Maar dat was het niet. Twee dagen later kreeg hij een e-mail van NigelLfleur@uklink.net.

De oude speurneus Langdon had Jeremy's naam en die van het ziekenhuis onthouden, het nummer van zijn afdeling opgezocht en zijn e-mailadres opgevraagd.

> *Beste dr. Jeremy Carrier,*
> *Ik ben bang dat ik onnodig een beetje kortaf tegen u ben geweest tijdens ons telefoongesprek. Misschien mag ik als excuus aanvoeren dat ik volkomen verrast werd door uw telefoontje en dat het vervelende onderwerp waarover u wilde praten mij op zo'n rustige avond een beetje koud op het lijf viel.*
> *Desondanks voel ik me toch moreel verplicht om u de volgende feiten mee te delen.*
> *Met betrekking tot uw vraag over bepaalde aspecten van de zaken waarover we het hebben gehad en waarvoor ik de eindverantwoordelijkheid had, moet ik u helaas meedelen dat ik u geen bijzonderheden kan verstrekken. Met name omdat bedoelde zaken nog niet afgesloten zijn. De nieuwe man die het Clevington/Sap-*

sted-dossier onder zijn hoede heeft, is inspecteur van recherche Michael B. Shreve. Voorzover ik weet, houdt hij zich echter niet actief bezig met de beide gevallen, die voorlopig op de plank zijn gelegd, in afwachting van mogelijk nieuw bewijsmateriaal, dat zich volgens mij nog niet heeft voorgedaan. Vandaar ook dat het dossier voorlopig waarschijnlijk niet heropend zal worden. En aangezien ik u hierbij de naam van inspecteur Shreve heb doorgegeven, is mijn verantwoordelijkheid hiermee ten einde.
Ik betwijfel echter of inspecteur Shreve bereid zal zijn om voornoemde zaak te bespreken met iemand die geen politiefunctionaris is. Maar goed, ik voeg zijn telefoonnummer hierbij, voor het geval u toch besluit het er niet bij te laten zitten.
Met vriendelijke groeten,
Nigel A. Langdon (absoluut gepens.)

Jeremy belde het bureau waar Michael B. Shreve werkte en kreeg van een gewichtig klinkende politieman te horen dat de inspecteur op vakantie was.

'Tot wanneer?'

'Tot hij terugkomt, meneer.'

'En wanneer is dat?'

'Het is mij niet toegestaan persoonlijke bijzonderheden te verstrekken, meneer.'

Jeremy liet zijn naam en telefoonnummer achter, plus het feit dat hij inlichtingen wilde hebben over Suzie Clevington en Bridget Sapsted.

Als die namen de gewichtige oom agent iets zeiden, liet hij daar niets van merken.

'Zit hij soms in Noorwegen?'

'Dank u wel, meneer. Goedendag, meneer.'

26

Iets wat nog nooit eerder was gebeurd: Jeremy was vergeten zijn pieper uit te zetten en die ging af tijdens een consult.

De patiënt was een dertigjarige man die Josh Hammett heette, een elektricien die een laatste huidtransplantatie moest ondergaan omdat hij een jaar geleden derdegraadsverbrandingen had opgelopen, toen een door een storm losgeslagen hoogspanningskabel als een kromzwaard langs zijn borst was geslagen en zijn linkerarm had afgerukt.

Maanden na de amputatie had hij last gekregen van fantoompijn, en toen helemaal niets anders leek te helpen had de plastisch chirurg hem doorverwezen naar de afdeling psychologie.

Dit was de zesde keer dat Jeremy de jongeman behandelde. Josh bleek een ideale patiënt voor hypnose, die meteen en zelfs enthousiast reageerde op Jeremy's suggestie dat zijn arm een vredige laatste rustplaats had gevonden.

Nu lag hij op zijn rug in de behandelkamer, terwijl Jeremy naast zijn hoofd zat. Hij ademde langzaam en regelmatig, met de onschuldige glimlach van een dromende kleuter om zijn lippen.

Het gepiep aan Jeremy's riem maakte hem niet wakker. Hij sliep als een blok. Jeremy zette de pieper uit, liet hem wat langer dan gebruikelijk liggen en bracht hem vervolgens langzaam maar zeker bij. Toen de jongeman hem bedankte en zei dat hij zich echt goed voelde, fantastisch eigenlijk, speelde Jeremy hem de bal toe: 'Jij hebt het helemaal zelf gedaan, Josh. Je doet het prima.'

'Vindt u dat echt, dok?'

'Absoluut. Beter kan niet.'

Josh straalde. 'Ik had nooit verwacht dat ik dit zou klaarspelen, dok. Om eerlijk te zijn vond ik het maar hocus-pocus toen u erover begon. Maar dat idee van een krachtinstallatie werkte echt heel goed. Als ik me dat voor de geest haal, compleet met alle circuits en die blinkende lichtjes die aangeven dat alles perfect werkt, ben ik meteen onder zeil. In een wip.'

Hij knipte met de vingers van zijn enige hand.

'Vandaag ging het helemaal lekker,' vervolgde hij. 'Ik verbeeldde me dat ik aan het vissen was, in de buurt van het kanaal. Ik ving snoek en witvis bij de vleet, zoveel dat de boot bijna uitpuilde. Ik kon die jongens gewoon ruiken terwijl ze in de pan lagen te sputteren, dat kan ik u wel vertellen.'

'Bewaar er ook een paar voor mij.'

'Reken maar, dok.'

Jeremy liep met een tevreden gevoel de behandelkamer uit. Toen hij het nummer van Angela op zijn pieper zag staan, verscheen er een glimlach op zijn gezicht.

'Ik heb een halfuurtje vrij,' zei ze toen hij haar belde op de longafdeling. 'Wat zou je zeggen van een kop koffie en een broodje in de artsenkantine?'

'Ik kom eraan.'

Toen hij bij de kantine kwam, zat ze samen met Ted Dirgrove, de hartchirurg, aan een tafeltje. Voor haar stond een kop koffie met een chocoladebroodje. Dirgrove had niets te eten of te drinken voor zich staan. Hij had zijn rode operatiepak uitgetrokken en droeg zijn witte jas, die tot bovenaan was dichtgeknoopt. In de v-hals was de voorkant van een zwart T-shirt te zien.

Heel hip.

Hij stond op toen Jeremy zich bij hen voegde. 'Ha, die Jeremy.'

'Ted.'

Dirgrove keek Angela aan. 'Ik was van plan om het donderdag te doen, dus als je erbij aanwezig wilt zijn is dat geen enkel probleem. Geef het maar aan mijn secretaresse door.'

'Dank u wel, dokter Dirgrove.'

Dirgrove vestigde zijn aandacht weer op Jeremy. 'Ik had je nog willen bellen over dat meisje van Saunders.'

'Is alles goed gegaan?'

'Niet bepaald,' zei de chirurg. Hij kromde zijn lange dunne

vingers en zijn knokige gezicht werd strak. 'Ze is op de operatietafel gestorven.'

'God. Wat is er gebeurd?'

Dirgrove wreef in een van zijn ogen. 'Waarschijnlijk een reactie op de anesthesie, een van die idiopathische dingen. Al haar levensfuncties sloegen op hol. Eerst een piek, precies zoals ik had gevreesd, en daarna echt een diep dal. Alles legde gewoon het loodje. Aanvankelijk dacht ik aan zo'n typische anesthesiefout. De slang in de slokdarm in plaats van in de luchtwegen, omdat ze plotseling helemaal geen zuurstof meer kreeg. Het klopt voor geen meter, maar het gebeurt wel vaker en als je het in de gaten krijgt, kan het meteen worden hersteld. De man van de slangen controleerde alles direct, maar het zat goed. Zonder dat hij er iets aan kon doen, zakte ze gewoon weg. Ik had haar opengemaakt, het borstbeen geretracteerd en was net aan het hart begonnen.'

Dirgrove beschreef het voorval met een holle stem, alsof hij door een bamboebuis sprak. Zijn ogen stonden vermoeid, maar hij had zich die ochtend zorgvuldig geschoren en hij zag er verzorgd uit. 'Alles liep op rolletjes en toen was ze ineens weg. Het klopt gewoon voor geen meter.'

Jeremy dacht aan de mollige jonge vrouw met al die gaatjes in haar oren en de slordige bos haar. Al die boosheid. Dirgrove die haar als een groot risico beschouwde.

Ik voelde me prima toen ik die klotetent hier binnenkwam, en morgen, als ik weer bijkom, zal ik het gevoel hebben dat er een vrachtwagen over me heen is gereden.

Je bent volwassen en het gaat om jouw lichaam. Dus als je echt serieus twijfelt of...

Nee. Ik leg me er ook wel bij neer... Wat is het ergste dat kan gebeuren? Dat ik erin blijf?

'Het klopt inderdaad niet,' zei Jeremy.

'Voor geen meter.' Dirgrove rolde met zijn schouders. 'Het autopsierapport zal wel niet lang op zich laten wachten. Het heeft geen zin om er dieper op in te gaan.'

Hij liep weg.

'Arme man,' zei Angela.

'Arme patiënt,' zei Jeremy.

Zijn stem klonk scherp en ze verbleekte. 'Je hebt gelijk. Het spijt me...'

'Neem het me maar niet kwalijk,' zei Jeremy. 'Ik ben een beetje gespannen.' Hij ging tegenover haar zitten en strekte zijn hand uit, die ze alleen even met haar vingertoppen aanraakte. Koel, droog. 'Het overviel me. Toen hij niets meer van zich liet horen, ging ik er gewoon van uit...'

'Het is echt vreselijk,' zei ze. 'Zijn er nog meer redenen waarom je gespannen bent?'

'Te veel werk, te weinig vrije tijd.'

'Ik wou dat ik iets voor je kon doen, maar ik heb het ook veel te druk.'

Hij keek naar haar chocoladebroodje. 'Neem jij dat maar, ik heb toch geen honger meer,' zei ze.

'Zeker weten?'

'Absoluut.'

Hij brak er een stukje af, kauwde en slikte het door. 'Het was niet mijn bedoeling om je af te bekken.'

'Dat maakt niet uit. Hij had het niet zo recht voor z'n raap moeten zeggen. Ik denk dat ik het gewoon vervelend voor hem vond, omdat ik begreep hoe hij zich voelde. Een patiënt die onder je handen doodgaat. Daar zijn we allemaal bang voor en vroeg of laat gebeurt het toch. Ik heb er al een paar verloren, maar omdat ik niet de behandelend arts was, waren het ook niet echt mijn patiënten. Dat is een voordeel bij wat jij doet, hè? Jouw patiënten gaan nooit dood. Meestal niet, tenminste.'

'Ik heb wel te maken met zelfmoord.'

'Ja. Natuurlijk. Ik klets uit mijn nek.' Ze trok haar hand terug en streek door haar haar. Ze zag eruit alsof ze haar ogen nauwelijks open kon houden. 'Ik ben niet bepaald in vorm, hè? Te veel werk, te weinig vrije tijd. Maar dat etentje vond ik zalig. Ik was er echt even helemaal uit. Je bent erg lief voor me, Jeremy.'

Ze stak haar hand weer uit naar de zijne. De hele hand. Haar huid voelde warmer aan.

'Mag ik je iets vragen?' vroeg ze. 'Als dat gebeurt... zelfmoord, of als je een patiënt kwijtraakt, die je behandeld hebt... Hoe ga je daarmee om?'

'Je prent jezelf in dat je je best hebt gedaan en pakt de draad weer op.'

'Dat is ongeveer hetzelfde wat Dirgrove zei. Het heeft geen zin om er dieper op in te gaan.'

'Ongeveer wel,' zei Jeremy. 'Je bent nu eenmaal geen robot, maar je kunt niet om iedereen treuren.'

'En dat leer je vanzelf? Om afstandelijk te blijven?'

'Je zult wel moeten,' zei hij. 'Anders hou je het niet vol.'

'Dat denk ik ook niet.'

'Wil je nog een kopje koffie?'

'Nee, ik heb genoeg gehad.'

Jeremy stond op, schonk een kopje koffie in en ging weer zitten.

'Dat meisje dat is overleden,' zei Angela. 'Denk je dat de vrees van Dirgrove gegrond was?'

'Dat ze van angst is overleden?'

'Dat is wel heel kort door de bocht... Maar ja, ik denk toch dat ik dat bedoel. Kan het iets met haar onderbewustzijn te maken hebben gehad? Bestaat er een soort doodskracht die zich in bepaalde mensen ontwikkelt en hen uit kan schakelen... die ervoor zorgt dat hun overlevingsmechanisme op hol slaat en hun levensfuncties vergiftigt met stresshormonen? Er is toch een of andere stam in Vietnam waarvan een hoog percentage mensen plotseling overlijdt? Niets is voorspelbaar, hè? Bij je opleiding word je volgestampt met al die elementaire kennis en dan denk je dat je weet waar het om gaat. Maar dan krijg je met de praktijk te maken: patiënten die in een hopeloze toestand worden opgenomen, maar toch genezen en gewoon op eigen kracht het ziekenhuis weer uitlopen. En anderen die helemaal niet zo ziek zijn, komen terecht in het verkeerde rijtje van de Z&O-verslagen.'

De ziekte- en overlijdensverslagen waren het terrein van Arthurs afdeling. Weer de oude man... die moest maar rustig in Scandinavië blijven zitten, waar hij zich te goed kon doen aan *lutefisk*, pornografie en andere dingen die ze daar hadden...

'Stel je voor dat wat ík doe geen enkel verschil maakt?' ging Angela ondertussen verder. 'Als het nou eens alleen afhankelijk was van psychologische factoren? Of van voodoo? Voorzover wij weten, kan er best zoiets zijn als een psychologisch virus dat ons elementaire overlevingsinstinct aanvreet en met ons doet wat het wil. Merilee Saunders voelde misschien wel dat het haar in de greep kreeg. En daarom was ze zo nerveus.'

Ze lachte even. 'Bespottelijk. Ik ben écht slaap tekort gekomen.'

Jeremy zag in gedachten het gezicht van Merilee voor zich. Boos en met een strakke blik van... besef? 'Waar jij op doelt,' zei hij, 'is een auto-immuunziekte van de ziel.'

Angela keek hem met grote ogen aan.

'Wat is er?' vroeg hij.

'Wat je net zei... een auto-immuunziekte van de ziel. De manier waarop jij dingen onder woorden brengt. Ik wou dat je wat meer praatte. Ik vind het heerlijk om naar je te luisteren.'

Hij zei niets.

Ze kneep stevig in zijn hand. 'Ik meen het. Zo zou ik het nooit kunnen formuleren.'

'"Psychologisch virus" is ook niet slecht gevonden.'

'Nee,' zei ze. 'Ik heb niets met taal. Op school was ik altijd uitmuntend in wiskunde en andere exacte vakken, maar als ik een opstel van drie velletjes moest schrijven, zat ik met mijn handen in het haar.' Haar ogen stonden koortsig. Op haar bovenlip parelden kleine zweetdruppeltjes.

'Voel je je wel goed?' vroeg hij.

'Ik ben gewoon doodmoe, dat is alles. Ik wed dat jij nooit moeite had met opstellen.'

Hij lachte. 'Je moest eens weten.'

Hij vertelde hoe moeizaam hij met zijn boek opschoot.

'Je krijgt het wel voor elkaar,' zei ze. 'Je bent gewoon te veel afgeleid.'

'Waardoor?'

'Zeg jij het maar.'

Hij lachte opnieuw en at de rest van het chocoladebroodje op.

'Jeremy, jij speelt met woorden in plaats van er ontzag voor te hebben.'

'Maar woorden zijn ook alles wat ik heb, Ang. Jij kunt terugvallen op de wetenschap. Bij mij gaat het alleen om wat ik zeg en wanneer ik het zeg. Meer niet. Als puntje bij paaltje komt, is het een heel primitief terrein...'

Ze legde een koele vinger tegen zijn lippen en hij rook betadine en Franse zeep.

'De volgende keer dat we elkaar zien,' zei ze, 'moet je me meer over jezelf vertellen.'

27

De volgende keer was twee dagen later, in Angela's appartement. Ze kon niet meer opgeroepen worden, ze werkte nu alleen nog maar vijftien uur per dag. Maar op de een of andere manier had ze toch de tijd gevonden om een stoofschotel met rundvlees en boontjes te maken, plus een salade van verse jonge groente. Ze zaten op de tweedehands bank te eten en naar muziek te luisteren. Jeremy liep tien jaar achter bij haar smaak in popmuziek.

Hij bleef voor de eerste keer slapen.

En hij praatte. Niet over zichzelf, maar over Angela. Hij vertelde haar dat ze mooi was en liet duidelijk blijken welke gevoelens ze bij hem opriep. Ze bleef hem aankijken, tot haar ogen van genot dichtzakten. Nadat ze de afwas hadden gedaan, gingen ze weer op de bank zitten en omhelsden elkaar. Ze zette haar nagels in hem en omklemde hem alsof ze een krab was en hij haar avondmaal. Toen het voorbij was, strompelden ze naar haar bed en sliepen tot het ochtendgloren.

Hij reed samen met haar naar het ziekenhuis en bracht haar tot bij de liften. Nadat hij in de cadeauwinkel een krant had gekocht, pakte hij een kopje koffie bij een van de automaten en toog gewapend met cafeïne en de ellende van alledag op weg naar zijn kantoor.

Hij bladerde de krant afwezig door. Niets nieuws onder de zon. Maar toen zijn oog op de laatste pagina van het stadsnieuws viel, stokte zijn adem in zijn keel.

Er was gisteravond een vrouw vermoord, even ten oosten van Iron Mount, niet ver van de plek waar Tyrene Mazursky was afgeslacht. Een niet bij name genoemde vrouw. Haar lichaam was open en bloot achtergelaten op Saugatuck Finger, een landtong ten noorden van de haven.

Jeremy kende de plek wel, een met grof zand bedekt stuk strand van ongeveer vierhonderd meter, aan drie zijden omringd door naaldbomen. Hier en daar stond een krakkemikkige picknicktafel. Het enige wat je er kon doen was met zand spelen of voorzichtig pootjebaden over de met kiezelstenen bezaaide bodem van het kabbelende water dat er schoner uitzag dan het was. Af en toe stonk de inham behoorlijk. Tijdens de warmere maanden van het jaar kon je er arme gezinnen aantreffen die op het strand zaten te picknicken.

Maar als de lucht grauw werd, was er geen hond te zien. Een verlaten plek. 's Nachts zou het er behoorlijk spookachtig zijn.

Er stonden geen bijzonderheden in het bericht en er werd ook geen poging gedaan de moord in verband te brengen met Tyrene Mazursky.

Humpty Dumpty op het strand?

Jeremy moest zich beheersen om Doresh niet te bellen. Hij legde de krant opzij en ging verder met de bijna voltooide opzet van zijn hoofdstuk. Het was hoog tijd om Angela's lof ook verdiend te maken. Er waren hem nog een paar onderzoeken te binnen geschoten waarvan hij de veronderstellingen wilde toevoegen.

Uiteindelijk werd het hoofdstuk bijna twee keer zo lang als hij van plan was geweest.

Hij wist kennelijk meer dan hij had gedacht.

Maar hij wist niets van de vrouw op Saugatuck Finger.

'Ach, barst toch met die onzin,' zei hij hardop en bleef de hele ochtend schrijven.

De volgende dag kreeg hij een telefoontje van inspecteur van recherche Michael Shreve uit Engeland, net toen hij op het punt stond om te gaan lunchen.

Hoe laat was het daar nu... negen uur 's ochtends. Shreve klonk waakzaam. Jonger dan Nigel Langdon en wat evenwichtiger. Een duidelijke stem, de woordkeus van een ontwikkeld man. Hij beantwoordde Jeremy's begroeting hartelijk.

'Van hetzelfde, dokter.'

'Bedankt dat u terugbelt, inspecteur.'

'Die kans wilde ik niet laten lopen, meneer. Als een dokter uit Amerika mij belt, dan kan ik mijn nieuwsgierigheid niet bedwingen. Vertel me maar eens wat u op het hart hebt.'

Jeremy speldde hem hetzelfde verhaal op de mouw dat hij Langdon had voorgeschoteld.

'Professor Arthur Chess,' zei Shreve.

'Kent u hem?'

'Nee, maar misschien hoor ik hem wel te kennen... Is hij zoiets als uw plaatselijke Sherlock Holmes?'

'Niet precies,' zei Jeremy. 'Gewoon een gerespecteerd arts met een onderzoekende geest.'

'En u werkt met hem samen.'

'In het City Central Hospital.'

'Juist. En professor Chess heeft het met u over die meisjes van ons gehad.'

'Hij stuurde me een krantenknipsel over die zaak. We hadden net een gesprek gehad over de oorsprong van crimineel geweld. Ik neem aan dat hij het een goed voorbeeld vond.'

'Stuurde?' zei Shreve.

'Hij is op reis.'

'Waarheen, meneer?'

'Naar Oslo.'

'Aha,' zei Shreve. 'Het is niet de slechtste tijd van het jaar om naar het noorden te gaan, maar echt gezellig is het daar nu ook niet. Hooguit een paar uurtjes daglicht, meer niet.'

Shreve sprak net als Langdon over Noorwegen alsof hij daar geweest was.

'Kent u Oslo, inspecteur?'

'Als toerist... Is die professor Chess volgens u in een bepaald aspect van onze zaak geïnteresseerd?'

'Ik zei al dat hij belangstelling heeft voor het ontstaan van geweld,' zei Jeremy en nam zijn toevlucht tot een pertinente leugen. 'Er was ook sprake van de vraag of de moorden een chirurgisch aspect hadden.'

'O ja? Vroeg professor Chess zich dat af?'

'Ja.'

'Hoezo?'

'Ik zou het niet weten, inspecteur. Hij begon er gewoon over. En er stond ook een aantekening op dat knipsel: "Beste Jeremy, zou deze zaak chirurgische aspecten hebben?"'

Langs bochtige wegen...

'Hmm,' zei Shreve. 'Een patholoog... denkt u dat hij die arme meisjes van ons in verband bracht met een van zijn eigen zaken?'

'Niet dat ik weet. Hij werkt niet meer voor de gerechtelijke medische dienst.'

'Maar dat heeft hij vroeger wel gedaan?'

'Jaren geleden. We hebben elkaar nauwelijks gesproken voordat hij wegging, inspecteur. Daarna heb ik dat knipsel gekregen. Daar stond de naam van inspecteur Langdon in, dus uit nieuwsgierigheid heb ik hem gebeld. Hij verwees me door naar u en toen heb ik u gebeld. Waarschijnlijk was dat van mijn kant een overdreven reactie en zit ik nu uw tijd te verspillen. Dat spijt me, meneer.'

'Uit Oslo,' zei Shreve, alsof hij niets had gehoord. 'Daar kwam die kaart toch vandaan?'

'Ja. Het was een ansicht van de Vigeland Beeldentuin.'

'Aha... Nou ja, meneer, zoals u weet, zijn die beide zaken nog niet afgerond, dus ik ben bang dat ik u geen bijzonderheden mag verstrekken. Maar als u dat wilt, kunt u aan uw professor doorgeven dat we nog steeds proberen om de zaak op te lossen en dat we niemand hebben geëlimineerd.'

'Dat zal ik hem vertellen.'

'Ga uw gang, dokter. Leuk dat ik u even heb gesproken.'

De rechercheurs waren allebei naar Noorwegen geweest en nu zat Arthur daar ook. Toen hij over Noorwegen begon, was de interesse van Shreve meteen gewekt.

Was daar in het noorden iets dat verband hield met de moorden in Engeland? Met de moorden die hier gepleegd waren?

Jeremy moest plotseling denken aan de auteurs van dat eerste artikel over het laserscalpel. Oogartsen uit Noorwegen, Rusland en Engeland. Het tweede artikel dat hij had ontvangen, was door Amerikanen geschreven.

En hij had ze allebei weggegooid.

Hij logde in bij de medische database Ovid en groef tevergeefs in zijn geheugen om de kop van het Noorse artikel op te diepen. Het feit dat hij wel de datum wist – zeventien jaar geleden – hielp hem op weg en ten slotte moest hij een stuk of veertig mogelijkheden doorwieden voordat hij het juiste artikel had gevonden.

Zeven auteurs. Drie oftalmologen van het Koninklijk Medisch Instituut in Oslo, een gelijk aantal oogchirurgen die in Moskou waren gevestigd maar in Oslo op verlof waren en een Britse natuurkundige die voor de fabrikant van de laserapparatuur werkte.

De namen zeiden hem niets. Hij schreef ze allemaal op een kaart, die hij in zijn archief stopte. Waarom wist hij niet, maar hij had er genoeg van om steeds weer op zoek te moeten gaan naar informatie die hem ontschoten was.

De rest van de ochtend zat hij in vergadering met de afdeling psychiatrie. Stomme onderwerpen, saai gebracht door de gebruikelijke zeurpieten. Hij deed net alsof hij vol aandacht zat te luisteren, sloeg de uitnodiging van drie andere psychiaters om te gaan lunchen af en liep terug naar zijn kantoor.

Voor de deur stond rechercheur Bob Doresh te wachten.

28

'Hallo, dokter.'

'Hallo, rechercheur.'

'Mag ik binnenkomen?'

Jeremy duwde de deur open en liet de vlezige gestalte van Doresh voorgaan. Doresh droeg een grijsblauwe regenjas en rook vaag naar zeewater. Hij was zo groot dat het kantoor nog kleiner leek dan het was. Hij bleef met bungelende armen staan tot Jeremy zei dat hij kon gaan zitten.

'Hoe gaat het ermee, dok?'

'U bent hier vanwege die vrouw op Saugatuck Finger,' zei Jeremy. 'Is dat ook weer een Humpty Dumpty toestand?'

Doresh keek naar Jeremy's koffiezetapparaat. Jeremy zette iedere dag nog steeds een kan sterke koffie, die hij zelden opdronk.

'Het is oude koffie, maar neem gerust een kopje als u dat wilt, rechercheur.'

'Bedankt.' Doresh rekte zich uit om een mok te pakken en slaagde erin die te vullen zonder op te staan. Hij nam een slok, trok een gezicht en zette de mok neer. 'U had me gewaarschuwd, dok. Bent u wel eens op de Finger geweest?'

'Een paar keer,' zei Jeremy. 'In de zomer rij ik daar wel eens naartoe.'

'Het is een mooi plekje.'

'Niet echt. Als je goed kijkt, kun je zien hoe smerig het water is. Maar ik ben ver van water opgegroeid, dus ik ben al gauw tevreden. Wie was ze?'

'De volgende,' zei Doresh.

'Een tippelaarster?'

De rechercheur gaf geen antwoord. Jeremy zei: 'En u bent hier, omdat...'

'De laatste keer dat u mij belde – over die mevrouw Mazursky – kon ik merken dat u veel belangstelling had voor deze hele toestand. Aangezien mijn partner en ik niet echt veel vooruitgang hebben geboekt vond ik dat ik maar eens moest gaan horen wat u ervan vindt.'

'Bravo.' Jeremy trok zijn das los. 'Wat een schitterend staaltje lulkoek.'

Doresh sloeg zijn benen over elkaar, waardoor een van zijn dikke enkels in de lucht bungelde en keek gekwetst.

'Om de een of andere onbegrijpelijke reden verdenkt u mij ervan dat ik iets met al dat gedonder te maken heb. Als u wilt horen wat ik gisteravond heb uitgespookt, dan kan ik u alleen maar vertellen dat ik thuis was en tv heb gekeken voordat ik naar bed ging. Dit keer ben ik niet zo slim geweest om iets te eten te bestellen, dus er is ook geen bezorger die kan bevestigen dat ik echt thuis was.'

'Dokter...'

'Ik weet dat u volgens een vast patroon werkt. Dat geldt ook voor artsen. Het merendeel van onze kankerpatiënten wordt volgens een vast patroon behandeld. Maar we laten wel ruimte voor creatieve oplossingen en dat zou u ook behoren te doen. Natuurlijk moet er altijd een onderzoek worden ingesteld naar de naaste familieleden en vrienden van het slachtoffer. En hoewel het feit dat ik in het geval van Jocelyn door de mangel werd gehaald een verschrikkelijke gebeurtenis nog veel erger maakte, kan ik daar begrip voor opbrengen. Maar nu... bij die andere twee moorden? Op prostituees? Het zou nergens op slaan om van een vriendin over te schakelen op vreemden. Dat gebeurt toch nooit?'

Doresh pakte de mok op, tuurde erin en nam hem in zijn andere hand. 'Het is precies zoals u zei, dok, er moet altijd ruimte zijn voor creatieve oplossingen. Als je maar lang genoeg volhoudt, komt er vanzelf beweging in de zaak.' Hij legde zijn vrije hand op zijn knie en boog voorover. 'De vraag die u mij stelde, over chirurgische precisie... Hoe kwam u daarbij?'

'Ik heb u toch al verteld...'

'Die opmerking van mij over Humpty Dumpty. Ja, dat klopt.' Doresh glimlachte. Zijn gebit was wit en regelmatig, maar één tand viel uit de toon: een donkergele snijtand die uit het gelid stond en tegen zijn bovenlip drukte. Hij krulde het paarsachtige weefsel om en de glimlach kreeg iets roofzuchtigs. 'Wie zit hier nu lulkoek te vertellen?'

'Meer had ik niet nodig,' zei Jeremy. 'De gedachte aan Humpty Dumpty. *Humpty Dumpty viel van het hek / Humpty Dumpty brak zijn nek/ En er is geen timmerman / die Humpty Dumpty maken kan.* Ik wou dat u me dat niet had verteld.'

'Dus dat zat u dwars?'

'Ik had het liever niet willen weten.'

'Hebt u zo'n levendige fantasie, dok?'

Jeremy gaf geen antwoord.

'Daar zult u wel veel aan hebben als u weer iemand moet hypnotiseren. Mijn vrouw heeft dat ook eens geprobeerd – om zich te laten hypnotiseren. Ze wilde afvallen en haar dokter stuurde haar naar een of andere vent in het centrum.'

'Heeft het geholpen?'

'Geen meter,' zei Doresh. 'Maar dat geeft niet, ik hou juist van haar omdat ze fors is.' Hij zette de mok neer en gaf met zijn beide handen de vorm van een enorme zandloper aan. 'Weet u hoe dat is? Om zoveel van een vrouw te houden dat het u niet kan schelen hoe ze eruitziet of wat ze doet?'

Jeremy's gezicht begon te gloeien en werd meteen daarna ijskoud. Hij had het gevoel dat hij als een kameleon van kleur veranderde... van vuurrood naar lijkbleek. Maar het maakte hem niet minder kwetsbaar, integendeel. Het verraadde juist hoe kwetsbaar hij was.

Doresh zat hem bedaard aan te kijken.

Jeremy haalde langzaam en diep adem om zijn woede te onderdrukken. Hij piekerde er niet over om zich door die klootzak op te laten fokken.

'U bent een romanticus, meneer Doresh. Koopt u bloemen voor uw vrouw? Vergeet u nooit verjaardagen of uw trouwdag? Hebben jullie koosnaampjes voor elkaar?'

Nu was het de rechercheur die een rode kop kreeg.

'Had u verder nog iets?' vroeg Jeremy.

'Eerlijk gezegd heb ik over dokter Chess zitten nadenken,' zei Doresh. 'Dat is toch een vriend van u? Heeft hij een theorie over die zaken?'

Dus dat was het. Inspecteur van recherche Michael Shreve was als een rechtgeaarde, nieuwsgierige detective – als een rechtgeaarde, argwanende klootzak – meteen nadat hij de telefoon had neergelegd koortsachtig aan de slag gegaan om een collega in deze stad te vinden die achter een psychopathische moordenaar aan zat. Iets wat Jeremy had gezegd – of niet had gezegd – had de argwaan van de Engelsman gewekt en hij had besloten om nasporingen te doen.

De vraag over chirurgie. Het moest de vraag over chirurgie zijn. En dat betekende dat hij gelijk had gehad met betrekking tot die Engelse moorden. Of liever gezegd, Arthur had gelijk gehad.

'Dokter Chess heeft belangstelling voor misdaad in het algemeen,' zei hij. 'Hij is patholoog en hij heeft vroeger voor de gerechtelijke medische dienst gewerkt.'

'O ja? En wat vindt hij ervan? Heeft hij nog ideeën?'

'Dat kan ik u niet vertellen,' zei Jeremy. 'Hij is momenteel op reis.'

'Waarnaartoe?'

'Naar Noorwegen.'

'Mooi land,' zei Doresh.

Hij ook al?

'Bent u daar geweest?' vroeg Jeremy.

De rechercheur snoof. 'Afgezien van mijn diensttijd ben ik precies één keer het land uit geweest. Vier dagen in Rome en dat was jaren geleden. Mijn vrouw houdt van lekker eten. Toen ze terugkwam, wilde ze absoluut Italiaans leren koken, maar het komt toch gewoon neer op gebraden vlees en macaronischotels.'

De huiselijke verhalen van Doresh deden Jeremy watertanden. Wat een geluksvogel...

'Waar was u gelegerd toen u in dienst was, rechercheur?'

'Op de Filippijnen. En u? Bent u in dienst geweest?'

'Weet u dat dan niet?'

'Hoe moet ik dat weten?'

'Ik dacht dat u mijn verleden wel binnenstebuiten gekeerd zou hebben.'

Uit de glimlach van Doresh kon Jeremy opmaken dat hij niet

moest denken dat hij zó belangrijk was. 'Dus u bent niet in dienst geweest?'

Jeremy schudde zijn hoofd.

'Jammer,' zei Doresh. 'Dan hebt u iets gemist.'

'Dat zal wel.'

De rechercheur stond op. 'Dat meen ik echt, dok. Je land dienen – alles wat je voor andere mensen doet – is goed voor de ziel. Maar ja, dat zult u wel uit uw werk kunnen halen. Door mensen te hypnotiseren en zo.'

De herhaalde referenties aan hypnose dienden om Jeremy duidelijk te maken dat hij hem wel degelijk had gecontroleerd.

De man bleef maar spelletjes spelen. Ondertussen werden er nog steeds gewoon vrouwen vermoord. Die vent was geen knip voor de neus waard.

Jeremy stond op.

'Doe maar rustig aan,' zei Doresh. 'U hoeft me niet uit te laten. En als u toevallig nog eens op een idee komt, dok, laat me dat dan meteen weten.'

29

Het bezoek van Doresh had Jeremy van zijn stuk gebracht.

Hij komt onaangekondigd binnenvallen en ik voel me meteen als een verdachte. Wat is er met me aan de hand?

Misschien lag het aan die vrouw op Saugatuck Finger. Geen naam. Voor Tyrene Mazursky hadden ze die moeite wel op kunnen brengen. Wat hield dat in? Ouwe koek? Wegwerpslachtoffers? Nu waren ze het ineens niet meer waard om hun náám te vermelden?

Zijn ademhaling versnelde en zijn ogen brandden. De muren van het kantoor kwamen op hem af. Hij piepte Angela op, maar ze belde niet terug. Hij probeerde het nog een keer, met in zijn achterhoofd het idee dat twee keer bellen op afhankelijkheid duidde en was hij al wel zover dat hij dat wilde?

Nog steeds geen reactie.

Ik ben het zo zat om alles alleen te doen.

De luchtkoker voor zijn raam was zwart en ineens werd de ruit nat en glibberig. Regen, een flinke, vieze bui, spetterde tegen het glas.

Hij hees zijn jas aan, liep het ziekenhuis uit en wandelde naar de boekwinkel met de kribbige, doofstomme eigenaar.

Tegen de tijd dat hij daar aankwam, waren zijn jas drijfnat en zijn schoenen doorweekt en zat zijn haar op zijn hoofd geplakt.

Er liep verder geen mens op straat. Niemand was zo stom om met dit weer naar buiten te gaan. Voor de winkel stond een vrij nieuwe stationcar. Wit, dus die zag je meteen. Door de zwartgeschilderde etalageruiten was de winkel in dit grauwe licht bijna onzichtbaar. De deur stond open en hij liep naar binnen.

Geen dikke man achter de toonbank. Geen toonbank.

Geen boekenplanken of boeken. Niets. Het licht was aan, maar de ruimte was leeg, met uitzondering van een jas die over een stoel hing, een losgekoppelde kassa die op de grijze linoleumvloer stond en een rossig blonde vrouw die de vloer aanveegde.

'Ach, arme stakker,' zei ze. 'Bent u een klant?'

'Dat was ik wel.'

'U weet het dus nog niet. Dat spijt me. Ik wou dat ik een handdoek had of zo.'

'Wat weet ik nog niet?'

'De winkel is opgeheven. Mijn vader is overleden.'

Jeremy pijnigde zijn geheugen op zoek naar de naam van de dikke man, die had Arthur genoemd... *Renfrew.* Eindelijk begon zijn brein weer te werken.

'Is meneer Renfrew dood?' vroeg hij.

De vrouw zette haar bezem tegen de muur en kwam naar hem toe. Ze had een vrij rond, vriendelijk gezicht, heupen die je houvast boden, moederlijke borsten en krullend, schouderlang haar in de mooiste kleur die Jeremy ooit had gezien. Een romige huid, lichte sproetjes, groene ogen, een jaar of veertig. Niet te veel make-up, want ze wist dat ze er nog steeds goed uitzag.

Ze was niet bepaald gekleed voor schoonmaakwerkzaamheden in haar goed gesneden, mintgroene mantelpakje met bijpassende schoenen. Ze droeg een beschaafde gouden halsketting en een met diamanten bezette trouwring. De regenjas op de stoel was camelkleurig en netjes opgevouwen.

'Ik ben Shirley Renfrew DePaul, de dochter van meneer Renfrew.' Ze keek om zich heen in de lege winkel. 'Ik vrees dat dit het einde van een tijdperk is.'

'Ja, dat klopt.' Jeremy stelde zich voor.

'Van het ziekenhuis,' zei ze. 'Er kwamen hier heel veel artsen en verpleegkundigen. Pa was een soort instituut geworden. Toen deze buurt nog beter aangeschreven stond, liepen hier altijd allerlei intellectuelen binnen: schrijvers, dichters of andere kunstenaars. Maar ze bleven hem niet trouw. Dankzij jullie, de mensen uit het ziekenhuis, kon pa de laatste paar jaar toch nog de touwtjes aan elkaar knopen. Wist u dat hij vroeger ook medicijnen heeft gestudeerd?'

'Echt waar?'

'Twee jaar lang, toen besloot hij ermee te kappen. Hij hield meer van poëzie. Hij was een lieve man en hij heeft mij in zijn eentje grootgebracht.'

Shirley Renfrew DePaul slaagde erin om ondanks haar verdriet een glimlach te produceren en Jeremy zette de herinnering aan de oude knorrepot die hem nooit een blik waardig gunde resoluut van zich af. 'Dit was een heerlijke winkel, mevrouw DePaul, en uw vader heeft diepe indruk op me gemaakt. Wanneer is hij overleden?'

'Iets meer dan een maand geleden. Hij had jaren geleden al keelkanker gehad, want vroeger lurkte hij onophoudelijk aan een pijp. Toen hebben ze het grootste deel van zijn verhemelte weggehaald en zijn stembanden beschadigd, maar hij heeft de ziekte toch overwonnen. Daarna begon hij last te krijgen van zijn hart, dus we wisten eigenlijk wel dat het gewoon een kwestie van tijd was. Mijn man en ik wilden graag dat hij bij ons kwam wonen, maar dat weigerde hij onder het mom dat hij in de buurt van de winkel wilde blijven.'

Een deel van zijn verhemelte was chirurgisch verwijderd. Jeremy had de zwijgzame houding van de man geweten aan een chagrijnig karakter.

Ik heb nu al zoveel blunders begaan, dat ik maar eens moet ophouden met al die veronderstellingen.

Als Renfrew een maand geleden was gestorven, moest dat vlak na Jeremy's laatste bezoek aan de winkel zijn gebeurd.

De man was ten dode opgeschreven geweest, maar daar had hij nooit iets van laten blijken.

Het lachen was Shirley DePaul inmiddels vergaan en haar ogen waren vochtig van de tranen. Groene irissen, waarvan de kleur door het pakje nog benadrukt werd. Adembenemend, eigenlijk. Ze was geen mooie vrouw – bij lange na niet, ze was niet eens echt knap. Maar Jeremy wist zeker dat het haar nooit aan mannelijke aandacht had ontbroken.

Ze zei: 'Ik hoopte dat het op die manier zou gebeuren. Pa kwam op een maandag de winkel binnen, ging zitten, maakte een kopje oploskoffie klaar, dronk het op, legde zijn hoofd op de toonbank en is niet meer wakker geworden. Hij had het zelf niet beter kunnen plannen, als hij het voor het kiezen had gehad. Te sterven tussen de boeken waar hij zoveel van hield.'

Bij zijn laatste bezoek aan de winkel was Jeremy Arthur tegen het lijf gelopen, met een boek over krijgskunde. Een paar weken later was Arthur naar zijn kantoor gekomen en had een soort 'charme-offensief' ontketend. Als oude klant – iemand die zelfs had geweten hoe Renfrew heette – was hij ongetwijfeld op de hoogte geweest van het overlijden van de boekhandelaar. Maar toch had hij niets gezegd.

'Hij heeft in ieder geval niet geleden,' zei hij.

'Dat was een zegen. Maar zo is zijn hele leven geweest.' Shirley DePaul produceerde een nieuwe glimlach die al snel weer het loodje legde. 'Grotendeels, tenminste.'

Ze slaakte een diepe zucht en staarde naar haar bezem. 'Pa was dol op alles wat met de verkoop van boeken te maken had. Ik ben enig kind, maar eigenlijk was dat niet waar. Hij beschouwde deze winkel ook als zijn kind. Af en toe had ik het gevoel dat ik zware concurrentie had.'

Een hoge hak tikte tegen het linoleum. 'Het pand is verkocht. Aan een projectontwikkelaar. Ze belden een week nadat pa was overleden. Aasgieren, die waarschijnlijk alle overlijdensadvertenties uitpluizen, zei ik. Maar mijn man zei: Laten we maar eens horen wat ze te bieden hebben, want wat moeten wij ermee? Hij is tandarts en heel praktisch. We hebben zes kinderen en ik heb eigenlijk geen tijd om uit mijn ogen te kijken. We wonen ver weg, in een andere streek, dus we hadden er niets aan. Vandaar dat we het verkocht hebben. En we hebben er een goede prijs voor gekregen, zelfs als de belasting eraf is. Ik twijfel er niet aan dat ze het tegen de vlakte gooien en er een of andere monstruositeit voor in de plaats zetten, maar je hoeft je niet druk te maken over een hoop stenen, hè? Pa heeft zijn ziel en zaligheid in dit huis gestoken, maar nu heeft hij ergens anders rust gevonden.'

'Ik ben het roerend met u eens,' zei Jeremy. 'Wat is er met de boeken gebeurd?'

'Allemaal verkocht.'

'Is er een veiling geweest? Ik had er graag een paar willen kopen.'

'Nee, ze zijn niet in het openbaar geveild, dokter. Eén persoon heeft alles opgekocht.

'Wie?'

Ze schudde haar hoofd. 'Dat mag ik niet zeggen... vanwege een of andere belastingkwestie. Maar het was de beste oplossing, volgens mij zullen ze op waarde geschat worden. Dat hoop ik tenminste.' Ze wreef even in haar oog. 'Enfin, ik kan beter doorgaan met opruimen. Hoewel ik eerlijk gezegd niet weet waarom ik dat doe, omdat alles toch wordt afgebroken.'

Ze liep terug naar de bezem, liep elegant naar een andere hoek en begon hardhandig de vloer weer aan te vegen.

De bewegingen van de bezem werden steeds sneller en harder. Zoef, zoef. Ze ranselde het linoleum.

Jeremy liet haar met rust en liep naar buiten, de striemende regen in.

30

Toen hij terug was bij het ziekenhuis zag hij eruit als een verzopen kat. Hij nam een achteringang die nooit bewaakt werd en liep via een aantal onderhoudsruimtes naar de trap die uitkwam in de entreehal van het ziekenhuis op de etage erboven.

Langs de marmeren muur met de namen van de weldoeners. Allemaal cursief en in hoofdletters. Hij was niet in de stemming om aan liefdadigheid te denken.

Toen hij naar de liften liep, zag hij Angela en Ted Dirgrove, die glimlachend en druk pratend in hun witte jassen door de gang liepen.

Vlak naast elkaar. Heel even raakten hun heupen elkaar.

Angela bleef staan toen ze hem zag en zwaaide vrolijk. Ze zei iets tegen Dirgrove en kwam naar Jeremy toe.

Ze gaf hem een iets te hard uitgevallen kus op zijn wang. Jeremy keek om naar Dirgrove, maar de chirurg was verder gelopen en om een hoek verdwenen.

Met een blik op zijn doorweekte kleren zei ze: 'O, mijn god, wat is er met jou gebeurd?'

'Ik was zo stom om niet voor de regen te schuilen.'

Ze raakte zijn natte haar aan en stak haar arm door de zijne, maar week achteruit toen ze zijn kletsnatte mouw voelde. 'Je bent écht door en door nat.' Ze tikte tegen zijn neus. 'Ik ben arts, dus je kunt maar beter naar me luisteren. Hoewel nooit door onderzoek is aangetoond dat er verband bestaat tussen doorweekt raken en ziek worden, voel ik me toch verplicht je daarvoor te waarschuwen.'

'Dank je wel, dokter.' Jeremy's stem klonk bedompt en Angela keek hem onderzoekend aan.

'Is alles in orde?'

'Ja, hoor.'

'Zie je kans om je kleren ergens te drogen?'

'Zodra ik die jas uit heb, is er niets meer aan de hand.' Jeremy ontdeed zich van de regenjas en hield die met gestrekte arm voor zich. Water druppelde op de vloer van de entreehal. Angela keek hem opnieuw nadenkend aan.

'Ik denk dat je het wel zult overleven.'

Ze gaf hem weer een arm en ze liepen door naar de liften. Terwijl ze samen in een verder lege lift naar boven gingen, zei Jeremy: 'Ik heb je een paar keer opgepiept.'

'Ik weet het,' zei ze. 'Maar ik zat bij het pulmonair overleg. Dokter Van Heusen gaf college en hij wenst niet onderbroken te worden. Ik had dat kreng eigenlijk uit moeten zetten, maar gelukkig stond het op trillen.' Ze grinnikte. 'Je weet dat wij meisjes iets met vibrators hebben. Toen het overleg afgelopen was, heb ik je meteen gebeld, maar je zat niet in je kantoor. Wat is er aan de hand?'

'Ik wilde alleen weten of je vandaag nog een paar uurtjes vrij hebt.'

'O.' Ze fronste. 'Nee, helaas niet. Echt niet. Het is vandaag een gekkenhuis, Jer, en waarschijnlijk wordt het alleen maar erger. Ik heb meer dan tien ernstig zieke patiënten, daarna heb ik dienst op de polikliniek en als het dit weer blijft, worden we overspoeld met bronchitis- en astmapatiënten en kleine kinderen die zich de longen uit het lijf hoesten. Daarna heb ik de ene vergadering na de andere en als dat erop zit, moet ik beschikbaar blijven om opgeroepen te worden.'

'Het werkschema.'

'Af en toe ga ik toch twijfelen,' zei ze. 'Dan lijkt het me geen gek idee om maar koekjes te gaan bakken. Maar bij nader inzien is dat misschien toch niet zo'n goed idee. Je hebt mijn stoofschotel van rundvlees en bonen geproefd. Daaruit kun je meteen opmaken hoe goed ik kan koken.'

Jeremy wist dat er een snedig antwoord van hem werd verwacht. Maar hij was te moe om zich daar druk over te maken en mompelde: 'Je zou met huishoudelijk werk geen droog brood kunnen verdienen.'

Ze deed een stap achteruit en keek hem aan. 'Is er iets aan de hand, schat?'

Schat.

'Nee,' zei hij met een gedwongen lachje. 'Soms is het in-

derdáád geen gek idee om maar koekjes te gaan bakken.'
Ze lachte en streelde zijn schouder. De lift stopte op Angela's verdieping en Jeremy stapte samen met haar uit.
'Zodra ik tijd heb, bel ik je.'
'Fantastisch.'
Toen ze op het punt stond om weg te lopen, zei hij: 'Ben je nu ineens dikke maatjes met Ted Dirgrove?'
Het was druk op de afdeling. Broeders met uitgebluste ogen die rolstoelen voortduwden, artsen die onder het lopen dossiers doornamen en verpleegkundigen die van de ene naar de andere kamer renden. Angela bleef staan, draaide zich met een ruk om, deed een stap naar Jeremy toe en sleepte hem mee naar een rustiger hoekje. Ze keek hem met samengeknepen donkere ogen aan.
'Er zit je dus wél iets dwars.'
'Nee... Vergeet het maar, dat had ik niet moeten zeggen.'
'Jeremy, ik werk op de longafdeling en Dirgrove opereert mensen die hier liggen. We hebben gezamenlijke patiënten en ja, ik ben geïnteresseerd geraakt in wat hij doet. Niet voor mezelf, ik zou nooit mensen willen opensnijden. Maar ik wil mijn best doen om een prima arts te worden en ik heb je al verteld dat ik daarvoor moet begrijpen wat mijn patiënten doormaken... ik moet niet alleen weten hoe ze er vanbinnen uitzien, maar het hele proces is belangrijk. Ik neem er geen genoegen mee om alleen maar medicijnen uit te delen, zonder te weten hoe een zieke long eruitziet en reageert. Praten over een zwak hart is één ding. Om te zien hoe het sukkelend door blijft werken en met de grootste moeite het bloed rondpompt, is iets heel anders.'
Ze hield haar mond en wachtte.
Haar enthousiasme was voelbaar. Ze had een kleur gekregen. Ze was meestal vrij fanatiek, maar hier stak meer achter.
'Dat klinkt logisch,' zei Jeremy.
Angela pakte zijn handen vast en kuste hem op zijn mond. Toen ze elkaar omhelsden, voelde hij de stethoscoop die ze om haar nek had tegen zijn maag drukken. Een paar voorbijgangers keken hen met grote ogen aan. De meeste mensen liepen

gewoon voorbij. Jeremy probeerde zich los te maken, maar Angela bleef hem stijf vasthouden, zonder zich iets van hun omgeving aan te trekken. 'Je bent jaloers,' fluisterde ze in zijn oor. 'Zonder enige aanleiding, maar ik vind het toch ontroerend. Het maakt me geil... Het is zo heerlijk als er iemand is die om je geeft. Ik zal heus wel wat tijd vrij kunnen maken, daar kun je op rekenen. Hoe weet ik niet, maar je kunt erop rekenen.'

Ze liet die dag niets meer van zich horen en de volgende dag ook niet. Hij ging verder met de inleiding van zijn boek, wat zo'n zware bevalling bleek te zijn, en hij schoot geen meter op.

Hij spitte de *Clarion* door op zoek naar nieuwe berichten over de vrouw die het laatst vermoord was, maar vond niets.

Waarom zouden ze ook over haar schrijven? Ze hadden niet eens de moeite genomen om haar naam te vermelden, dus waarom zouden ze er verder nog inkt aan verspillen?

In ieder geval had hij geen nieuwe enveloppen van KNO gekregen. En ook geen ansichten meer van Arthur. Wat de oude man ook bezield had, het was kennelijk voorbij.

Toen Angela na drie dagen eindelijk belde, klonk ze hees, zwak en nauwelijks verstaanbaar.

'Ik ben ziek,' zei ze. 'Griep. Dat hou je toch niet voor mogelijk? Toen ik op de kinderafdeling werkte, ben ik niet eens ziek geworden en een paar van die kleintjes waren echt besmettelijk. Dan sturen ze me door naar de longafdeling, waar de mensen vol zitten met antibiotica en waar de kamers schoner zijn dan in de rest van de tent en dan haal ik me déze ellende op de hals.'

'Arm kind. Waar ben je?'

'Thuis. Van Heusen wil me niet meer op zijn afdeling zien. Hij maakte er ook nog een of ander sarcastisch grapje over... hij wilde geen tyfuslijders die de zorg voor zijn patiënten op zich namen. Ik voelde me meteen buitengesloten. Eigenlijk zou ik dankbaar moeten zijn dat ik nu vrij heb, maar ik vind het helemaal niet leuk. Ik ben te ziek om te lezen en mijn krakkemikkige tv-toestelletje kan alleen maar een paar stomme zenders ontvangen.'

'Wanneer ben je ziek geworden?'
'Gisteren.'
'Waarom heb je me dan niet gebeld?'
'Ik voelde me nog te beroerd om te praten. Ik heb de hele dag geslapen en toen ik wakker werd, was ik nog steeds moe. Ik zou je dolgraag willen zien, maar dat gaat niet. Ik wil je niet aansteken, dus je hoeft niet naar me toe te komen.'
'Ik kom vanavond langs.'
'Nee,' zei ze. 'Dat meen ik.'
'Ja, dat zal best.'
'Echt waar, Jeremy.' En toen: 'Oké.'

31

Het was de tweede nacht dat hij bij Angela bleef slapen.
Het duurde lang voordat ze de deur opendeed. Toen Jeremy haar zag, smolt zijn hart.
Ze leek kleiner, zoals ze daar ineengedoken op de drempel stond en zich vasthield aan de deurpost.
Hij bracht haar terug naar bed. Ze had rode wangen, haar huid zag er droog uit en gloeide van de koorts. Een arts die te dom was om voldoende te drinken en pijnstillers te nemen. Hij gaf haar een paar aspirientjes, hield haar in zijn armen, voerde haar de warme soep die hij bij een Chinees afhaalrestaurant had meegenomen – en die, zoals de eigenares hem had verzekerd, zo gekruid was dat alle 'bacillen' het loodje zouden leggen – en zorgde voor thee en stilte. Ze lag te dommelen en hij kleedde zich uit tot op zijn onderbroek en ging naast haar liggen op haar smalle, hobbelige bed.
Ze hield hem bijna de hele nacht wakker, met haar gehoest, genies en gesnurk.
Eén keer werd ze wakker en zei: 'Jij zult ook ziek worden. Dat kan gewoon niet anders.' Hij wreef zacht over haar rug en ze lag al snel weer te snuiven, terwijl hij in het donker staarde.

Een uur later stak ze, nog half in slaap, haar hand naar hem uit. Ze vond zijn arm, liet haar vingers omlaag glijden en trok zijn hand naar haar toe. Door het katoenen broekje heen kon hij het verende driehoekje haar voelen. Ze drukte zijn hand omlaag en hij legde hem plat op haar schaambeen.

'Mmm,' mompelde ze. 'Zou kunnen.'

'Wat zou kunnen?'

Snurk, snurk, snurk.

's Morgens was de koorts gebroken en ze werd nat van het zweet wakker, klappertandend met de twee dekens tot aan haar kin opgetrokken.

Haar lange haar zat in de war, haar ogen stonden dof en tussen haar neus en haar bovenlip was een spoortje opgedroogd snot te zien. Jeremy veegde haar schoon, legde een natte handdoek op haar voorhoofd, pakte haar gezicht in zijn handen en drukte even zijn lippen tegen haar wang. Haar adem rook naar zure melk en haar gezicht was bedekt met kleine rode spikkeltjes.

Puntvormige petechieën, veroorzaakt door hoestbuien. Ze zag eruit als een verbijsterde tiener die zwaar onder de dope zat en Jeremy kon niet anders dan haar tegen zich aandrukken.

Om negen uur was ze even onder de douche geweest, had haar haar in haar nek vastgebonden en was duidelijk opgeknapt. Jeremy zette een kopje pepermuntthee voor haar, nam een douche in haar beschadigde, betegelde douchecel, gebruikte haar deodorantroller en trok zijn kleren van de dag ervoor weer aan. Hij had van tien tot twee afspraken met patiënten en hoopte dat hij in de loop van de dag niet zou gaan stinken.

Toen hij terugkwam in de slaapkamer, zei ze: 'Jij ziet er goed uit. En ik vreselijk.'

'Jij bent fysiek niet in staat om er vreselijk uit te zien.'

Ze trok een pruilmondje. 'Zo'n aardige man en nu laat hij me alleen.'

Jeremy ging op het bed zitten. 'Ik kan nog wel even blijven.'

'Bedankt,' zei ze. 'Maar dat bedoelde ik eigenlijk niet.'

'Wat dan?'
'Ik wil met je vrijen. Hier.' Ze klopte op haar linkerborst. 'Maar van onderen kan ik het niet opbrengen. Hoe noemen jullie dat ook alweer... cognitieve dissonantie?'
'Nee,' zei hij. 'Gewoon frustratie. Word maar eerst beter, lieverd. We hebben tijd genoeg.'
Ze snufte, pakte een tissue en snoot haar neus. 'Wat je zegt. Soms heb ik het gevoel dat dat helemaal niet waar is.'
Nee, dat is ook niet waar.
Jeremy werd ineens overstelpt door herinneringen aan Jocelyn. Haar gezicht, haar stem, de manier waarop ze hem had omhelsd.
'Heb ik iets verkeerds gezegd?' vroeg Angela.
'Nee, natuurlijk niet.'
'Je gezicht veranderde ineens... heel even maar. Alsof je ergens van schrok.'
'Ik schrok nergens van,' zei hij. 'Voordat ik wegga, zal ik nog een kopje thee voor je halen.'

Hij zette nog een hele pot thee, warmde een blikje tomatensoep op, kuste haar voorhoofd dat gelukkig weer koel aanvoelde en reed naar zijn werk.
Hij voelde zich... huiselijk.
Dat gevoel had hij met Jocelyn nooit gehad.

De interne post bezorgde hem 's middags een hoop rommel. En de vierde envelop van KNO.
Plus via de normale post een ansicht van Arthur.
Het artikel was tien jaar oud en afkomstig uit *The Journal of the American Medical Association*. Zelfmoord onder artsen. Risicofactoren, statistische gegevens, aanbevelingen voor preventie.
Zinnige informatie, hoewel Jeremy het allemaal al wist. Maar dat maakte immers niets uit? Dit had niets te maken met het vergaren van kennis.
Wat er wél de bedoeling van was, ontging hem.

Arthur had hem een foto gestuurd van een keuken uit de achttiende eeuw, vol potten, pannen en ijzeren keukengerei. Achterop stond: *Le Musée de l'Outil. Het Museum van Gebruiksvoorwerpen. Wy-dit-Joli-Village, 95240 Val d'Oise.*

De bekende schuine, met zwarte inkt geschreven letters, een boodschap die geen verrassing inhield:

Beste dr. C.,
Op reis en ik kom steeds meer te weten.
A.C.

Jeremy keek naar het poststempel. *Wy-dit-Joli, France*, drie dagen geleden. Arthur kon inmiddels al best weer terugzijn in de Verenigde Staten.

Hij belde het kantoor van de oude man. Er werd niet opgenomen.

'Nee,' zei de secretaresse van de afdeling pathologie. 'We verwachten hem vandaag niet.'

Hij belde Inlichtingen en vroeg het nummer op van Arthurs buurvrouw, de altijd vrolijke, in een gele huisjurk gestoken Ramona Purveyance. Ze pakte de telefoon meteen op en klonk alsof ze het fantastisch vond dat hij belde.

'Wat leuk! Nee... hij is nog niet terug. Ik heb al zijn post verzameld. Het is voornamelijk reclame, maar ik gooi nooit iets weg. Als u hem eerder ziet dan ik, doe hem dan de groeten, dokter Carrier. Ik ben ontzettend jaloers.'

'Waarom?'

'Frankrijk. Hij is in Frankrijk geweest! Hij heeft me vandaaruit echt een prachtige ansicht gestuurd!'

'Van het Museum van Gebruiksvoorwerpen?'

'Wat zegt u?'

Jeremy herhaalde zijn vraag.

'O, nee. Dit is een prachtige foto van Giverny. De bloeiende tuinen van Monet, weet u wel? Prachtige treurwilgen, water en bloemen die te mooi zijn om waar te zijn. Hij weet dat ik van bloemen houd. Hij is zo'n attente man.'

Bloemen voor haar, gebruiksvoorwerpen voor mij.

Een weloverwogen boodschap?

Maar wat wás die boodschap dan?

Hij wist niet zeker of Arthur nog in de stad was, toen hij de eerste artikelen kreeg. De dag voordat het knipsel over de Engelse meisjes kwam, had Arthur nog de leiding gehad over het tumorenoverleg. Maar dit keer... Alles wees erop dat de oude man nog in het buitenland was.

Wie had dan dat zelfmoordknipsel gestuurd?

Had Arthur een plaatsvervanger?

Of had Jeremy zich voor de zoveelste keer vergist en had Arthur niets te maken met die enveloppen van KNO?

Zou hij de plank helemaal hebben misgeslagen?

Maar hoe zat het dan met die ansichten? Of was dat toeval?

Arthur, die op reis was en attent bleef. En aan iedereen mooie kaarten stuurde.

Bloemen voor mevrouw Purveyance, gebruiksvoorwerpen voor mij.

Oogoperaties met behulp van een laser, gynaecologische operaties met behulp van een laser. Vermoorde vrouwen. Artsen die zelfmoord pleegden.

Beeldhouwwerken in Noorwegen... En Noorse auteurs die het eerste artikel hadden geschreven. Russen. Amerikanen...

Gebruiksvoorwerpen in Frankrijk. Geen Franse auteurs.

Als je het op de keper beschouwde, bestond er geen logisch verband tussen de medische artikelen en de kaarten.

Maar het was net zo goed mogelijk dat er wel een verband was.

Arthur en die verdomde nieuwsgierigheid van hem. Dood, geweld, haute cuisine en patriarchaal geobsedeerde insecten die zich ingroeven onder je huid.

Een late avondmaaltijd die bij nader inzien zo raar was geweest dat Jeremy begon te twijfelen of dat zich allemaal wel echt had afgespeeld.

Hoe je het ook bekeek, die enveloppen waren een slimme truc om hem dingen te sturen zonder zijn naam erop te zetten. Iemand nam de tijd om ze stiekem tussen de met een elastiekje bij elkaar gehouden stapel post te stoppen die op de balie van de afdeling psychiatrie lag.

Vrij spel met zijn post.

Hij belde Laura, de jonge receptioniste, en vroeg of ze iemand had gezien die aan zijn post zat.

'Eh... nee,' zei ze. 'Had ik ergens op moeten letten?'

'Niet echt. Zit er maar niet over in.'

'Het kan hier behoorlijk druk zijn, dokter Carrier.'

'Vergeet die vraag maar.'

Ze verbrak de verbinding en Jeremy kon zich levendig voorstellen hoe ze het voorval aan haar familie en vrienden zou vertellen. *Het is toch wel raar om voor die psychiaters te werken. Ze zijn nog gekker dan hun patiënten. Er is bijvoorbeeld een kerel die constant loopt te zeuren over zijn post...*

Ja, het was inderdaad een soort obsessie geworden. En een obsessie vrat tijd en energie, net als elke andere vorm van neurose.

Het was mooi geweest. Hij was een drukbezet man, met een groot aantal patiënten en een boek dat geschreven moest worden.

Maar er was iemand die met hem speelde. En als het Arthur niet was, wie dan?

Of was het weer een voorbeeld van Arthur die verwachtingen kweekte en ze vervolgens de bodem insloeg?

De oude man had zelfs Jeremy's intuïtie in de war gestuurd. Voordat hij Arthur leerde kennen, had Jeremy vertrouwen gehad in zijn vermogen om mensen te beoordelen, om hen op waarde te schatten en te voorspellen wat ze zouden doen, allemaal trucjes die je moest beheersen om van kamer naar kamer te lopen en de zieken, de angstigen en de stervenden troost te bieden.

Maar wat hij de laatste tijd ook had geprobeerd, hij had telkens de plank misgeslagen. De toegewijde echtgenote, het luxueuze leven en de gourmetmaaltijden. Maar die oude klootzak bleek op de vlakte te wonen, omringd door fastfoodrestaurantjes.

De eerste keer dat hij mis zat, was in de boekwinkel geweest, toen hij had aangenomen dat Arthur in een boek over vlinders stond te lezen, terwijl hij in werkelijkheid verdiept was geweest in krijgskunde.

Waar is de oorlog, oude man?

In ieder geval had hij gelijk gehad met betrekking tot dat huis in Queen's Arms. Tientallen jaren na dato, maar technisch gesproken toch juist.

Een schrale troost. Hij begon langzaam maar zeker de-man-die-er-altijd-naast-zat te worden. En hij móést op zijn intuïtie kunnen vertrouwen, want wat moest hij zonder beginnen?

Arthur had hem absoluut voor het lapje gehouden.

Een souper laat op de avond, dure wijn, exclusieve gerechten en de oude excentriekelingen die hun geriatrische buikje rond zaten te eten.

Eén en al opgewektheid, om vervolgens met een kluitje in het riet te worden gestuurd.

En nu dit weer. Ansichten.

De oude excentriekelingen...

Had Arthur een van hen opdracht gegeven die artikelen te versturen? Had hij een van zijn maatjes een stapel interne enveloppen overhandigd en precies verteld hoe die gedurende zijn afwezigheid verzonden moesten worden?

Waarom niet? De artikelen waren niet buiten het ziekenhuis gepost, maar gewoon in een van de buizen van de interne ziekenhuispost. Iedereen kon daar gebruik van maken. Je hoefde alleen maar de entreehal in te lopen, een brievenbus te zoeken en hópla.

Hoe werkte die buizenpost eigenlijk precies? Hij bladerde door het interne telefoonboek van het ziekenhuis op zoek naar het nummer van de postkamer. Beneden in het souterrain, een verdieping lager dan pathologie.

Een man met een diepe stem nam de telefoon op. 'Postkamer, met Ernest Washington.'

'Meneer Washington, u spreekt met dokter Carrier. Ik zat me ineens af te vragen hoe de post via de buizenpost op de afdelingen belandde.'

'Dokter wie?'

'Carrier.'

'Carrier,' herhaalde Washington. 'Ja, ik herken uw naam. Dat is de eerste keer dat iemand me die vraag stelt.'

'Er moet altijd een eerste keer zijn.'

'Dokter Carrier van...'

'Psychiatrie.'

'Ja, dat klopt.' En meteen daarna: 'Is dit een geintje?'

'Helemaal niet. Voor het geval u me terug wilt bellen, mijn toestelnummer is...'

'Ja, dat weet ik wel, dat staat hier voor mijn neus. Wacht even... Jeremy Carrier, arts, toestel 2508.'

'Precies.'

'En u bent het ook echt, hè?'

'Voorzover ik weet wel.'

Washington grinnikte. 'Oké, oké, neem me niet kwalijk. Het komt gewoon doordat er nog nooit iemand heeft gevraagd... Of is dit soms een of ander psychiatrisch experiment?'

'Nee, meneer, het is pure nieuwsgierigheid. Ik liep langs een van de buizen en toen besefte ik ineens dat ik hier al jaren werk zonder ook maar een flauw idee te hebben hoe mijn post op mijn bureau belandt. Dat moet een hele opgave zijn.'

'Vast en zeker. U moest eens weten,' zei Ernest Washington. 'We zitten hier de hele dag beneden, zonder dat iemand ons te zien krijgt. Alsof we onzichtbare mensen zijn.'

'Ik weet wat u bedoelt.'

Washington schraapte zijn keel. 'Het systeem bestaat uit twee gedeelten. De gewone post van buiten gaat niet via de buizenpost, die wordt één keer per dag door een postauto afgeleverd en gaat rechtstreeks naar onze centrale postkamer, de plek waar ik nu zit. Hier wordt alles gesorteerd en doorgestuurd.'

'En de interne post?'

'Die gaat via de buizenpost. De buizen komen allemaal uit op een van de drie verzamelbakken, hier beneden in het souterrain. Een voor de noordkant van het gebouw, een voor de zuidkant en een voor het middenste gedeelte. Mijn personeel controleert of er iets in de bakken zit – dat doen we regelmatig, zodat jullie doktoren belangrijke post z.s.m. krijgen. We sorteren alles en sturen het dan naar de afdelingen. Niet één keer per dag, zoals de post van buiten het gebouw, maar twee keer. Zodat de dokters op de hoogte blijven van belangrijke medische zaken. Is uw vraag daarmee beantwoord?'

'Het is zo klaar als een klontje,' zei Jeremy. 'Maakt het nog uit waar de post vandaan komt?'

'Hoe bedoelt u?'

'Wordt de post die van KNO af komt anders behandeld dan bijvoorbeeld die van de afdeling heelkunde?'

'Nee, hoor,' zei Washington. 'Dat is voor ons één pot nat.'

Het beginstation kon overal zijn. Een lief oud mens kon een envelop in de buizenpost stoppen en weglopen, zonder dat iemand het zag of zich er druk over zou maken. Er kon zelfs een bom in die buizen worden gegooid...

Toen drong het ineens tot hem door dat hij niet alleen zijn tijd had verspild, maar ook die van Edward Washington. Hoewel er geen naam op stond, hadden de enveloppen hem toch bereikt. Dat betekende dat iemand toegang had tot zijn post in de tijd tussen het moment dat die bij Washingtons afdeling aankwam en het moment waarop hij bij hem werd afgeleverd.

Iemand van de afdeling psychiatrie? Of daarna?

Hij kon zich niet voorstellen dat een van de bewakers van het geestelijk welzijn zoiets zou doen. Het was alles bij elkaar een vriendelijk maar saai gezelschap. Zorgzame mensen en heel aardig. Zoetsappig. Hij was blij dat hij op een andere plek zat.

Maar er was nog iemand die wist dat hij afgezonderd zat en die daar misbruik van maakte.

'Wie? Hoe?' vroeg hij zich hardop af.

Het liet hem niet los.

Zo voelde nieuwsgierigheid dus aan. Het was lang geleden dat de vraagtekens hem voor de ogen hadden gedanst. En toen was Arthur Chess naar hem toe gekomen, de nieuwsgierigste man die Jeremy ooit had ontmoet, en nu bleef zijn brein maar doormalen.

Het was even besmettelijk als een virus.

Dat deed hem aan die arme Angela denken. Hij belde haar privé-nummer, maar er werd niet opgenomen. Ze lag waarschijnlijk te slapen. Mooi zo.

Het zelfmoordartikel en de ansichtkaart van het Museum van Gebruiksvoorwerpen staarden hem aan. Hij trok de la open waarin hij de kaart uit Oslo had gegooid en deed alles in een map die hij het opschrift WETENSWAARDIGHEDEN gaf.

Vervolgens pakte hij een pen en maakte een lijst. Op alfabet, want dat gaf hem tenminste het gevoel dat hij de zaak nog enigszins in de hand had.

Tina Balleron
Arthur Chess
Norbert Levy
Edgar Marquis
Harrison Maynard

Zo meteen – over een halfuurtje – moest hij naar zijn eerste patiënt en daarna had hij nog een paar afspraken. Dat betekende dat hij gedurende de rest van de dag zijn ego achter slot en grendel zou zetten om zich op anderen te concentreren. Maar hij kon nog dertig minuten doen wat hij wilde.

32

De lekkerbekken van de CCC stonden geen van allen in het telefoonboek.

Twintig minuten voordat hij ervandoor moest, pijnigde Jeremy zijn hersens om zich de bijzonderheden van iedereen te herinneren.

Harrison Maynard had onder vrouwelijke pseudoniemen liefdesromannetjes geschreven, daar zou hij niet een-twee-drie bijzonderheden over kunnen vinden. De hoogbejaarde Edgar Marquis had voor Buitenlandse Zaken gewerkt en was voornamelijk op afgelegen eilanden gestationeerd geweest. Dat zag er ook niet veelbelovend uit.

Norbert Levy. De ingenieur was professor emeritus van een universiteit aan de oostkust. Het feit dat de universiteit op meer dan vijftienhonderd kilometer afstand lag van de stad waar Levy woonde, betekende dat de benoeming alleen in naam was.

Als Levy hier tenminste woonde.

Het had geen zin meer om te gokken. Jeremy belde de universiteit, liet zich doorverbinden met de faculteit voor machinebouwkunde en vroeg naar professor Levy.

'Die is met pensioen,' zei de secretaresse. 'En al een hele tijd.'

'Kunt u me misschien aan zijn huidige adres helpen?'

'Waar gaat het precies over?'

Jeremy noemde zijn naam en die van het ziekenhuis en hing een verhaal op over een conventie over biomechanische apparatuur, waarvoor ze Levy wilden uitnodigen.

'Oké,' zei de secretaresse. 'Schrijf maar op.'

Levy maakte gebruik van een postbus in een postkantoor ten zuiden van het centrum, niet ver van het Seagate-district waar Arthur hem op een diner en verwarring had getrakteerd.

In een film zou Jeremy meteen naar het postkantoor zijn gerend om de postbus in de gaten te houden. In werkelijkheid had hij daar tijd noch gelegenheid voor... en ook geen zinnige reden. Moest hij dag en nacht in de regen gaan zitten wachten? En wat als het toeval wilde dat hij de witbebaarde academicus tegen het lijf zou lopen?

Professor Levy, dat is ook toevallig! U bent toch niet toevallig degene die me allerlei rare dingen toestuurt via de interne post van het ziekenhuis, hè?

Maar hij moest met iemand praten. Hij moest hen in de ogen kijken en die niet onder woorden gebrachte boodschappen lezen die hij volgens zijn opleiding moest kunnen vertalen.

Dus bleef alleen rechter Tina Balleron over, voormalig lid van het hooggerechtshof.

Tegenwoordig lid van de golfclub.

Uit de enorme zwarte parels die de vrouw had gedragen was

op te maken dat ze geen financiële zorgen kende. Misschien was het lidmaatschap van een golfclub wel onderdeel van het goede leven.

Er waren drie golfclubs in de stad. De Haverford, naar verhouding een beginnend clubje dat zestig jaar geleden was opgericht, accepteerde met mondjesmaat leden van een minderheidsgroepering. De Shropshire en de Fairview waren nog steeds protestants en lelieblank.

Was Balleron een Latijns-Amerikaanse naam?

Hij toetste eerst het nummer van de Haverford in en vroeg naar de rechter. De man die de telefoon had opgenomen zei: 'Volgens mij is ze er nog niet.'

'U spreekt met dokter Carrier. Wanneer verwacht u haar?'

'Even kijken... Ze heeft om drie uur vanmiddag een baan geboekt. Een dokter... de rechter is toch niet ziek?'

'Zo gezond als een vis,' zei Jeremy en verbrak de verbinding. De man had niet gevraagd of er iets mis was met haar man of met andere familieleden. Hij had blindelings aangenomen dat het om de rechter ging.

Zou dat inhouden dat Tina Balleron alleen woonde? Net als Arthur Chess.

En net als Jeremy.

Nou en?

Hij had genoeg van veronderstellingen.

Hij maakte de ronde langs zijn patiënten zonder een moment te pauzeren, nam niet de tijd om koffie te drinken of te gaan lunchen, werkte zijn dossiers vliegensvlug bij en hield zijn regenjas bij zich, zodat hij meteen het ziekenhuis kon verlaten, zonder eerst terug te moeten naar zijn kantoor.

Om kwart over twee reed hij door de stad naar Hale Boulevard, volgde die chique binnenweg langs de koopflats met uitzicht op het meer en reed daarna verder naar het platteland aan de noordkant van de stad.

De toeristische route. Precies de andere kant op in vergelijking met de rit naar Arthurs pension in Ash View.

Deze reis ging door dure villawijken, vervolgens langs grote buitenverblijven met paarden in de wei, luxe boerderijen, een incidentele stoeterij en een paar kostscholen die verstopt lagen in het groen. Daarna dook een aantal smalle meertjes op. Het land ertussen was zo vochtig dat je onwillekeurig aan rijstvelden moest denken. Erachter lagen opnieuw lege weilanden. Op in felle kleuren geschilderde borden werden stukken grond van anderhalve hectare te koop aangeboden. Om tien voor halfdrie reed Jeremy stapvoets naar de drie meter hoge stenen posten en de ijzeren hekken van de Haverford Country Club toe.

Achter de smeedijzeren krullen lag een omhooglopende oprit met aan weerszijden een laag, rustiek stenen muurtje. Rondom rezen enorme bomen omhoog. In de verte was het witte gebouwtje van een bewakingsdienst te zien. Jeremy zette de auto langs de kant van de weg.

De zon bleef zich verschuilen, maar dat had geen invloed op de schoonheid van het landschap. Hij liet zijn raampje zakken en de lucht rook fris. Kilometers zorgvuldig onderhouden gras waren te groen en de door de regen zwart geworden boomstammen glinsterden als pilaren van lavaglas. Robuuste rododendrons en dappere rozen trokken zich niets aan van het jaargetijde en pronkten arrogant met kleur. Varens krulden veelbelovend en een paar vuurrode kardinaalsvogels schoten tussen het groen door.

Hier waren geen strijdlustige raven te zien. Zelfs de lucht die de stad zo somber had gemaakt slaagde erin om mooi te zijn: vlakken gepolijst zilver met abrikooskleurige strepen, die een donkerrode kleur kregen waar het vocht geen krimp wenste te geven.

Jeremy moest aan een poster denken die in het kantoor van een van zijn collega's hing. Een psycholoog die Selig heette, een vriendelijke, intelligente man die op de beurs veel geld had verdiend, maar nog steeds patiënten behandelde, omdat hij het fijn vond om mensen beter te maken. Hij reed naar zijn werk in een oude Honda en liet een nieuwe Bentley thuis in de garage staan.

Ik Ben Arm Geweest en Ik Ben Rijk Geweest. Rijk Is Fijner.

Jeremy vroeg zich af hoe het was om rijk te zijn. Hij had genoeg rijke mensen met depressies behandeld om te weten dat geluk niet met geld te koop was. Maar zou geld verdriet draaglijker maken als er echt iets ernstigs gebeurde?

Hij bleef in zijn auto zitten, de ogen strak gericht op de hekken van de countryclub. In een periode van veertien minuten arriveerden vijf luxewagens, die zich meldden door op het knopje van de intercom te drukken en vol zelfvertrouwen doorreden als de hekken openzwaaiden.

De zesde auto was de witte Cadillac van Tina Balleron en Jeremy stond voor de hekken te wachten toen ze stopte.

Het was geen nieuwe Caddy. Vijf of zes jaar oud, met getinte ramen en verchroomde spaakwielen. Halverwege het robuuste chassis liep een smal rood streepje en de wagen was zo grondig in de was gezet dat de regendruppeltjes op de lak bleven staan.

Perfect onderhouden, net als Arthurs Lincoln.

De donkere ramen zaten nog dicht. Toen ze zakten, zag Jeremy dat het geen gewone raampjes waren, maar bolle ruiten van meer dan een centimeter dik.

Hij had verwacht dat Tina Balleron verrast zou zijn om hem te zien, maar haar gezicht stond kalm. 'Dokter Carrier.'

'Edelachtbare.'

'Golft u ook?'

Jeremy lachte. 'Niet bepaald. Ik hoopte dat ik even met u kon praten voordat u afsloeg.'

Ze wierp een blik op een met diamanten bezet polshorloge. Geen zwarte parels vandaag, maar een rozerode camee aan een gouden ketting. Het oog van de uit koraal gesneden vrouw bestond uit een diamantsplinter. Een van Tina Ballerons handen, met zilvergelakte nagels, hield het beklede stuurwiel van de Cadillac vast. De andere rustte op een crèmekleurige handtas van struisvogelleer. Op de achterbank lag een lange bontjas.

'Ik ga wel even aan de kant staan,' zei ze.

Ze zette de auto achter die van Jeremy. Hij liep erachteraan, hoorde het klikje toen ze de deursloten opendeed en liep naar het rechtervoorportier.

Ook dat raampje zakte. Het was van hetzelfde soort glas. 'Kom maar binnen schuilen, Jeremy.'

Toen hij het portier opende, voelde hij hoe zwaar het was. De deur viel dicht met het gesis van een kluisdeur. Een gepantserde auto.

Hij viel op de rechtervoorstoel neer. De auto was vanbinnen bekleed met robijnrood leer. Een gouden plaatje op het handschoenenkastje droeg de inscriptie: VOOR TINA, MET VEEL LIEFS, BOB. HARTELIJK GEFELICITEERD MET JE VERJAARDAG!

Een datum in augustus, vijf jaar geleden.

Dus er was wel een echtgenoot geweest. Misschien was die er nog steeds.

De handtas van struisvogelleer rustte op de slanke dijen van Tina Balleron. Ze droeg een lichtblauw jersey broekpak en donkerblauwe lakschoenen. Aan haar champagnekleurige haar te zien was ze net naar de kapper geweest. De bontmantel op de achterbank was van geverfd nerts, precies dezelfde kleur als haar kapsel. Tussen de ramen aan de kant van de chauffeur zat een kristallen vaasje met één witte roos.

'Goed,' zei ze. 'Wat had je op je hart?'

'Het spijt me dat ik je lastig moet vallen, maar ik ben op zoek naar Arthur. Ik heb hem al een week lang niet kunnen bereiken.'

'Hij is op reis.'

'Dat weet ik,' zei Jeremy. 'Hij heeft me een paar ansichten gestuurd.'

'O ja? Dat is mooi.'

'Hoezo?'

Tina Balleron glimlachte. 'Arthur mag je heel graag, Jeremy. En het is toch fijn als mensen dat laten blijken?'

'Ja, dat zal wel... Gaat hij vaak op reis?'

'Af en toe... Jeremy, lieve jongen, je bent vast niet helemaal hiernaartoe gereden om over de reisgewoonten van Arthur te praten. Wat zit je echt dwars?'

'Ik heb nog meer dingen ontvangen... via de interne post van het ziekenhuis.'

'Dingen,' zei ze. Haar vingers speelden met de knip van de leren tas.

'Artikelen uit medische tijdschriften... over laserchirurgie.

Vervolgens een verslag van een tien jaar oude moord in Engeland en een stuk over zelfmoord onder artsen.'

Hij wachtte op haar reactie.

Ze gaf geen antwoord.

'Ik ben ervan uitgegaan dat Arthur me die heeft toegestuurd, rechter, omdat ik niemand anders kon bedenken die dat zou doen. Maar hij zit in Europa, dus hij kan het niet zijn geweest.'

'En nu begrijp je er niets meer van.'

'U wel, dan?'

'En je bent helemaal hierheen gereden om je nieuwsgierigheid te bevredigen.'

Ongeveer dezelfde redenatie die hij had gevolgd toen hij erover na zat te denken.

'Je wilt dus weten wie erachter zit,' zei Tina Balleron terwijl ze haar hand over haar tas liet glijden. 'Dat klinkt alsof je denkt dat het een of ander complot is.'

'Ja, dat gevoel heb ik wel, denk ik. Die artikelen doken zonder aankondiging en zonder uitleg op en ik kan niet verklaren waarom ze aan mij zijn gestuurd. Het is toch wel te begrijpen dat ik daar een beetje zenuwachtig van word?'

Er verscheen een nadenkende blik op Tina Ballerons gezicht.

Toen ze niets zei, merkte Jeremy op: 'Ik ging ervan uit dat Arthur ze had gestuurd, omdat hij geïnteresseerd is in geweld... En als ik afga op wat ik bij dat etentje heb gehoord, geldt dat voor jullie allemaal.'

Balleron deed de tas open en klikte hem weer dicht. 'En die belangstelling vind je vreemd.'

'Voor geweld?'

'Voor kwesties van leven of dood,' zei ze. 'Dat zijn toch de onderwerpen waarin elk beschaafd mens geïnteresseerd is?' Ze woof even met haar hand naar het interieur van de auto. 'Mooie dingen zijn leuk, Jeremy, maar als puntje bij paaltje komt, leiden ze de aandacht alleen maar af.'

'Waarvan?'

'Van belangrijke zaken. Arthur is een degelijk man, met veel ervaring. Als iemand al een aantal jaren heeft geleefd, krijg je automatisch ervaring.'

'Bedoelt u dat er iets in Arthurs verleden is gebeurd waardoor hij...'

'Ik zou maar niet over Arthur inzitten, lieve jongen.' Ze stak haar hand uit en legde haar vingers op Jeremy's mouw. 'Blijf je op het doel concentreren.'

'Wat is het doel dan?'

'Daar zul je zelf achter moeten komen.'

'Hoor eens, rechter...'

Ze snoerde hem de mond door haar vinger tegen zijn lippen te leggen. Precies zoals Angela had gedaan.

Hou je koest, jochie.

Er stopte een Mercedes voor de poort. Het raampje ging omlaag en het weldoorvoede gezicht van een man keek de rechter glimlachend aan.

'Hank,' zei ze. 'Ben je er klaar voor?'

'Helemaal, Teen. Ik zie je op de green.'

De Mercedes reed naar de hekken, die automatisch openzwaaiden. Een onzichtbare bewaker – verderop, in het wachthuisje – wist precies wie er wel en wie er niet naar binnen mocht.

Balleron glimlachte tegen Jeremy. 'Het was leuk om je weer te zien, maar ik ben bang dat ik geen tijd meer heb om verder met je te babbelen. De tijd van de afslag is heilig. Golf is meer religie dan sport. Als je het begin mist, haal je je de wrok van je geloofsgenoten op je hals.'

Ze trok haar hand terug en deed de zonneklep omlaag. Aan de binnenkant zat een spiegeltje waarin ze haar gezicht controleerde. Ze deed de leren tas open, haalde er een poederdoos uit en begon haar gezicht te poederen.

Moest ze er goed uitzien om te gaan golfen?

Ze liet de leren tas wijd openstaan, zodat Jeremy kon zien wat er boven op alle gewone vrouwenspulletjes lag.

Een glimmend automatisch pistooltje.

Tina Balleron wist dat hij het had gezien. Ze legde haar vinger op het knopje waarmee ze het portier kon openen en zei: 'Tot ziens dan maar.'

'Rechter Balleron, er werd die avond een bepaalde opmerking gemaakt. "Het middel is belangrijker dan het doel." Het werd meteen stil in het vertrek...'

'Stilte kan op zich al een doel zijn, lieve jongen. Tot de volgende keer.' Ze glimlachte, boog naar hem toe, kuste zijn wang en klikte het portier open. Jeremy stapte uit de Cadillac en de witte auto reed langzaam door naar het hek van de countryclub.

Ze stopte. Het raampje ging weer omlaag.

'Tussen twee haakjes,' zei ze. 'Ik heb inlichtingen ingewonnen over die jan-van-genten, die monogame vogels waar Harrison het over had. Jij zei dat het misschien iets met overbevolking te maken had. Maar ik kan niets vinden dat daar op wijst.'

Ze glimlachte naar Jeremy.

'Oké,' zei hij.

'Misschien,' zei ze, 'vertonen ze gewoon automatisch het juiste gedrag.'

Ze sloot het raampje en reed verder. Jeremy bleef staan toen het hek voor haar openging. Hij moest buiten blijven.

De buitenstaander, de eeuwige buitenstaander.

33

Om halfvijf zat hij weer achter zijn bureau en bekeek zijn post: aanvragen voor een consult, aankondigingen van vergaderingen en wat rotzooi.

Geen ansichten, geen enveloppen van KNO.

Maar dat had hij ook niet verwacht. Het was te vroeg. Er zat een bepaalde regelmaat in.

Hij richtte zijn aandacht weer op de computer.

De *Clarion* was journalistiek gezien een middelmatig product, maar de krant had een online-archief waar je tegen betaling gebruik van mocht maken. Jeremy gaf het nummer van zijn creditcard door en meldde zich aan.

‘Robert Balleron’ leverde vijf resultaten op, allemaal vier of vijf jaar oud.

> Industrieel vermoord aangetroffen in kantoor
> Vermoeden bestaat dat moord op Balleron verband houdt met succesvolle onroerendgoedtransacties
> Echtgenote Balleron, rechter, ondervraagd
> Moord op Balleron nog steeds mysterie
> Politie-onderzoek naar moord op Balleron wordt voortgezet

De negenenzestigjarige Robert A. Balleron was negentig kilometer verderop vermoord, in Greenwood, een luxueuze slaapstad. De krant had geen eigen journalisten op de zaak gezet, elk artikel was afkomstig van een persbureau.

Jeremy riep ze een voor een op. De ‘projectontwikkelaar en onroerendgoedmagnaat’ was aangetroffen in het kantoor in zijn ‘paleiselijke, zeventiende-eeuwse landhuis’, waar hij in elkaar gezakt achter een ‘rijkversierd bureau’ zat, overleden als gevolg van diverse schotwonden. Robert Balleron was politiek actief geweest, bijzonder prestatiegericht en ronduit vijandig als hij het idee had dat zijn belangen in gevaar kwamen. Een harde man, op wie in zedelijk opzicht niets aan te merken was, in feite zelfs een beetje een pedante kwast, die niet aarzelde om mensen wegens corruptie aan te klagen als hij dat nodig achtte.

Veel bijzonderheden over de plaats van het misdrijf werden niet gegeven: geen sporen van braak, het alarmsysteem van het huis was uitgeschakeld geweest en de moordenaar was kennelijk via de openslaande deuren het kantoor binnengekomen, nadat hij door de ‘uitgestrekte tuinen van het landgoed’ was gelopen.

‘Niet nader genoemde bronnen’ vermoedden dat Balleron met zijn scherpe tong en zijn agressieve manier van zakendoen de verkeerde persoon tegen zich in het harnas had gejaagd en er werd zelfs gespeculeerd over een huurmoordenaar. Maar die theorie vond geen navolging.

De vrouw van het slachtoffer, rechter Tina Balleron van het Hooggerechtshof, was de avond van de moord uit eten geweest met vrienden en zij had bij thuiskomst het lichaam gevonden. Ze was ondervraagd, maar een woordvoerder van de politie meldde nadrukkelijk dat ze niet als verdachte werd beschouwd.

Jeremy gaf 'moord op Balleron' als zoekopdracht in, maar dat leverde geen verdere resultaten op. Hij sloot het archief af en probeerde zijn geluk bij diverse andere internet-zoekmachines, die maar één artikeltje vonden dat het archief over het hoofd had gezien: zes maanden na de moord had de politie nog geen aanwijzingen en de zaak bleef geopend.

Hij keerde terug naar de krant en controleerde de jaren daarna op nieuwtjes over Tina Balleron. Nul komma nul.

Zo'n vooraanstaande vrouw, betrokken bij een opmerkelijke misdaad. Ze had bewust niet aan de weg getimmerd.

Hij onderzocht of er nog andere projectontwikkelaars uit Greenwood vermoord waren en vond alleen iemand die bij een ongeluk om het leven was gekomen. Drie jaar geleden had een aannemer die winkelcentra bouwde, een zekere Michael Srivac, bij een verkeersongeluk de dood gevonden. Er waren geen andere auto's bij betrokken geweest. Er waren vier regeltjes aan het In Memoriam van Srivac gewijd: 'In plaats van bloemen zijn donaties aan het Centrum voor Gezinsplanning welkom.'

Jeremy zette alles in gedachten op een rijtje. Robert Balleron was vijf jaar geleden vermoord. De Cadillac van Tina Balleron was niet veel ouder. De projectontwikkelaar had zijn vrouw vlak voor zijn dood een gepantserde wagen cadeau gedaan.

Hij had geweten dat ze in gevaar verkeerde.

Maar ze had het overleefd. En haar leven was voorspoedig verlopen. Ze had haar functie bij het Hooggerechtshof neergelegd, was naar de stad verhuisd en lid geworden van de Haverford.

Verhuizen was een goede manier om niet aan de weg te timmeren.

Parels, bont en een pistool in haar handtasje... over een vrolijk weeuwtje gesproken. Een sterke vrouw die op zichzelf kon passen.

Jeremy moest ineens denken aan iets dat de rechter die middag had gezegd: *Als iemand al een aantal jaren heeft geleefd, krijg je automatisch ervaring.*

Misschien gedragen ze zich gewoon zo omdat het nodig is.

Hadden de mensen van de CCC soms allemaal zo'n tragische ervaring gehad? Waren ze allemaal het slachtoffer van een misdaad? Zou dat de verklaring zijn voor hun belangstelling voor het ontstaan van geweld?

Dat zou ook de plotselinge stilte verklaren na Maynards opmerking dat het middel belangrijker was dan het doel.

Eindelijk had hij het gevoel dat hij houvast kreeg. Met bonzend hart gaf hij het archief een nieuwe zoekopdracht: 'Chess moord'.

Geen resultaat.

Hetzelfde gold voor 'Marquis moord'. Bij 'Levy moord' kreeg hij een artikel voorgeschoteld over een in Washington vermiste co-assistent, maar Jeremy kon geen verband vinden met professor Norbert.

Ook de gewone zoekmachines lieten het afweten.

'De-man-die-er-altijd-naast-zat.' Misschien werd het tijd dat hij zich daarbij neerlegde.

De derde ansicht arriveerde drie dagen later. In de tussentijd had Jeremy maar één keer koffiegedronken met Angela en ze hadden in de artsenkantine een keer haastig samen gegeten voordat ze weer halsoverkop aan het werk moest. Beide keren had ze er vermoeid uitgezien en gezegd dat ze aan het eind van haar Latijn was.

Maar ze had wel tijd gehad om twee operaties van Dirgrove bij te wonen.

'Dat vind je toch wel goed, hè?'

'Waarom zou ik daar iets op tegen hebben?'

'Hij is heel zakelijk, Jer... Ik denk dat ik me een beetje schuldig voel. Omdat ik me nog meer op de hals haal, terwijl ik al zo waanzinnig druk ben en niet eens tijd heb voor jou... Ik beloof je dat ik mijn leven zal beteren zodra het wat minder hectisch wordt.'

'Dat is helemaal niet nodig.'
'Lief van je om dat te zeggen... terwijl je nu toch met die kant van me kennis maakt.'
'Welke kant?'
'Die gedrevenheid, dat fanatieke. Mijn vader maakte daar altijd grapjes over. "Wie zit je achter de vodden, prinses?"'
Ze schonk Jeremy een flets lachje. 'Mijn verstand zegt dat hij gelijk had, maar het probleem is dat ik echt dat gevoel heb. Het is de tijd die me achter de vodden zit... de tijd die er uiteindelijk voor zorgt dat je lichaam en je geest het langzaam maar zeker af laten weten tot je ten slotte onder de groene zoden ligt. Morbide, hè?'
'Misschien werk je gewoon te hard,' zei Jeremy.
'Nee, zo ben ik altijd geweest. Als we bij biologie opdracht kregen om een werkstuk van vijf velletjes te schrijven, leverde ik er zeven in. Als de gymleraar zei dat we ons tien keer op twee handen op moesten drukken, deed ik het op één hand en probeerde de twintig te halen. Volgens mij is het gedeeltelijk een OCS, een obsessief-compulsieve stoornis. Toen ik acht jaar was, had ik een periode waarin alles altijd op de juiste plaats moest staan. Ik was een uur bezig in mijn slaapkamer voordat ik bereid was om te gaan slapen. Zelfs mijn schoenen moesten precies naast elkaar staan. Niemand wist er iets van. Ik liet me door mijn moeder naar bed brengen en kroop er dan stiekem weer uit om dat hele programma af te werken. Als ik door iets gestoord werd, begon ik weer van voren af aan.'
'Wanneer ben je daarmee opgehouden?'
'Ik prentte mezelf in dat het stom was en lag bevend onder de dekens tot de drang voorbij was. Ik heb die drang nog maandenlang gehad, maar ik hield vol. Toen ik twaalf jaar was, bleek ik een maagzweer te hebben. De dokter – en mijn ouders – waren ervan overtuigd dat het om een bacteriële infectie ging. Ze hebben me behandeld met antibiotica en ik werd weer beter. Maar toch... Nu weet je alles van mijn onverkwikkelijke verleden. Hebt u uw analyse al klaar, dokter?'
Hij schudde zijn hoofd.
'Ik meen het,' drong ze aan. 'Wat vind je ervan?'

'Heb je ooit iemand verloren aan wie je verknocht was?'

'Mijn grootmoeder,' zei ze. 'Ik was zes en zij was oud en ziek, maar we konden het ontzettend goed met elkaar vinden... Het was een schok voor me. De wetenschap dat ik haar nooit weer zou zien.'

Jeremy knikte.

'Dus jij bedoelt eigenlijk dat het verlies zo groot was, dat de dood daarna voor mij iets traumatisch werd? De essentie ervan... dat het nooit teruggedraaid kan worden? En dat ik daarom nu als een kip zonder kop door het leven ren, om zoveel mogelijk ervaringen op te doen?'

'Ik dacht eigenlijk meer aan een onverwachte dood. Iemand die veel te vroeg stierf. Maar het kan best. Als het overlijden van je grootmoeder zo'n schok voor je was, kan het die uitwerking op je hebben gehad. Dat is een van de gevolgen van een traumatisch verlies. Het feit dat alles wég is.'

'Dat alles weg is.' Ze schudde glimlachend haar hoofd. 'De manier waarop jij dingen onder woorden brengt... Hoe gaat het trouwens met je boek?'

'Dat is een martelgang.'

'Dat zal vanzelf beter gaan.' Angela kreeg een afwezige blik in haar ogen. 'Misschien heb je wel gelijk. Ik weet het niet.' Ze wendde haar ogen af en ging zachter praten. 'Een voortijdige dood. Dat heb jij wel meegemaakt.'

'Waar heb je het over?' vroeg Jeremy, harder dan zijn bedoeling was.

'Dat weet je best.'

Jeremy keek haar strak aan. Hij wist dat het een woedende blik was, maar daar kon hij niets aan doen.

'Laten we het maar over iets anders hebben,' zei hij.

Ze trok wit weg. 'Ja, natuurlijk. Neem me niet kwalijk, ik had er niet over moeten beginnen.'

'Zit er maar niet over in,' zei hij, maar zijn hart bonsde en hij wilde het liefst weglopen.

Ondanks het feit dat we zo naar elkaar toe zijn gegroeid, zijn er toch dingen waar ze af moet blijven. Er zijn dingen die ik niet met haar wil delen.

'Jeremy?'
'Ja?'
'Het spijt me.'
'Je hoeft je niet te verontschuldigen.'
'Ik moet ervandoor,' zei ze. 'Ik weet niet zeker wanneer ik weer vrij zal hebben.'
'Heb je vanavond dienst?'
'Nee, maar ik moet een keer vroeg naar bed. Ik voel me nog steeds een beetje slap... misschien heb ik die griep niet goed uitgeziekt.'
'Zal ik met je meelopen naar de afdeling?'
'Nee, dat hoeft niet.'
'Pas goed op jezelf.'
'Jij ook.'

De volgende dag belde ze hem 's middags op om te zeggen dat ze een operatie had bijgewoond en dat ze dat vaker van plan was. Ted Dirgrove had een vijfvoudige bypass-operatie 'uitgevoerd'. De uitdrukking deed Jeremy onwillekeurig denken aan een podium en een dirigeerstokje.
'Heel interessant,' zei hij.
'Verbazingwekkend. Je zou het echt eens moeten zien.'
'En de patiënt heeft het overleefd.'
'Wat bedoel je?'
'Dat gold niet voor de enige patiënt die Dirgrove en ik allebei behandeld hebben.'
'O.' Haar enthousiasme was verdwenen. 'Ja, dat was heel erg... Maar ik kan nu beter weer aan het werk gaan... Heb ik je al bedankt omdat je zo goed voor me gezorgd hebt toen ik griep had?'
'Meer dan eens.'
'Dat wist ik niet zeker meer. Toen ik weer aan het werk ging, werd alles ineens erg hectisch en ik weet dat we geen... nou ja, nogmaals bedankt. Voor de soep en wat je allemaal nog meer hebt gedaan. Dat was je helemaal niet verplicht.'
Haar bedankje klonk veel te beleefd. Alsof ze afstand tussen hen wilde scheppen.

Maar wie hield hij nu voor de gek? Dat had hij zelf gedaan. Hij was woest op haar geworden, terwijl ze alleen maar had gevraagd naar...

'Voel je je nog steeds slap?' vroeg hij.

'Een beetje, maar het gaat wel weer.'

'Dus die bypass was verbazingwekkend.'

'Echt waar, Jer. Het menselijk hart, dat kleine ding, net een grote pruim... of een gepelde tomaat. Wat een fantástisch ding, met al die kamers en kleppen die zo'n volmaakt samenspel leveren. Het is... filharmónisch. Als ze de aderen afbinden, wordt het hart kunstmatig in werking gehouden en... het is... ik moet steeds aan een orkest denken, met die volmaakte balans, dat tempo... eh... o, ik word net weer opgeroepen, ik moet ervandoor.'

De derde ansicht kwam uit Damascus in Syrië. Een foto van een oude kashba, een glanzende opname van rommelige stalletjes en hun eigenaars. Mannen in witte gewaden die koperen artikelen, tapijten en gedroogde noten verkochten.

Poststempel Berlijn.

Aha!

Aha, wát?

Het enige wat Jeremy kon bedenken, was dat Arthurs reislust zijn grenzen had. De oude man had geen zin gehad om het luxe leven in het Westen op te geven voor een uitstapje naar de Levant.

Maar hij wilde dat Jeremy aan de Levant zou denken.

Damascus... Jeremy wist dat in Syrië een wrede dictator aan de macht was, maar verder wist hij niets van het land en de eeuwenoude hoofdstad.

Oslo, Parijs, Damascus... Oslo, Parijs, *Berlijn*, Damascus? Als dit een spel was, wist hij niet eens hoe het speelveld eruitzag.

Hij stopte de ansicht in de map met het opschrift WETENSWAARDIGHEDEN. Maar toen bedacht hij zich, sloeg de map open en bekeek de inhoud opnieuw. Hij hield er een barstende hoofdpijn aan over.

Hij nam een paar aspirientjes en riskeerde een kop van zijn eigen, smerige koffie.

Aan het eind van de dag, alleen, zonder de kans op een afspraakje met Angela en met het vooruitzicht dat hij al gauw terug zou moeten naar zijn donkere, koude huis, kwam hij tot de ontdekking dat hij stiekem hoopte dat er weer een KNO-envelop zou komen. Al was het alleen maar om van dat suffe gevoel af te komen. Hij liep bij de afdeling psychologie langs om er zeker van te zijn dat er geen post meer lag.

Het kantoor was gesloten.

Bij de post van de volgende dag zat ook niets, net zomin als bij die van de dag erna.

Ineens was het leven bijna saai.

Toen het weekend aanbrak, had Angela weer dienst en Jeremy bracht de zaterdag in zijn eentje door. Hij loste kruiswoordraadsels op, deed net alsof hij in sport was geïnteresseerd en schonk mevrouw Bekanescu een brede glimlach toen ze even naar buiten kwam om de veranda aan de voorkant aan te vegen. Als antwoord wierp ze hem een vuile blik toe.

Wat had Doresh tegen haar gezegd?

Hij spelde de zondagskrant uit, omdat hij zich afvroeg of er al meer bekend zou zijn over de naamloze vrouw op de Finger. Dat was niet zo. Zondagavond vloog hij bijna tegen de muren op.

Zijn pieper had het hele weekend geen kik gegeven. Hij belde de telefoniste die de boodschappen doorgaf en vroeg of er nog voor hem was gebeld.

'Nee, dokter, er is geen enkel bericht voor u.'

Hij reed toch naar het ziekenhuis, wierp zich op de inleiding van zijn boek en was verbijsterd toen de zinnen plotseling uit zijn vingers vloeiden. Hij had het verrekte stuk om tien uur 's avonds klaar, las het nog een keer door, bracht een paar veranderingen aan en stopte de hele handel in een envelop om het naar het hoofd van de afdeling oncologie te sturen, zodat die er ook een blik op kon werpen.

En nu?

Niet lang geleden zou hij blij zijn geweest met de eenzaamheid. Nu had hij het gevoel dat hij iets miste.

Hij zette de computer aan, logde weer in bij het archief van de *Clarion*, voerde zijn lidmaatschapsnummer in en gaf de naam van Norbert Levy op als onderwerp van een zoekactie. Dit keer liet hij het woordje 'moord' weg.

Nul komma nul.

Hetzelfde gold voor 'Edgar Marquis' en, niet zo vreemd, voor de zich achter pseudoniemen verschuilende 'Harrison Maynard'.

Tina Balleron had een paar van die pseudoniemen van Maynard opgenoemd. 'Amanda... Fontaine', 'Barbara Kingsman'.

Geen van beide *noms de plume* leverde iets op.

Hij gaf het op, schakelde de computer uit, reed naar het Excelsior Hotel en liep rechtstreeks naar de bar. De bar was leeg, hij kon kiezen waar hij wilde zitten en hij nam hetzelfde tafeltje waaraan hij samen met Arthur had zitten drinken en praten, terwijl ze zich te goed deden aan hors d'oeuvres.

Hij bestelde een dubbele whisky.

De oude kelner die hen had bediend had geen dienst. De jongeman die hem zijn drankje bracht, had een saai gezicht, maar hij was wel vrolijk en zijn huppelende manier van lopen deed Jeremy onwillekeurig aan een racepaard denken dat zich verzette tegen het bit.

'Heeft u voorkeur voor een bepaald merk, meneer?'

'Nee, hoor.'

Dezelfde bar, hetzelfde tafeltje, maar verder was alles anders.

Jeremy bleef nog een hele tijd zitten en stelde zijn nieuwe bestellingen zo lang mogelijk uit om zijn zelfbeheersing op de proef te stellen.

De jonge kelner verveelde zich en ging de krant zitten lezen. Op de achtergrond was domme muziek te horen. Tegen de tijd dat Jeremy zijn derde whisky achter de rug had, zinderde zijn hele lichaam.

Er was geen triestere plek te bedenken dan een grotestadshotel op zondag. Deze stad in het middenwesten ging prat op een gezonde mentaliteit en zondag was de dag van het gezin. Zelfs de receptie was verlaten, de gluiperige vertegenwoordigers zaten thuis bij hun lankmoedige echtgenotes en de hotelhoeren deden wat dat soort werkende meisjes op zondag altijd deden.

Soms gingen ze dood.

Jeremy woof die gedachte weg. Hij maakte zelfs een handgebaar om het idee uit zijn hoofd te zetten. Er was niemand in de buurt die de dwangmatige beweging zag en hij deed het nog een keer. Met een binnenpretje, alsof hij een ondeugend kind was dat ongestraft iets stouts had gedaan.

Hij liet nog een drankje komen om het alcoholpercentage in zijn bloed verder op te voeren, zodat hij een rozig gevoel kreeg. Op een bepaalde manier was het een prettige ervaring, al ging het niet dieper dan zijn huid. Maar hij had toch vooral een afstandelijk gevoel.

Alsof hij in de huid van iemand anders was gekropen.

34

Op maandag werd hij met een beroerd gevoel wakker, doodmoe en stijf, en hij vroeg zich af of Angela hem had aangestoken.

Een stevige wandeling in de koude buitenlucht deed hem naar adem snakken en schudde hem wakker en tegen de tijd dat hij naar zijn werk reed, voelde hij zich weer redelijk. Toen hij bij de kantine langsging om een kopje koffie te pakken, zag hij Ted Dirgrove en een andere witte jas die kennelijk in een verhitte discussie verwikkeld waren. Het was dezelfde, donkergetinte, besnorde man die bij de chirurg had gezeten toen Jeremy hem voor het eerst had opgemerkt. Destijds waren ze in het gezelschap geweest van Mandel, de cardioloog.

Dat ze hem nu opvielen, sloeg nergens op, want de kantine wemelde van de witte jassen en Dirgrove en zijn metgezel zaten achterin in een hoekje. Maar er was iets met de hartchirurg... het feit dat Angela zo geboeid was door wat Dirgrove deed...

Hij was echt jaloers.

Hij pakte een kopje koffie en liep de kantine uit. Dirgrove en de andere man hadden zich niet verroerd. Ze leken gespannen terwijl ze zaten te praten... over een of ander academisch vraagstuk? Nee, dit was kennelijk iets persoonlijks. Hun lichaamshouding deed denken aan twee honden die op het punt stonden om te gaan vechten.

Ineens glimlachte Dirgrove en de andere man volgde zijn voorbeeld.

Twee honden met opgetrokken lippen.

Ze waren aan elkaar gewaagd. De andere dokter was even groot als Dirgrove, ongeveer even slank gebouwd, en zijn haar was net zo kortgeknipt als dat van Dirgrove. Maar zijn krullende hoofdhaar was even donker als zijn snor.

De donkere man praatte met zijn handen. Hij maakte nog een laatste opmerking en liep de kantine uit. Dirgrove bleef alleen achter, met gebalde vuisten. Dat vrolijkte Jeremy zo op, dat hij ineens merkte dat hij honger had en terugging om een koffiebroodje te halen.

Hij besloot te gaan zitten om het op te eten. Dirgrove liep weg. Even later dook Angela op, met een groep andere arts-assistenten.

Kletsend, vrolijk, hyperactief. Ze zagen er allemaal ontzettend jong uit.

Ze had gezegd dat ze zich bekaf voelde, maar nu straalde ze van levenslust.

Net als de anderen. Een stel kinderen.

Plotseling leken de acht jaar die Angela van Jeremy verschilde een mensenleven. Jocelyn was even oud geweest als Angela, maar zij had meer... doorgewinterd geleken. Misschien omdat ze al jaren in de verpleging had gezeten. Of vanwege de vervelende baantjes die ze had gehad om haar opleiding te betalen.

Angela had weliswaar een gelukkige jeugd gehad als het prinsesje van haar vader, maar ze was toch verontrust en gedreven.

Waarschijnlijk zou ze zich altijd schuldig blijven voelen omdat ze in welstand was geboren.

De familie van Jocelyn was zo arm geweest dat ze in een woonwagenkamp had gewoond en ze had al sinds haar puberteit op eigen benen gestaan. Zij was overal blij mee geweest.

Een werkend meisje.

Nee. Dat klonk echt helemaal verkeerd.

De tranen sprongen Jeremy in de ogen. Hij duwde zijn broodje en zijn koffie opzij en liep haastig weg voordat Angela hem zou zien.

De vierde envelop werd afgeleverd. Eindelijk.

Dinsdagochtend, tussen een stapel dingen die hem niet interesseerden. Jeremy had zich aangewend om regelmatig langs het kantoor van de afdeling psychiatrie te lopen en zijn hoofd af en toe om de deur van zijn eigen kantoor te steken, in de hoop de anonieme postbesteller te betrappen.

Maar dat had niets opgeleverd. Eigenlijk maakte dat ook niets uit, hè? Het medium wás de boodschap.

Een dunne envelop... dunner dan anders. De inhoud bestond uit één velletje papier waarop één regel was getikt:

De Zedenleer der Vaderen, Sforno, 5:8E

Het was kennelijk een of andere verwijzing. Naar een eeuwenoud geschrift? Iets boeddhistisch? Italiaans?

Hij ging achter de computer zitten en had het antwoord binnen de kortste keren.

Religieus, maar niet boeddhistisch. *De Zedenleer der Vaderen* was een onderdeel – een 'traktaat' – van de joodse talmoed, het enige van de drieënzestig wat niet voornamelijk over wetten ging.

'Hét citatenboek van het judaïsme,' werd het door een van de deskundigen genoemd.

'Een compendium van de zedenleer,' oordeelde een ander.

'Sforno' was Obadjah Sforno, een Italiaanse rabbijn en arts, die in de tijd van de Renaissance had geleefd en voornamelijk bekend stond vanwege zijn commentaar op de bijbel.

Hij had naast *De Zedenleer der Vaderen* nog een ander, minder bekend werk geschreven.

Waar zou je dat soort boeken kunnen vinden?

Waarschijnlijk bij Renfrew, toen de zwijgende man nog in leven was geweest.

Hij belde twee stadsbibliotheken. Geen van beide had het boek in de collectie. Daarna ging hij in de Gele Gids op zoek naar boekwinkels.

Hij probeerde diverse verkopers van nieuwe boeken en antiquariaten. Geen van de eigenaars had ook maar het flauwste idee waar hij het over had. Een paar winkels hanteerden de term 'religieuze boekenzaak', maar bij navraag bleek 'religieus' respectievelijk katholiek en luthers te zijn.

De eigenaar van de katholieke boekenzaak zei: 'Ik zou het bij Kaplan's proberen als ik u was.'

'Waar zit die?'

'Op Fairfield Avenue.'

'Fairfield, ten oosten van het centrum?'

'Precies,' zei de man. 'Wat vroeger de joodse wijk was, voor ze allemaal naar de buitenwijken verhuisden.'

'Maar Kaplan's is er nog steeds?'

'Voorzover ik weet wel.'

Fairfield Avenue was een kort, druilerig ritje verwijderd van het ziekenhuis, twee kronkelige, geasfalteerde weghelften vol gaten en omzoomd door vooroorlogse gebouwen die zwart waren van het vuil. Bijna alle etalages waren dichtgemetseld en de ooit zo populaire winkelstraat bestond nu voornamelijk uit panden waarin opslagruimte te huur was. Verbleekte namen die op de groezelige muren waren geschilderd, herinnerden aan een vorig leven:

SCHIMMEL'S TAFELZUUR
SHAPIRO'S VISWINKEL
KOSJERE SLAGERIJ

De boekwinkel was drie meter breed, met de tekst BOEKEN, GE-

SCHENKEN EN JUDAÏCA in schilferige gouden letters boven dezelfde mededeling in het Hebreeuws, althans dat nam Jeremy maar aan. De ruit was donker, niet zwartgeverfd zoals bij Renfrew, maar verduisterd door wat kennelijk een onverlichte ruimte was.

Gesloten. Zijn laatste kans was verkeken.

Maar toen Jeremy de koperen deurknop omdraaide, gaf die mee en hij stapte een klein, slechtverlicht vertrek binnen. Geen plafondlampen, alleen een koperen schemerlamp met een gele kap die een kegel licht op een gehavend eiken bureau wierp. De winkel zou eigenlijk muf moeten ruiken, maar dat was niet het geval.

Achter het bureau zat een bejaarde man, gladgeschoren en met een zwart suède keppeltje op een bos slonzig geknipt grijs haar. Een oude maar grote man, onaangetast door de tand des tijds. Breedgeschouderd en zwaargebouwd zat hij stram rechtop, in een wit overhemd, een donkere das en gevlochten leren bretels. Een in goud gevat leesbrilletje met halve glazen rustte op een smalle, dunne neus. Achter hem stond een vitrinekast met een aantal verschillende voorwerpen: zilveren schalen en kandelaars, langspeelplaten versierd met davidssterren *(Uncle Shimmy Sings the Zemiros)*, kinderspelletjes, dingen die eruitzagen als plastic draaitollen en fluwelen tasjes, waarop alweer die zespuntige sterren geborduurd waren. Daaronder drie planken met boeken.

De man zat te spelen met een zwartleren doosje dat aan een stel bijpassende leren veters hing en keek op. 'Ja?'

'Kunt u mij helpen aan de verhandelingen van rabbijn Sforno over *De Zedenleer der Vaderen*?'

De man bekeek hem van top tot teen. 'Dat kunt u ook van het internet halen.'

'Ik zou het liever meteen willen hebben.'

'Bent u zo leergierig?' vroeg de man. 'Het zijn bijzonder goede verhandelingen.'

'Dat heb ik ook gehoord.'

'Hoe bent u aan mijn adres gekomen?'

'Bij de katholieke boekhandel kreeg ik de raad naar u toe te gaan.'

'Ach ja, Joe McDowell. Altijd al een loyale vent geweest.' De man glimlachte en ging staan. Hij was bijna een meter negentig. Zijn bovenlichaam was zo groot dat Jeremy zich afvroeg hoe hij het uithield in het winkeltje dat niet meer dan een grote kast was. Hij stak zijn hand uit. 'Bernard Kaplan.'

'Jeremy Carrier.'

'Carrier... is dat Frans?'

'Lang geleden wel,' zei Jeremy en flapte er toen pardoes uit: 'Ik ben niet joods.'

Kaplan glimlachte. 'Dat geldt voor de meeste mensen... Neem me niet kwalijk dat ik zo nieuwsgierig ben, maar eigenlijk zijn alleen ingewijden geïnteresseerd in de verhandelingen van Sforno.'

'Iemand heeft ze me aanbevolen. Een arts in het Central City Hospital, waar ik werk.'

'Dat is een goed ziekenhuis,' zei Kaplan. 'Al mijn kinderen zijn daar geboren. Maar ze zijn geen van allen arts geworden.'

'Heeft dokter Chess ze op de wereld geholpen?'

'Chess? Nee, die ken ik niet. Wij hadden dokter Oppenheimer. Sigmund Oppenheimer. Hij was destijds een van de weinige joodse artsen die ze in dienst wilden nemen.'

'Was het dan een gesegregeerd ziekenhuis?'

'Officieel niet,' zei Kaplan. 'Maar natuurlijk was het dat wel. Zoals alles. En voor sommige plaatsen geldt dat nog steeds.'

'De countryclubs.'

'Bleef het maar bij de countryclubs. Nee, uw ziekenhuis was niet bepaald een bolwerk van tolerantie. In het begin van de jaren vijftig werd er actie gevoerd om de paar joodse artsen die er werkten te ontslaan. Dat het niet gebeurde, was te danken aan dokter Oppenheimer. De man hielp zoveel kinderen ter wereld dat de inkomsten dan te hard achteruit zouden lopen. Niet alleen de kinderen van de burgemeester, maar van vrijwel alle andere mensen die de beste arts wilden die er was. Een man met gouden handen.'

'Het is vaak een centenkwestie,' zei Jeremy.

'Vaak wel. En dat zou eigenlijk niet mogen volgens *De Zedenleer der Vaderen*. Er zijn meer dingen in het leven dan geld.

Het is een fantastisch boek. Mijn favoriete citaat is: "Hoe meer vlees, des te meer wormen". Oftewel: degene die bij zijn dood de meeste nutteloze spullen bezit, heeft ook gewoon de meeste nutteloze spullen. En: "Wie is gelukkig? Hij die tevreden is met wat hij heeft." Als we dat nou eens konden bereiken... en dan sluit ik mezelf niet uit. Maar goed, dokter Carrier, het toeval wil dat ik een exemplaar van het boek van Sforno in huis heb, omdat ik het heb besteld voor een man die van gedachten veranderde en mij ermee liet zitten toen bleek dat hij het goedkoper via het internet kon aanschaffen.' Kaplan trok de vitrinekast open, pakte er een pocketboekje met een vaal roze omslag uit en gaf het aan hem.

Jeremy las de titel hardop voor. 'Pirkai...'

'Pier-kie,' zei Kaplan. 'Dat betekent "hoofdstukken" in het Hebreeuws. *Pirkei Avos*, letterlijk vertaald: De Hoofdstukken van de Vaders.'

'Wie waren de Vaders?'

'In ieder geval geen priesters.' Kaplan grinnikte. Zijn ogen waren grijsblauw, geamuseerd en een beetje bloeddoorlopen. 'Het betekent niet letterlijk "vader", in het Hebreeuws wordt dat woord ook gebruikt voor geleerden. Wij geloven dat iemand van wie je iets belangrijks leert even belangrijk voor je wordt als een van je ouders. Je mag het boek gerust inkijken.'

'Nee, ik koop het wel,' zei Jeremy. 'Hoe duur is het?'

'Vijftien dollar. Maar jij mag het voor twaalf hebben.'

'Dat hoeft niet.'

'Je bewijst me een gunst, jongeman. Ik denk niet dat ik het aan iemand anders kan verkopen. Er komt trouwens toch nooit meer iemand binnen. Ik ben een relikwie en in feite zou ik zo verstandig moeten zijn om er vrijwillig mee op te houden. Maar met pensioen gaan staat gelijk aan doodgaan en ik hou van de oude buurt en van deze straat met al die herinneringen aan mensen die ik heb gekend. Dit gebouw en nog een paar andere panden aan Fairfield zijn mijn eigendom. Als ik doodga, zullen mijn kinderen alles verkopen en als een stel boeven aan de zwier gaan.'

Die opmerking deed Jeremy aan iets denken. 'Hebt u meneer

Renfrew gekend, de man van de tweedehands boekwinkel?'

'Shadley Renfrew,' zei Kaplan. 'Zeker. Een prima vent... ach, u kende hem natuurlijk omdat zijn winkel vlak bij het ziekenhuis was.'

'Ja,' zei Jeremy.

'Ik hoorde dat hij overleden is. Jammer.'

'Hij genas van kanker, maar toen gaf zijn hart het op.'

'Keelkanker,' zei Kaplan. 'Daarom zei hij nooit iets. Voordat hij kanker kreeg, zong hij vaak. Hij had een prachtige stem.'

'O ja?'

'Zeker weten. Een Ierse tenor. Misschien heeft hij wel geluk gehad.'

'In welk opzicht?'

'Dat hij gedwongen was te zwijgen,' zei Kaplan. 'Het zou best kunnen dat hij daardoor wijzer is geworden. Dat is ook iets wat je hierin kunt vinden.' Hij tikte op het boek. "Wees zuinig met je woorden, anders leren ze misschien liegen." Wacht even, dan zal ik het voor je inpakken.' Hij trok een la open en haalde er iets glanzends en oranje uit. 'En hier heb je ook een snoepje. Elite, uit Israël. Heel lekker. Vroeger gaf ik die altijd aan de kinderen die in de winkel kwamen. Jij bent de jongste persoon die ik hier in tijden heb gezien, dus vandaag ben jíj de gelukkige.'

Jeremy bedankte hem en betaalde voor het boek. 'Die andere klant kon wel wachten op zijn zedenleer,' zei Bernard Kaplan. 'Ik ben blij dat jij dat niet kon.'

35

Op weg naar de auto stopte Jeremy het oranje snoepje in zijn mond en kauwde het fijn. Het smaakte naar citrusvruchten.

Hij sloeg het boek open terwijl de motor van de Nova stationair draaide. Op de rechterpagina's stond de Hebreeuwse tekst, links de Engelse vertaling. In de korte tijd dat hij in de winkel was geweest, was de temperatuur gedaald en het was ijskoud in de auto. Het was nog lang geen winter, maar zijn voorruit was toch bedekt met een dun laagje rijp. Dat kwam door het meer. Als de wind van het water kwam, werd het meteen een stuk kouder.

In zijn eerste jaar in het City Central had slecht weer vanuit het noorden het kwik binnen twee uur laten dalen van vijf graden boven nul tot veertig graden onder nul, waardoor de hulpgeneratoren van het ziekenhuis het bijna begaven.

De nuchtere conclusie was dat er geen doden waren gevallen, maar Jeremy had verhalen gehoord over beademingstoestellen die af en toe stokten en operatiekamers waarin het licht uitviel op het moment dat er een incisie werd gemaakt.

Hij draaide de verwarming aan en stond op het punt zijn ruitenwissers aan te zetten om de berijpte ramen schoon te maken, maar bedacht zich toen. Die privacy was wel prettig.

Het was tijd om zich te verdiepen in de zedenleer der Vaderen. Vanwege de citaten van Bernard Kaplan en het feit dat het boek vergeleken was met een citatenbundel verwachtte hij eigenlijk een verzameling preken, en de pagina's die hij doorbladerde om bij hoofdstuk vijf te komen, leken die mening te bevestigen.

Maar hoofdstuk vijf, paragraaf acht was anders.

Een lange lijst met straffen die de wereld te wachten stond voor een hele verzameling overtredingen.

Hongersnood als de belasting niet werd betaald, een plaag van wilde dieren voor beloften die niet werden ingelost en verbanning voor afgoderij.

Sectie E luidde:

> Het oorlogszwaard zal de wereld teisteren indien het recht niet wordt toegepast.

In de verhandelingen van rabbijn Obadjah Sforno werd dat nog eens onderstreept met een citaat van Leviticus: *Een zwaard dat de wraak van het convenant wreekt.*

Iemand die de zaken rechtzette.

Een convenant – een verbond – om de zaken recht te zetten.

Door niet-opgeloste moordzaken te ontknopen?
Of om nieuwe te plegen... een louterende plaag?

36

Als je ze bekeek vanuit het standpunt van wraakgierige rechtspraak, kregen de artikelen een heel andere lading.

Laserchirurgie op vrouwen. Krantenverslagen van twee vermoorde vrouwen.

De laser als louterend wapen... louterend gebrúíksvoorwerp?

Had een of andere gek een eeuwenoud citaat gebruikt om zijn strikt persoonlijke vorm van recht te billijken?

Of nog erger: gewoon een maniak die zichzelf op de borst sloeg?

Jeremy bladerde door het roze boek en staarde naar de Hebreeuwse lettertekens zonder er iets van te begrijpen. Zou er een of ander joods verband zijn? Of wilde iemand hem dat idee opdringen?

Hij moest ineens denken aan iets dat hij jaren geleden had gelezen, toen hij nog op college zat. Over Jack the Ripper. Een buitenissige professor in de psychologie had in een poging tot relevantie een verslag van de waar gebeurde moorden in Whitehall op zijn boekenlijst gezet, met als verklaring dat dit een beter beeld schetste van sadistische psychopathie dan de doorsnee studieboeken. Volgens Jeremy was het boek de zoveelste nodeloze poging alles nog simpeler te maken: boordevol speculatie, theorieën die nooit bewezen of ontkracht konden worden en bladzijden vol smerige foto's.

Maar nu schoot hem een van die illustraties te binnen. Een geëtste reproductie van woorden die met krijt op een zwarte muur in het Londense East End waren gekrast. Een boodschap die was achtergelaten op de plek waar een prostituee was vermoord en die erop neerkwam dat 'de joden' niet voor niets overal de schuld van kregen. De oorspronkelijke tekst was verwijderd, maar een of andere politieagent had onthouden wat er stond en het opgeschreven. De etser had zijn eigen verbeeldingskracht gebruikt.

Het werkterrein van de Ripper was een achterbuurt geweest met een overwegend joodse bevolking en naar algemeen werd aangenomen was de gekrabbelde mededeling een poging om de schuld af te wentelen op een toch al gewantrouwde minderheidsgroepering.

Volgens Bernard Kaplan had het Central Hospital zich vroeger bezondigd aan antisemitisme.

De vermoorde meisjes uit het knipsel waren Engels geweest.

Toen zijn hoofd begon te tollen sloeg Jeremy het boek dicht en ging weer op weg naar het ziekenhuis.

Oslo, Parijs... Damascus via Berlijn. De Syrische hoofdstad was vast en zeker een plaats waar joden vijandig werden bejegend. En de jodenhaat was nergens zo tot wasdom gekomen als in Duitsland. Probeerde Arthur hem in een bepaalde richting te duwen?

Arthur en anderen? Tina Balleron was helemaal niet verbaasd geweest over het verhaal van de enveloppen.

Dus de kans bestond dat de artikelen niet door een moordenaar werden gestuurd maar, precies zoals hij aanvankelijk had vermoed, door een van Arthurs plaatsvervangers, op verzoek van de oude man.

En op die manier hadden ze hem uiteindelijk bij een antiek joods geschrift gebracht.

Het enige lid van de CCC met een joodse achternaam was Norbert Levy en bij het eerste onderzoek dat Jeremy had verricht, was er niets boven tafel gekomen dat de professor in de machinebouwkunde in verband bracht met moord. Misschien moest hij gewoon dieper graven.

Hij trapte het gaspedaal in, reed eigenlijk te snel door straten die glad waren van olie en regen, kwam bij de parkeergarage van de artsen en zette zijn auto snel weg. Hij sprong uit de wagen en liep haastig naar zijn kantoor.

Een specifieke opdracht. Dat gaf hem een goed gevoel.

Hij had nog maar net zijn jas opgehangen en de computer aangezet toen Angela belde.

'Ik moet je spreken.'

'Nu meteen?'

'Ja... mag ik naar je toekomen? Alsjeblieft?'

'Is alles in orde?'

'Ik wil er niet door de telefoon over praten. Ben je vrij? Zeg alsjeblieft ja.'

'Ik ben vrij,' zei Jeremy.

'Dan kom ik er nu aan.'

Ze kwam binnenstormen in een zwarte blouse op een kaki broek en sportschoenen. Geen jas, geen stethoscoop. Haar haar was slonzig in haar nek samengebonden en losse strengen sliertten om haar gezicht. Haar ogen waren roodomrand, haar wangen betraand.

'Wat is er aan de hand?' vroeg Jeremy.

Zijn maag draaide om toen ze tegen hem glimlachte. Pure verslagenheid. Toen ze begon te praten klonk haar stem gesmoord.

'Ik ben zo ontzettend stom geweest.'

Dirgrove had geprobeerd haar te versieren. Op een grove manier.

Het was net gebeurd, een halfuur geleden, in het kantoor van de chirurg. Vanaf dat moment had ze verwezen in de kleedruimte van de vrouwelijke arts-assistenten gezeten tot ze eindelijk de energie kon opbrengen om Jeremy te bellen.

Dirgrove had het zorgvuldig voorbereid door haar uit te nodigen voor een gesprek over de naweeën van een bypass-operatie.

Dat is iets wat u als praktiserend arts behoort te weten, dokter Rios.

Toen ze op kwam dagen, had hij haar vriendelijk maar beleefd ontvangen. Hij was achter zijn bureau blijven zitten en wees naar de tijdschriften die hij voor haar klaar had gelegd, netjes op een rij zodat ze elkaar overlapten. De bladzijden die ze volgens hem moest lezen, waren gemarkeerd met een reepje papier.

Ze ging zitten en hij begon meteen met een belerend verhaal over patiëntenzorg voordat hij tegen haar zei dat ze met name één artikel moest lezen. Zijn das was keurig geknoopt en hij rook alsof hij net onder de douche was geweest. Toen Angela begon te lezen, kwam hij achter zijn bureau vandaan en liep naar een houten kapstok naast een bubbelend zoutwateraquarium, waar hij net deed alsof hij de op maat gemaakte witte jassen en de keurig gestreken operatiepakken gladstreek.

Daarna kwam hij naar haar toe en bleef achter haar staan terwijl zij zat te lezen.

Ze was net halverwege een stuk over de methodologie, toen een hand op haar schouder neerstreek.

Zo had ze het ervaren. Neergestreken als een vogel... nee, als een nog lichter wezen... een insect. Een libel.

Zo voorzichtig raakten die lange dunne vingers haar aan.

Nu hij zo dichtbij stond, kon ze behalve die frisse, pasgewassen lucht nog een andere geur ruiken. Een lekkere aftershave, kruidig, mannelijk, op een bescheiden manier aangebracht.

Ze kon haar eigen ademhaling horen, maar niet de zijne.

Hij bleef praten. Zijn woorden veranderden in een soort dreun en het enige wat ze voelde, waren die vingers.

Ze trommelden langzaam op haar schouder en gleden toen naar de onderkant van haar nek, warm en droog.

Vol zelfvertrouwen. Maar dat was juist wat haar koude rillingen bezorgde, toen ze besefte hoe verwaand dat zelfvertrouwen was.

Ze schudde hem af, behoorlijk heftig vond ze zelf. Maar hij nam alleen die libellevingers weg en reageerde verder niet.

Ze prentte zich in dat ze er gewoon niet meer aan moest denken. Ze kon het best nog even blijven lezen voordat ze een excuus verzon en zich uit de voeten maakte.

Ze hoorde hem zuchten. Berouwvol, hoopte ze. Er was geen kwaad geschied, niemand had zich misdragen.

Meteen daarna kwam de hand – beide handen – terug. Ze

aarzelden geen moment. Voordat ze besefte wat er gebeurde, was een van de handen al in haar blouse gegleden, wurmde zich in haar beha en vouwde zich om haar borst, terwijl de vingers haar tepel pakten en er zacht in knepen om hem stijf te maken. De andere hand streelde het bijna onzichtbare dons op haar kaak. Alsof hij de omtrek schetste. Alsof hij een zorgvuldige lijn trok.

Ze sprong op en draaide zich om.

Hij bleef gewoon staan, met zijn handen langs zijn lichaam. Daarna trok hij een knie op, in het meest achteloze gebaar dat er bestond.

'Ik zou je heel gelukkig kunnen maken,' zei hij.

Ze was van plan om woedend tegen hem uit te varen, maar de woorden bleven in haar keel steken.

Hij lachte spottend.

'Hoe... kunt u zoiets doen!' zei ze schor.

'Is dat een afwijzing?' informeerde hij. 'Of wil je weten hoe dat in z'n werk gaat? In het laatste geval wil ik je maar al te graag laten zien hóé ik dat kan.'

Hij legde zijn hand op zijn kruis en wreef erover, om de aandacht te vestigen op de onweerlegbare gretigheid die zijn broek liet uitpuilen.

Ze ging er halsoverkop vandoor. Toen ze de deur achter zich dicht knalde, hoorde ze hem lachen.

'Je moet die klootzak aangeven,' zei Jeremy. De woorden kwamen moeizaam over zijn lippen. Hij moest zich inspannen om zijn stem effen te laten klinken.

Ze stortte zich in zijn armen, rukte zich weer los en begon door het kantoor te ijsberen. Bij het raam staarde ze naar de luchtschacht en wierp haar handen omhoog.

'O, shit,' kreunde ze. 'Ik ben mijn jas vergeten. En mijn stethoscoop. Ik zal terug moeten om ze op te halen.'

'Geen denken aan. Dat doe ik wel.'

'Nee... alsjeblieft. Ik wil geen scène. Laten we het maar gewoon vergeten. Ik zal wel iets verzinnen.'

Jeremy gaf geen antwoord.

‘Wat is er?’ zei Angela. ‘Waarom ben je zo stil?’

‘Zou je dit echt kunnen vergeten?’

‘Dat weet ik niet.’

‘Je moet dit rapporteren, Angela.’

‘En dan? Zijn woord tegen het mijne? Een arts-assistent tegen een zittend professor? Ik zou het nooit kunnen bewijzen. Alleen maar omdat hij zijn handen niet thuis kon houden zou ik me een enorme hoop narigheid op de hals halen. En dan kan ik hier niet meer op dezelfde voet verdergaan.’

Ze sloeg met haar beide vuisten op de vensterbank. ‘Verdomde vent! De ballen met hem!’ Er kroop een flauw glimlachje om haar mond. ‘Over een verkeerde woordkeus gesproken... God, Jeremy, hoe kon ik zo stom zijn!’

Ze liep haastig naar zijn patiëntenstoel en liet zich erin vallen. ‘Mijn jas en mijn stethoscoop. Dat is het enige waar ik me druk over maak. Ik wil hem gewoon nooit meer zien. Over twee dagen zit mijn dienst op de longafdeling er toch op. Dan hoef ik hem niet meer te zien. Wat heb ik me in mijn hoofd gehaald? Ik wil helemaal geen chirurg worden. Wat heeft me bezield om mijn tijd aan hem te verspillen?’

‘Dat heeft niets met stommiteit te maken. Je wilde een betere arts worden. En je dacht dat hij bereid was om je dingen te leren.’

‘Ja. Dat is waar.’ Ze haalde diep adem. ‘Maar jij wist wel beter, hè?’

‘Nee,’ zei hij. ‘Ik was gewoon jaloers.’

Er kon nog net een lachje vanaf. ‘O, Jer, hoe kon ik zo goedgelovig zijn? Zou ik ook zoveel aandacht voor hem hebben gehad als hij zo lelijk was geweest als de nacht? Als hij geen aandacht aan mij had geschonken en mij voortrok ten opzichte van de andere arts-assistenten? Ik wou dat ik dat kon geloven. Ik wou dat ik daar zeker van was.’

Ze kromp in elkaar in de stoel. Toen ze naar hem opkeek, stonden haar ogen... schuldig.

Ze had Dirgrove aantrekkelijk gevonden.

Dus mijn jaloezie was terecht. Misschien komt mijn intuïtie langzaam maar zeker terug.

'Het maakt totaal niet uit wat jij dacht of voelde,' zei hij. 'Hij heeft zich misdragen. Hij heeft je onder valse voorwendsels naar zijn kantoor laten komen, hij is handtastelijk geweest en toen je hem duidelijk maakte dat je daar niet van gediend was, heeft hij je nog eens extra beledigd door naar zijn lul te grijpen.'

'Ja,' zei ze. 'Zo is het gegaan. Walgelijk. En dat spottende lachje van hem. "Ik zou je heel gelukkig kunnen maken." Wat een macho lulkoek. Die idioot heeft gewoon te veel pornofilms gezien. Hij liet me duidelijk merken dat ik niets te betekenen had. Dat hij de baas was... maar jezus, hoe kon ik zo stom zijn!'

'Hij heeft je overvallen,' zei Jeremy. 'Dat gebeurt ons allemaal wel eens.'

'Maar jou niet, daar durf ik op te wedden. Jij bent zo... beheerst. Je denkt altijd eerst na over wat je zult gaan zeggen. Je opleiding... al die mensen met wie je gewerkt hebt... Ze zullen jou waarschijnlijk nooit ergens mee overvallen.'

Er werd op de deur geklopt en Angela sprong op.

Jeremy deed open.

Een jongeman in het gele uniform van een broeder stond in de gang met een witte jas en een stethoscoop in zijn handen.

'Is hier ook een zekere dokter Rios?'

'Geef die maar aan mij,' zei Jeremy.

'Prima, dok. Volgens dokter Dirgrove had u die in zijn kantoor laten liggen. Ik moest u de groeten doen.'

Jeremy sloot de deur.

'Hij wist precies waar ik naartoe zou gaan,' zei Angela.

'Dat zal ook wel geen geheim meer zijn,' zei Jeremy.

En dat is precies waar het om gaat, dacht hij ondertussen. Dokter Dirgrove vond het leuk om hen aan het verstand te brengen dat hij hen doorhad. Dit was gewoon een machtsspelletje. Om hen in te peperen wie de baas was.

Ineens schoot hem iets te binnen. Toen hij vorige week midden in de nacht bij Angela was weggegaan, had hij het idee gehad dat iemand hem in een auto volgde.

Toen die wagen al snel een andere weg insloeg, had hij het voorval als een aanval van paranoia afgedaan. Nu begon hij toch te twijfelen.

Kort daarna had Dirgrove zijn hulp ingeroepen voor Merilee Saunders.

Dokter Bezorgdheid In Eigen Persoon, omdat zijn patiënt zo bang was? Of ging het ergens anders om?

Hij had de patiënt niets over het consult verteld, zodat Jeremy's poging wel moest mislukken.

En vervolgens gaat de patiënt dood. Jammer, maar helaas.

Om Jeremy dan via Angela te laten weten dat hij goed werk had geleverd, hoewel hij niets voor elkaar had gekregen.

Speelde hij soms met hem? Op de een of andere manier wist hij instinctief dat hij nog niet klaar was met dr. Theodore Dirgrove.

37

Hij bracht een bijzonder ingetogen Angela terug naar de afdeling en zei tegen haar dat hij van plan was om over te werken, zodat ze samen in de cafetaria konden gaan eten.

'Niet in de artsenkantine,' zei ze.

'Vanavond niet, maar uiteindelijk gaan we daar gewoon weer naartoe. Hij kan de kolere krijgen.'

'Als ik last krijg van angststoornissen, wil jij me dan behandelen?'

'Je krijgt een spoedbehandeling,' zei hij. 'Maar je komt er heus wel overheen.'

Ze kuste hem vol op de mond. 'Ondanks alles wat je als kind hebt meegemaakt, ben je toch in een prins veranderd.'

'Kom maar een keer bij me langs, je glazen schoentje staat al klaar.'

'Ik meen het echt. Serieus.'

Jeremy liep terug naar zijn kantoor, denkend aan kostschoolbedden die zo hard en zo plat waren als leisteen, de heldere tonen waarmee de leerlingen 's morgens gewekt werden, het gestichtseten en de begrijpende lachjes van degenen die er wel bij hoorden.

Terug naar de computer. Hij had niets over Norbert Levy in het archief van de *Clarion* kunnen vinden, dus het werd tijd om de zoekactie uit te breiden naar het internet.

De eerste vermeldingen die Jeremy vond van de gepensioneerde professor hadden betrekking op zijn wetenschappelijk werk. Levy had meegewerkt aan de ontwikkeling van uiterst betrouwbare condensatoren die gebruikt werden in de ruimtevaart, in scheepsstabilatoren en in wapensystemen.

Maar het resultaat dat Jeremy's aandacht het langst vasthield, was iets volkomen anders: een verslag van een symposium over de Holocaust, dat aan de oostkust was georganiseerd door een groep overlevenden.

Het onderwerp van de bijeenkomst was de medeplichtigheid van de rest van Europa: Zwitserse bankiers die nog steeds gestolen miljarden in hun kluizen bewaarden, Spaanse, Italiaanse en Scandinavische diplomaten die voor een koopje gestolen kunstwerken hadden gekocht en Franse politici die beweerden dat ze verzet hadden gepleegd tegen de nazi's terwijl de feiten aantoonden dat ze gewillige collaborateurs waren geweest.

Levy, in het bezit van twee academische titels – in natuurkunde en machinebouwkunde – was betrokken bij het onderwerp vanwege zijn eigen voorgeschiedenis. Zijn vader, Oscar Levy, een vooraanstaand natuurkundige van Duitse origine, was in 1937 vertrokken uit het *Vaterland*, toen het antisemitisme aan zijn eigen faculteit hem had genoopt om met succes te solliciteren naar een functie als docent aan de universiteit van Oxford. In het jaar daarop werden Levy, zijn moeder en zijn twee zusjes naar Engeland gesmokkeld en ontliepen zo de deportaties die resulteerden in de dood van hun hele, uitgebreide familie. Het huis van de familie in Berlijn en alles wat erin stond, werd door de nazi's in beslag genomen. Generaties van persoonlijke bezittingen waren verdwenen, evenals een verzameling schilderijen van Egon Schiele, Gustav Klimt en andere expressionistische meesterwerken.

De schilderijen, waarvan de waarde inmiddels tientallen miljoenen bedroeg, waren nooit teruggevonden en bevonden zich waarschijnlijk in de collectie van een of andere privé-verzamelaar. Norbert Levy had besloten om een toespraak over zedelijke beginselen tot het symposium te houden.

De oude professor was niet het slachtoffer geworden van één enkele moord. Zijn aandacht richtte zich op de grootste misdaad aller tijden.

Jeremy kon geen volledig verslag vinden van die rede, maar nadat hij het halve net over was gesurft, trof hij uiteindelijk een samenvatting aan op een site die JewishWorldnet.com heette.

> BEROEMD WETENSCHAPPER ZEGT DAT INTELLIGENTIE NIETS TE MAKEN HEEFT MET ZEDELIJKE BEGINSELEN
> De beroemde natuurkundige professor Norbert Levy heeft een rede gehouden tot de leden van het Comité voor Geroofde Kunstschatten (CGK) waarin hij kritiek leverde op de weigerachtige houding van Europese regeringen en musea ten opzichte van hun betrokkenheid bij de oorlogsmisdaden van de nazi's. Ondanks de groeiende bewijzen dat een groot aantal van de huidige Europese kunstcollecties bestaat uit schatten die door Hitlers SS in beslag zijn genomen, is er nauwelijks actie ondernomen om de gestolen kunstvoorwerpen op te sporen of de oorspronkelijke eigenaars te compenseren.
> Levy maakte in zijn toespraak gebruik van een groot aantal bronnen om te illustreren hoe sommige van de meest verlichte geesten uit de beschaafde wereld zich zonder veel plichtplegingen tot barbaarse praktijken hadden verlaagd. De met prijzen overladen wetenschapper, die in het verleden werd beschouwd als een mogelijke kandidaat voor de Nobelprijs, citeerde in dat verband psychiater/schrijver Walker Percy: 'Je kunt tienen halen, maar toch zakken voor het levensexamen.'

'Intelligentie is te vergelijken met brand,' zei Levy verder. 'Je kunt het huis afbranden, leren koken, of schitterende kunstvoorwerpen in een oven produceren. Het komt neer op de zedelijke beginselen die een persoon erop nahoudt, maar het blijkt dat een groot deel van de zogenaamde intelligentsia daar een schrijnend gebrek aan heeft. De sleutel tot persoonlijke en nationale groei is de combinatie van zedelijke beginselen en intellectuele standvastigheid. De dorst naar rechtvaardigheid overtreft al het andere.'
Hoewel hij er met nadruk op wees dat hij geen religieus man was, beklemtoonde Levy de invloed van joods-humanistische waarden tijdens zijn opvoeding en hij maakte veelvuldig gebruik van citaten uit godsdienstige geschriften waarin opgeroepen wordt tot rechtvaardigheid, onder andere uit de bijbel en uit het talmoed-traktaat, *De Zedenleer der Vaderen.*

Jeremy's speurtocht naar andere buitenschoolse activiteiten van Levy bleef zonder resultaat.

Hij voerde 'Edgar Marquis' in zonder de toevoeging van 'moord', maar dat leverde opnieuw niets op. Tegen beter weten in probeerde hij 'Harrison Maynard'. De schrijver had zich verscholen achter pseudoniemen, dus er was geen enkele reden om aan te nemen dat hij onder zijn eigen naam aan de weg had getimmerd.

Maar Maynards naam dook op in het erecomité van een diner dat aan de oostkust was gegeven ter herdenking van Martin Luther King. Het was alleen maar een lijst, zonder *links*, een van die geïsoleerde cyberberichtjes die doelloos door de kosmos zweefden, zonder enige context.

'Herdenkingsdiner Martin Luther King' leverde maar één resultaat op, een onlangs gehouden bijeenkomst in Californië en daarbij werd de naam van Maynard niet genoemd. Jeremy veranderde de zoekopdracht in 'Herdenking Martin Luther King' en dat produceerde bijna drieduizend resultaten. Hij zat bijna twee uur te downloaden voordat hij vond wat hij zocht.

Pagina's uit een tijdschrift over banketten. Foto's van beroemde gasten en weldoeners. En daar was Harrison Maynard, een tikje slanker, wat minder grijs in zijn haar en zijn snor, maar verder dezelfde man met wie Jeremy had gegeten.

Glimlachend, weldoorvoed en keurig in smoking. Naast hem stond Norbert Levy, al even formeel gekleed. De witbebaarde natuurkundige werd in het onderschrift niet genoemd. Maynard werd beschreven als een voormalig medewerker van dr. King, een van de eersten die naar de vermoorde leider van de burgerrechtenbeweging was gesneld, toen hij stervend op de parkeerplaats van een motel lag. Harrison Maynard was nu een 'belangrijke donateur van liefdadige doelen'. Geen woord over de manier waarop hij zijn geld had verdiend.

Van de strijd om gelijke burgerrechten tot kerels die keurslijfjes openscheurden. Uit Maynards filantropie bleek dat hij nog steeds veel aandacht had voor zedelijke beginselen, net als Norbert Levy.

Jeremy had het idee dat hij de oude excentriekelingen begon te begrijpen.

Maynard had gestreden voor gelijke rechten en had gezien hoe zijn idool een gewelddadige dood stierf. Levy's grote familie was volledig uitgeroeid en zijn erfenis was gestolen. Tina Balleron had haar echtgenoot verloren bij een gewelddadig misdrijf.

Allemaal slachtoffers. Maar hoe zat het dan met Arthur? En met Edgar Marquis? De bejaarde diplomaat had toegegeven dat hij veel te vaak getuige was geweest van list en bedrog bij het corps diplomatique en dat was voor hem reden geweest om overplaatsing te vragen naar obscure posten in Micronesië en Indonesië.

Plaatsen waar hij de gelegenheid kreeg om goed te doen.

Het waren stuk voor stuk idealisten.

Ondanks al dat lekkere eten en die dure wijn hadden ze alleen maar oog voor rechtvaardigheid... Hun eigen opvatting van rechtvaardigheid.

En nu lonkten ze naar hem.

Vanwege Jocelyn.

Hij had er het liefst nog langer over willen nadenken, maar het was inmiddels al avond geworden en over tien minuten had hij een afspraak met Angela om een hapje te gaan eten.

Voordat hij vertrok, zocht hij het kantoor van Theodore Dirgrove op in de lijst van medewerkers.

De bovenste verdieping van het gebouw van de medische dienst. De voormalige ruimte van de afdeling psychiatrie, voordat de slagers die hadden opgeëist.

Toen psychiatrie er nog zat, was het gewoon de bovenste verdieping geweest, met dunne wandjes en goedkope vloeren. Nu was de vloerbedekking nieuw en schoon en waren de wanden voorzien van lambrisering. Glanzende mahoniehouten deuren hadden de plaats ingenomen van witte platen.

Dirgroves deur was dicht. De naam van de chirurg prijkte erop in zelfbewuste gouden letters.

Jeremy bleef even in de gang staan voordat hij ernaartoe stapte en klopte.

Niemand deed open.

Hij ging op weg naar zijn afspraak met Angela en liep Dirgrove tegen het lijf toen hij de lift uit stapte.

Dirgrove droeg een goed gesneden zwart pak met daaronder een zwarte coltrui. Zijn nagels waren onberispelijk. Toen hij Jeremy zag, kneep hij zijn lippen op elkaar.

Ze keken elkaar strak aan. Dirgrove glimlachte, maar bleef afstandelijk. Jeremy glimlachte terug en deed een stapje naar hem toe. Zijn glimlach was zo intens dat zijn ogen brandden.

Dirgrove gaf geen krimp, maar haalde toen zijn schouders op en lachtte, alsof hij wilde zeggen: 'Dit heeft niets om het lijf.'

'Heb je de laatste tijd nog patiënten verloren, Ted?' vroeg Jeremy.

Dirgroves mondhoeken zakten ploseling alsof ze met vishaakjes omlaag werden getrokken. Zijn lange, bleke gezicht werd lijkwit. Toen hij wegliep, bleef Jeremy staan en keek hem na. Dirgrove balde zijn handen en ontspande ze weer, steeds opnieuw, met dunne lange vingers die heftig fladderden alsof hij last had van zenuwtrekkingen.

Hij had de bibberaties. Niet zo mooi voor een chirurg.

38

Angela deed haar uiterste best om een derde op te eten van haar broodje met kalkoen. Ze hadden niet veel tijd voordat ze weer dienst had. Jeremy zat te knoeien met zijn gehakt en keek toe hoe ze het verwelkte slablaadje over haar bord rondduwde.

'Ik ben niet bepaald gezellig,' zei ze. 'Misschien kan ik er maar beter vandoor gaan.'

'Blijf nog even zitten.' Zijn pieper ging af.

Angela lachte en zei: 'Over een voorteken gesproken.'

Hij nam het gesprek aan in de inmiddels lege artsenkantine. Een oncoloog, een zekere Bill Ramirez, belde over een spoedgeval. Een patiënt die ze allebei zeven jaar geleden hadden behandeld, een jongeman die Doug Vilardi heette en beenmergkanker in een vergevorderd stadium in zijn knie had, was terug.

Jeremy had kort na de diagnose niet alleen Doug maar de hele familie in therapie gehad. Het slechte nieuws, de ingrijpende behandeling en het verlies van een been waren voldoende reden voor verdriet. Maar Jeremy kwam er ten slotte achter dat de zeventienjarige zich eigenlijk vooral zorgen maakte over het feit dat de bestraling hem onvruchtbaar zou kunnen maken.

Ontroerend optimistisch, had hij destijds gedacht. De kans op overleven van de ziekte in een dermate vergevorderd stadium was niet groot. Maar hij had het spelletje meegespeeld, met Ramirez gesproken over de mogelijkheid tot spermadonatie vóór de behandeling en nadat hij had gehoord dat die mogelijkheid inderdaad bestond, had hij geholpen alles te regelen.

Doug was zijn been kwijtgeraakt, maar had de kanker overleefd... Een van die lichtpuntjes waardoor je weer nieuwe kracht opdoet. Geen fantoompijn, geen akelige gevolgen. Hij was begonnen met krukken, was daarna overgeschakeld op een stok en had zich schitterend aangepast aan zijn prothese. De laatste keer dat Jeremy hem had gezien was vier jaar geleden. De knul speelde basketbal met zijn plastic been en volgde een opleiding tot metselaar.

Wat nu weer?

'Is het teruggekomen?' vroeg hij aan Ramirez.

'Het is nog veel erger, godverdomme,' zei de oncoloog. 'Secundaire kanker. Wat het precies is, krijg ik nog te horen van pathologie. Maar hoe je het ook wendt of keert, het is leukemie, ongetwijfeld als gevolg van de bestraling die we hem zeven jaar geleden hebben gegeven.'

'O, nee.'

'O, ja. Het goede nieuws is, dat we die tumor van jou helemaal plat hebben gebombardeerd, knul. Het slechte nieuws is dat we je bloedvormingsvermogen naar de filistijnen hebben geholpen, waardoor je nu leukemie hebt.'

'Jezus.'

'Die zou ik nu goed kunnen gebruiken,' zei Ramirez. 'Maar aangezien Jezus geen gehoor gaf op mijn oproep zal ik het met jou moeten doen. Doe me een genoegen, Jeremy, en probeer of je vanavond nog even bij hem langs kunt gaan. Zo snel mogelijk. Ze zijn weer allemaal hier: hij, zijn ouders en zijn zuster. En ik zal je nog eens iets vertellen. Om de zaak nog ellendiger te maken is er nu ook een vrouw bij. De knul is twee jaar geleden getrouwd. En met behulp van het sperma dat we voor hem hebben ingevroren is ze nog zwanger ook. Wat is het leven toch geweldig, hè? Hij ligt op Vijf West. Wanneer kun je er zijn, verdomme?'

'Zodra ik mijn eten op heb.'

'Hopelijk heb ik je eetlust niet bedorven.'

Hij liep terug naar hun tafeltje. Tijdens zijn afwezigheid had Angela geen hap genomen.

'Problemen?' vroeg ze.

'Niet die van ons.' Hij liet zich op zijn stoel vallen, nam een hapje gehakt dat hij wegspoelde met cola, schoof zijn das op en knoopte zijn witte jas dicht. Daarna legde hij haar uit wat er aan de hand was.

'Dat is echt te tragisch voor woorden,' zei ze. 'Maar het helpt wel om alles weer in perspectief te zien. Mijn onbelangrijke probleempjes.'

'De grondwet geeft iedereen het recht om over onbelangrijke probleempjes te zeuren,' zei hij. 'Welk amendement het precies is, weet ik niet zo gauw, maar geloof me, het staat erin. Ik zie regelmatig gezinnen die helemaal kapot zijn na een traumatische diagnose, maar waarvan iedereen zijn uiterste best doet om zich uitsluitend te concentreren op de belangrijke zaken. Dat is prima in het geval van een crisis, maar zo kun je niet doorgaan. Uiteindelijk krijgen ze dan ook altijd van me te horen: "Als jullie je weer druk gaan maken over kleine dingen, houdt dat in dat je ermee hebt leren leven."'

Ze legde haar hand op de zijne. 'Waar ligt hij precies op Vijf?'

'Vijf West. Zit jij nog steeds op Vier?'

'Uh-huh.'

'Laten we dan maar samen naar boven gaan.'

Hij zette haar af en ging verder naar de afdeling oncologie. Onderweg fantaseerde hij over de mogelijkheid om langs de afdeling te lopen naar de gang die naar de vleugel voerde met de kantoren van de medische staf. Om vervolgens de trap op te hollen naar de bovenste verdieping.

Hij had geen flauw idee wat hij zou zeggen of zou doen als hij Dirgrove opnieuw tegen het lijf liep, maar hij had het gevoel dat het hem goed af zou gaan.

Toen de liftdeur op Vijf West openging, liep hij naar buiten. Een toevallige voorbijganger zou meteen zien dat hij een man met een missie was.

Wat moest hij in vredesnaam tegen Doug Vilardi en zijn familie zeggen?

Waarschijnlijk zou hij gewoon zijn mond houden en alleen maar luisteren.

Een stilte die heilzaam zou werken. *De Zedenleer der Vaderen.*

Op zijn zeventiende was Doug een lange, slungelachtige, donkerharige knul geweest, die niet echt goed kon leren en alleen had uitgeblonken bij handenarbeid. Sindsdien was hij zwaarder geworden en had iets van het haar verloren dat na de chemo weer was aangegroeid. Hij had nu een diamantje in zijn linkeroor, een lichtbruin sikje en een tatoeage op zijn rechteronderarm. 'Marika' in blauwe letters.

Hij zag eruit als een volkomen normale kerel die werkte voor zijn brood. Het enige verschil was de bleke kleur van zijn huid – die veelzeggende bleekheid – en het geel uitgeslagen wit van zijn ogen die oplichtten toen Jeremy de kamer binnenkwam.

Geen familie, alleen Doug in bed. Zijn kunstbeen stond in de hoek. Hij droeg een ziekenhuishemd en hij had de dekens tot zijn middel opgetrokken. Hij lag al aan een infuus, dat op gezette tijden klikte.

'Dok! Da's lang geleden! Kijk nou eens wat ik mezelf heb aangedaan.'

'Dus je had weer eens zin in iets nieuws?'

'Ja, het leven begon verrekte saai te worden.' Doug lachte en stak zijn hand uit om de zijne stevig te schudden. Spieren spanden zich en 'Marika' huppelde toen hij Jeremy's vingers vastklampte.

'Leuk om u weer te zien, dok.'

'Ik vind het ook fijn om jou weer te zien.'

Doug barstte in tranen uit.

Jeremy ging naast het bed zitten, pakte Dougs hand opnieuw en hield die vast. Als je dat onder andere omstandigheden bij zo'n arbeidersknul zou proberen, kon je rekenen op een klap voor je kop.

Zeven jaar geleden had Jeremy zijn hand heel vaak vastgehouden.

Doug hield op met huilen en zei: 'Verdomme, dat was nou precies wat ik niet wilde.'

'Ik denk,' zei Jeremy, 'dat je het volste recht hebt om je een beetje te laten gaan.'

'Ja... o, shit, dok, dit is echt klote! Er is een baby op komst, wat moet ik verdomme nou dóén?'

Jeremy bleef twee uur bij hem en zat voornamelijk te luisteren, hoewel hij af en toe zijn medeleven liet blijken. Na een uur staken de ouders hun hoofd om de deur, maar toen ze Jeremy zagen, glimlachten ze bleek en gingen weer weg.

Er kwam een verpleegkundige binnen die vroeg of Doug pijn had.

'Een beetje, in mijn botten, maar het valt wel mee.' Hij wreef over zijn ribben en over zijn kaak. In het dossier stond dat zijn milt al vergroot was, mogelijk in gevaarlijke mate.

'Dokter Ramirez zegt dat we je *percocet* mogen geven als je dat wilt.'

'Wat denkt u ervan, dok?'

'Jij weet het best hoe je je voelt,' zei Jeremy.

'Zou het niet kinderachtig zijn?'

'Geen denken aan.'

'Nou ja, spuit me dan maar plat.' Doug lachte naar de verpleegkundige. 'Mag ik ook een glaasje rum? Of een biertje?'

Ze was nog jong en gaf hem een knipoogje. 'Daar moet je zelf maar voor zorgen, bink.'

'Tof,' zei Doug. 'Misschien kan deze dokter me aan een opkikkertje helpen.'

'Probeer je hem medeplichtig te maken?' vroeg de verpleegkundige.

Ze schoten allemaal in de lach. Bij wijze van tijdverdrijf. De verpleegkundige had de percocet in het infuus gedaan. Het duurde even voordat het middel begon te werken, toen zei Doug: 'Ja, het begint wat minder te worden... Zou u het erg vinden als ik nu probeer te slapen, dok?'

Zijn ouders en zijn vrouw stonden buiten voor de deur te wachten. Marika, klein, knap, met rafelig blond haar en verbijsterde blauwe ogen. Aan haar ronde buikje was te zien dat ze in verwachting was. Ze zag eruit alsof ze een jaar of zestien was.

Ze deed haar mond niet open en hetzelfde gold voor Dougs

vader, Doug senior. Mevrouw Vilardi deed het woord voor allemaal en Jeremy bleef nog een uur bij de familie zitten, tot zijn oren tuitten van het gehuil en zijn hart vervuld was van ellende.

Daarna volgde het overleg met Bill Ramirez, plus twintig minuten waarin hij de redelijke, bezorgde vragen van de nachtzusters beantwoordde, zat na te denken over de psychologische hulp die hij zou kunnen bieden en ten slotte het dossier bijwerkte.

Toen hij eindelijk de gang inliep, was het ver na middernacht en hij kon maar met moeite zijn ogen openhouden.

Hij ging terug naar zijn kantoor om zijn regenjas en zijn koffertje op te halen, overwoog om nog even achter de computer te gaan zitten en besloot dat hij dat beter niet kon doen.

Hij reed op de automatische piloot naar huis, langs de inmiddels donkere gevel van het Excelsior, door lege, sepiakleurige straten waar de maan niet doordrong en met een hoofd dat gelukkig gevrijwaard bleef van gedachten en beelden.

Nadat hij zijn huis was binnengestrompeld slaagde hij er nog net in om zijn kleren uit te trekken voordat hij omviel. Hij sliep al voordat zijn hoofd het kussen raakte.

39

Hij versliep zich, nam geen ontbijt en kleedde zich aan alsof hij een toneelkostuum aantrok.

Zijn eerste afspraak was om elf uur, met Doug Vilardi. De jongeman zou die middag beginnen met een chemokuur. Als die en nieuwe bestralingen geen verbetering brachten, was de enige mogelijkheid een beenmergtransplantatie, wat inhield dat hij naar een ander ziekenhuis moest worden overgebracht, vijfenzeventig kilometer verderop.

Het besluit om zich te laten behandelen had hartverscheurend kunnen zijn. Een behandeling had Dougs leven gered, maar ook zijn beenmerg vergiftigd.

Doug had geen moment geaarzeld. 'Verrek nog aan toe, dok,

wat moet ik anders? M'n kop laten hangen en doodgaan? Er is een baby op komst.'

Geen bijzonder intelligente knul, niet elegant of welbespraakt. De uitdaging voor Jeremy was geweest om hem te helpen zijn gedachten onder woorden te brengen. Maar zodra hem dat was gelukt, was Doug niet meer te houden.

Jeremy was begonnen met over metselen te praten.

'Dat zou u eens moeten zien, ik heb fantastische muren opgetrokken, man. Echt serieuze muren.'

Ik ook.

'Kent u die kathedraal St. Urban's? Ergens in Zuid. De pastorie staat ernaast, een kleiner gebouw dat helemaal uit baksteen is opgetrokken, in tegenstelling tot de kerk, die van natuursteen is. Die hebben wij gerenoveerd, mijn bedrijf en ik. Met al die gewelven. Als je ernaar staat te kijken, vraag je je af hoe ze dat voor mekaar hebben gekregen.'

Jeremy kende de kathedraal wel, maar de pastorie was hem nooit opgevallen. 'En het is jullie gelukt.'

'Niet alleen dat, het is gewoon... prachtig geworden, man. Dat zei iedereen, de priesters en alle anderen.'

'Geweldig voor je.'

'Ik heb het niet alleen gedaan, de hele ploeg heeft eraan gewerkt. Ik heb veel van die kerels geleerd. Nu hebben we een paar nieuwe jongens en die staan onder mijn leiding. Ik moet weer aan het werk. Als ik niet werk, voel ik me...'

Doug stak zijn handen op.

Jeremy knikte.

'Mijn ma is bang voor de behandeling. Zij zegt dat ik daardoor weer in de problemen zit. Maar verrek nog aan toe, dok... Wat moet ik anders?'

Jeremy reed naar het ziekenhuis, denkend aan het optimisme van de jongeman. Dat was waarschijnlijk iets wat in je zat, want de ervaring had Jeremy geleerd dat een positieve houding weinig van doen had met de dingen die je in je leven had meegemaakt. Sommige mensen hadden een halfvol glas, bij anderen was het halfleeg.

Bij hun late etentje was gebleken dat de oude excentriekelingen halfvolle glazen hadden. Het waren volhouders, die van mening waren dat ze linnen, porselein en zilver verdienden, net als drie soorten vlees, foie gras, petitfours en de allerdroogste champagne.

Dat late etentje was de eerste verrukkelijke maaltijd die Jeremy in... jaren had gehad.

Waar was zijn plaats, bij de halfvolle of bij de halflege glazen?

Hij was de toeschouwer, de man die verslag deed.

Toen hij zijn kantoor binnenliep, lag er een briefje van het hoofd van de afdeling oncologie in zijn postbakje.

> *JC. Heb je hoofdstuk doorgelezen. Hier en daar wat suggesties, maar door de bank genomen prima. Wanneer kunnen we het complete manuscript tegemoetzien?*

In het postbakje lag ook een kartonnen doos met het stempel BOEKEN. De doos was in de stad gepost.

De inhoud bestond uit een gebonden boek met een harde, mosgroene stoffen omslag.

KOUD BLOED IN DE ADEREN
Seriemoordenaars en hun misdrijven
door
Colin Pugh

Twaalf jaar geleden uitgebracht. Een Britse uitgever, geen stofomslag, geen bijzonderheden over de auteur.

Op de binnenkant van de omslag stond een met potlood geschreven prijs – $12,95 – en een zwart stempel met in gotische letters de tekst RENFREWS CENTRALE BOEKHANDEL, GEBRUIKTE BOEKEN & ANTIQUARIAAT, gevolgd door het adres en het telefoonnummer van de inmiddels opgeheven zaak.

Hij had nooit het idee gehad dat de winkel een naam had, laat staan een telefoonnummer. Hij kon zich ook niet herinneren dat hij ooit een telefoon had horen overgaan als hij tussen de boeken stond te neuzen. Hij toetste de zeven cijfers in, kreeg te horen dat het nummer niet langer in bedrijf was en voelde zich gerustgesteld.

Zijn naam en het adres van het ziekenhuis waren op het karton getypt. Hij controleerde of er een kaartje of een boodschap in de doos zat, vond niets en sloeg het boek open.

Niets.

Hij bladerde door naar het eerste hoofdstuk en begon te lezen.

Vijftien hoofdstukken, vijftien moordenaars. Van de meeste had hij wel eens gehoord: Vlad de Spietserprins, Blauwbaard, de Wurger van Boston, Ted Bundy, Son of Sam, Jack the Ripper (het hoofdstuk over de maniak uit Whitehall bevestigde Jeremy's herinnering aan de op de muur gekalkte mededeling, waarvan de exacte tekst luidde: DE JODEN ZIJN DE MANNEN DIE NIET VOOR NIETS DE SCHULD ZULLEN KRIJGEN). Een paar namen waren nieuw voor hem: Peter Kürten ('Het monster van Düsseldorf), Herman Mudge, Albert Fish en Carl Panzram.

Hij begon verder te bladeren. De bijzonderheden van de wandaden vervaagden en de daders versmolten tot een gruwelijke hoop. Ondanks hun gore praktijken waren moordlustige psychopaten in feite een saai stel mensen, met morbide ingeroeste gewoonten en allemaal uit hetzelfde rotte hout gesneden.

Toen viel Jeremy's oog op het laatste hoofdstuk: *Gerd Dergraav, de Laserslager*.

Dergraav was een in Noorwegen geboren arts, zoon van een Duitse vader die als diplomaat in Oslo was gestationeerd. Zijn moeder was tandarts en had haar gezin verlaten om zich in Afrika te vestigen. De jonge Gerd was een briljant student. Hij studeerde medicijnen en specialiseerde zich als KNO-arts en als oftalmoloog. Vervolgens kreeg hij belangstelling voor een andere discipline en werd hoofd-arts-assistent van de afdeling gynaecologie en verloskunde van het Oslo Instituut voor Vrouwengeneeskunde. De oorlogsjaren werden doorgebracht met uitmuntend onderzoek in Noorwegen. In 1946 volgde hij in Parijs een universitaire opleiding met betrekking tot de behandeling van baarmoederkanker.

Zijn vader stierf in 1948. Als gediplomeerd arts in drie verschillende disciplines verhuisde Dergraav naar de geboortestad van zijn moeder, Berlijn, waar hij een bijzonder succesvolle praktijk opbouwde als verloskundige en vrouwenarts. Zijn patiënten droegen hem op handen omdat hij zo gevoelig was en altijd bereid tot luisteren. Ze waren allemaal onkundig van de zes verborgen camera's in Dergraavs praktijkruimte, die de dokter in staat stelden een bibliotheek op te bouwen van zeshonderd rollen films van naakte vrouwen.

Bijzonderheden uit Dergraavs jeugd ontbraken en auteur Pugh kwam in plaats van feiten met freudiaanse speculaties op de proppen. Maar één ding stond vast: kort na zijn aankomst in Duitsland begon de hoffelijke jonge dokter prostituees op te pikken en te martelen. De straatmadelieven werden vorstelijk betaald voor hun stilzwijgen. Bovendien hadden ze geen littekens om te tonen: Dergraav was een wellustige bruut, maar met de subtiliteit van een chirurg. Uit latere gesprekken met de eerste slachtoffers bleek dat Dergraav het leuk vond om hen te vernederen en een geheim voorraadje videobanden toonde de dokter jaren later terwijl hij meer dan tweehonderd vrouwen geselde, sloeg, beet en met injectiespuiten bewerkte. Hij vond het ook leuk om hun handen in ijskoud water te duwen en hun ledematen samen te persen met behulp van de opblaasbare manchetten van bloeddrukmeters om vervolgens te controleren hoeveel tijd er voorbijging voordat ze de eerste pijn voelden. Dergraav kwam zelf ook regelmatig in zijn films voor, in close-up. Met een subtiel glimlachje.

Volgens Pugh was hij een knappe man geweest, maar er was geen foto om die bewering te staven.

Aan het eind van de jaren vijftig trouwde Dergraav met een vrouw uit de hoogste kringen, de dochter van een collega-arts, bij wie hij een kind verwekte.

Kort daarna begonnen de aan stukken gesneden lijken van prostituees op te duiken in de achterbuurten van Berlijn.

De geruchten die op straat de ronde deden, vestigden uiteindelijk de aandacht op dr. Dergraav. Toen de gynaecoloog in zijn spreekkamer ondervraagd werd, stak hij zijn verbazing over het feit dat de politie hem van duistere praktijken verdacht niet onder stoelen of banken en hij vertoonde geen spoor van angst of schuldgevoelens. De rechercheurs konden zich de charmante, sympathieke chirurg niet voorstellen als de barbaar die verantwoordelijk was voor de afschuwelijke verminkingen waarmee ze steeds vaker werden geconfronteerd. Dergraav verdween in het archief als een mogelijke, maar onwaarschijnlijke verdachte.

Het afslachten van prostituees ging met tussenpozen nog bijna tien jaar lang door. De moordenaar kreeg steeds meer minachting voor zijn slachtoffers en hij ontnam ze hun laatste menselijke waardigheid door lichaamsdelen te verwisselen en te combineren, zodat ledematen en organen van een aantal vrouwen samen in plastic zakken bij het vuil langs de kant van de weg werden aangetroffen. Toen de lijkschouwer aan de hand van forensisch bewijsmateriaal van een slachtoffer in 1964 tot de conclusie kwam dat er bij de dissectie gebruik was gemaakt van een laser, dook de politie nog eens in hun eigen dossiers en ontdekte dat Dergraav naar Parijs was geweest – alweer – om te leren hoe het toen nog experimentele instrument bij oogoperaties kon worden toegepast. Dat leek vreemd, aangezien Dergraav geen oogarts was, en hij werd opnieuw ondervraagd. Dergraav deelde hun mee dat hij een opleiding tot oogarts had genoten, overlegde de documenten die dat bewezen en beweerde dat hij overwoog om weer over te schakelen naar zijn oude specialisme, vanwege de grote beloften die de lasertechniek inhield voor het verwijderen van hoornvliesweefsel.

De politie vroeg of ze zijn kantoor mochten doorzoeken.

Daar hadden ze de toestemming van de dokter voor nodig, omdat er geen enkele reden bestond voor het uitvaardigen van een huiszoekingsbevel. Glimlachend en charmant wees Dergraav het verzoek af. Tijdens de ondervraging schoot hij in de lach en vertelde de rechercheurs dat ze de plank volkomen missloegen. Híj gebruikte de laser alleen voor studiedoeleinden en het apparaat was zo duur dat hij het zich niet kon veroorloven er een aan te schaffen. Bovendien was hij op gynaecologisch gebied gespecialiseerd in de chirurgische behandeling van vaginodynie, pijnlijke krampen in de vagina die onder andere door ontstekingen werden veroorzaakt. Hij was arts, het was zijn roeping pijn te verlichten, niet te veroorzaken.

De politie vertrok onverrichter zake. Drie dagen later werden de kantoorsuite van Dergraav en zijn huis leeggehaald, afgesloten en grondig schoongemaakt, zodat alle vingerafdrukken waren verdwenen. De dokter en zijn gezin waren gevlogen.

Dergraavs vrouw dook een jaar later weer op, eerst in Engeland en vervolgens in New York, waar ze desgevraagd meedeelde dat ze niet op de hoogte was van de handel en wandel of de verblijfplaats van haar echtgenoot. Ze vroeg een scheiding aan en nadat die was uitgesproken veranderde ze haar naam en verdween voorgoed uit het zicht. Colin Pugh vermeldde dat het vermoeden bestond dat de dokter door Amerikaanse ambtenaren het land was binnengesmokkeld, als vergoeding voor de medewerking die ze in de oorlog van zijn vader hadden gehad. De in Oslo gestationeerde diplomaat had zijn nazi-meesters bedrogen en cruciale inlichtingen doorgespeeld aan de geallieerden. Maar dit was niet meer dan een gerucht en in de tijd daarna werd Gerd Dergraav overal gesignaleerd, behalve in de Verenigde Staten: in Zwitserland, Portugal, Marokko, Bahrain, Beirut, Syrië en Brazilië.

De laatste twee verblijfplaatsen werden bevestigd. In het begin van de jaren zeventig wist Dergraav zich toegang te verschaffen tot Rio de Janeiro met behulp van een Syrisch paspoort op zijn eigen naam en slaagde erin de Braziliaanse nationaliteit te verwerven. Hij was hertrouwd, had een kind bij zijn tweede vrouw en woonde openlijk in Rio, waar hij een villa aan het strand van Iponema had gekocht en vrijwillig zijn diensten aanbood bij een mensenrechtenorganisatie die gratis medische hulp verstrekte aan de bewoners van de *favellas*, de stinkende sloppenwijken van de stad.

Dergraav zwom, zonnebaadde, at goed (Argentijnse biefstuk had zijn voorkeur) en werkte onvermoeibaar zonder ervoor betaald te worden. Bij de strijders voor de mensenrechten en de *favellitos* werd hij bekend als de Witte Engel – een eerbetoon aan zowel zijn blanke huid als zijn sneeuwwitte ziel.

In de periode dat hij in Rio woonde, begonnen de prostituees uit die stad dood en aan stukken gesneden op te duiken.

Dergraavs tweede moordtermijn duurde opnieuw tien jaar. Uiteindelijk werd hij door een simpele samenloop van omstandigheden in de kraag gevat. Het geschreeuw van een prostituee die hij probeerde te wurgen trok de aandacht van een stel straatschooiers uit de aangrenzende achterbuurt en Dergraav vluchtte onder dekking van de nacht. De boeven benutten de hulpeloosheid van de gebonden en geknevelde vrouw voor een groepsverkrachting, maar ze lieten haar in leven. Na aanvankelijk geaarzeld te hebben, gaf ze de dokter aan bij de politie.

Dergraavs huis werd doorzocht door rechercheurs uit Rio, die zich in tegenstelling tot hun Duitse collega's weinig aantrokken van de juiste gerechtelijke procedures. De verzameling videobanden werd ontdekt, met inbegrip van de band waarop de dokter het lichaam van een vrouw met behulp van een laserscalpel tot veertig brokken vlees reduceerde. In de film deed Dergraav mondeling verslag van de verminking en beschreef de procedure alsof hij een normale operatie uitvoerde. Er werd ook een suède doos vol vrouwensieraden aangetroffen, plus een met houtsnijwerk versierd palissander kistje, rammelend van wervels, tanden en vingerkootjes.

Terwijl hij in de Salvador de Bahia-gevangenis zat te wachten op zijn proces, hing Dergraav twee jaar lang de charmeur uit. Cipiers brachten internationale kranten, literaire tijdschriften en wetenschappelijke uitgaven voor hem mee. Zijn maaltijden werden verstrekt door een cateringbedrijf. Omdat hij beweerde dat hij zich zorgen maakte over zijn cholesterolgehalte at Dergraav meer kip dan rundvlees.

Het gerucht ging dat het niet lang meer zou duren voordat een aanzienlijk bedrag van eigenaar verwisselde en de dokter in het holst van de nacht gedeporteerd zou worden naar het Midden-Oosten. Maar toen het nieuws van zijn arrestatie de Duitse overheid ter ore kwam, diende die een verzoek tot uitlevering in, dat werd gehonoreerd. Het bleek een tijdrovende procedure te zijn en Dergraav werd nog steeds regelmatig in zijn witte tropenpak op de binnenplaats van de gevangenis gesignaleerd, minnekozend met zijn vrouw en spelend met zijn kind.

Ten slotte kregen de Duitse autoriteiten hun zin. De dag nadat het verzoek tot uitlevering was geratificeerd stopte Dergraav het kijkgaatje in zijn celdeur dicht met kauwgom, scheurde zijn gevangeniskleren aan repen, knoopte daar een touw van en hing zich op. Hij was bijna zestig, maar zag eruit als een man van veertig. De cipier die hem vond, vertelde dat het lijk van de Witte Engel een gezonde, vredige indruk had gemaakt.

Bijna op de kop af zeventien jaar geleden was de as van Gerd Dergraav uitgestrooid boven zee.

40

Zeventien jaar geleden en ineens schoot Jeremy weer iets te binnen.

Het eerste artikel over de laser was in datzelfde jaar gepubliceerd.

De auteurs: Noren, Russen en een Engelsman. Hij controleerde de namen nog een keer. Geen Dergraav.

Het was de dátum waar hij op moest letten. En de plaats van herkomst: Oslo.

Zeventien jaar geleden had een moordlustige arts zich opgehangen.

Laserchirurgie, zelfmoord onder artsen.

Oslo, Parijs en Damascus via Berlijn.

Gerd Dergraav was geboren in Oslo, waar hij ook zijn opleiding had gehad, vervolgens had hij zich in Parijs gespecialiseerd in vrouwenchirurgie en was daarna in Berlijn gaan wonen, waar hij aan de lopende band had gemarteld en gemoord.

Om vervolgens naar Damascus te vluchten.

Arthur en zijn plaatsvervangers hadden het bloedige pad van de Laserslager gevolgd.

Hoe lang zou het duren voordat er een ansicht uit Rio kwam? Een mooie opname van het Suikerbrood of van het witte zand van Ipanema of een ander Braziliaans vergezicht?

Dr. C.,
Op reis en ik kom steeds meer te weten.

De kaarten hadden het traject uitgestippeld, de artikelen hadden de leemtes opgevuld. Laserchirurgie van de ogen, omdat Dergraav aanvankelijk oogarts was geweest, voordat hij overstapte naar KNO, waar de enveloppen vandaan kwamen.

Met lasers uitgevoerde vrouwenoperaties om de laatste stap in de carrière van Dergraav aan te geven: vrouwenarts. Vrouwenmoordenaar.

Wat hadden die Engelse meisjes ermee te maken? Toen zij vermoord werden, was Dergraav allang dood.

Waarom al die aandacht voor iemand wiens as zeventien jaar geleden in een warme, gastvrije oceaan was verdwenen?

Daarna herinnerde hij zich de avond dat hij met Arthur een borrel was gaan drinken. Het collegiale onderonsje in het Excelsior waarop de oude man zo had aangedrongen. En waar hij dat verhaal had verteld dat nergens op leek te slaan. Roofzuchtige insecten die zich ingroeven onder de huid van hun slachtoffer om hun parasitaire nakomelingen achter te laten.

De moraal, die hij zelf uit dat verhaal had gehaald.

De erfzonde.

Arthurs favoriete onderwerp: de oorsprong van bijzonder kwalijk gedrag.

Toen Gerd Dergraav Duitsland ontvluchtte, was zijn vrouw naar Amerika gegaan, waar ze haar naam had veranderd en was ondergedoken in de fantastische Amerikaanse vrijheid.

Samen met haar zoon.

Dergraav.

Dirgrove.

Arthur had het hem op een presenteerblaadje aangeboden. Omdat hij wilde dat Jeremy het zou begrijpen.
De zoon was hier.

Nu wist Jeremy dat wat hij aanvankelijk instinctief vermoedde ook waar was geweest. Die dag in de kantine zat Arthur Dirgrove wel degelijk te bestuderen.
En Dirgrove zelf had Jeremy al een tijdje bestudeerd.
Hij had Jeremy en Angela in de gaten gehouden en gevolgd. Zo'n begripvol type, altijd bereid om naar een arts-assistent te luisteren als die daar behoefte aan had. Ongetwijfeld waren zijn patiënten dol op hem... Een mooi voorbeeld van geërfde charme. Merilees moeder was helemaal weg van hem, maar Merilee was er niet ingetrapt.
Dirgrove de Griezel. Net een robot.
En nu was Merilee dood.
Had Begripvolle Ted een verborgen camera in zijn spreekkamer? Met de hedendaagse technologie was dat een stuk gemakkelijker te realiseren dan in zijn vaders tijd. Nu was alles op miniatuurformaat en gedigitaliseerd.
De dochter uit de weg geruimd om de moeder te veroveren.
Veroveren... daar draaide alles om. Dirgrove had Angela alleen maar uitgezocht omdat ze al een vriend had.
Zoals apen andere apenkolonies overvielen, de mannetjes uitmoordden en de vrouwtjes meekaapten, deden sommige mensen hetzelfde onder de dekmantel van oorlog, religie of elk ander dogma dat toevallig voorhanden was.
En andere mensen hadden niet eens een excuus nodig.
Plotseling kwam er een gedachte bij Jeremy op waar hij kotsmisselijk van werd.
Begripvolle Ted en Jocelyn.
Nu hij de moordenaar van zijn vriendin had geïdentificeerd en de hele walgelijke toestand begreep, was Jeremy ineens weer net zo kapot van verdriet als de dag dat hij het had gehoord en hij kon zijn tranen niet bedwingen. Hij kreeg een rood waas voor zijn ogen, wankelde en wist met moeite op de been te blijven.

Hij liep naar het raam en gooide het open om de muffe lucht uit de luchtkoker binnen te laten. Hij bleef staan en luisterde naar het gerommel van een generator, flarden van stemmen en de wind. Zijn hart ging tekeer, zijn ademhaling schuurde. Een schreeuw bleef in zijn keel steken.

Jocelyn, die van hem afgepakt was. Alleen maar omdat ze hem had.

En nu had Dirgrove zijn vizier op Angela gericht.

Hij dwong zichzelf kalm te blijven. Starend naar de luchtkoker zette hij alles op een rijtje.

Moorden en een lijk ontleden was eten en drinken voor een monster. Een lief meisje als Jocelyn vormde het hoofdgerecht, de straatmadelieven waren hapjes tussendoor.

Angela... bij wijze van dessert?

Nee, er zou nooit een eind komen aan het banket, tenzij de eter zich verslikte.

Hij dacht na over Dirgroves techniek. Hij had Angela door middel van begrip naar zich toe gelokt. Omdat hij anders was dan de rest van de chirurgen.

Dezelfde smoes die zijn vader had gebruikt. Hoe oud was Charmante Ted ook alweer geweest toen zijn vader zich verhing? Achter in de twintig. Nog maar net de puberteit ontgroeid, een volwassen man op het toppunt van zijn seksuele ontwikkeling, met sterke drijfveren.

Zich wel bewust van de drijfveren van zijn vader.

De oorsprong van bijzonder kwalijk gedrag.

Een intelligente man, een voorzichtige man. Hij had zijn poging om Angela te versieren met chirurgische precisie voorbereid. Hij had haar uitgenodigd om naar hem toe te komen voor een college medicijnen en alle tijdschriften, met de juiste bladzijden gemarkeerd, keurig op zijn bureau uitgestald.

Angela, de eeuwige brave leerling, begint te lezen en hij gaat achter haar staan.

Ik kan je heel gelukkig maken.

Was dat gewoon de voorbereiding geweest – een hors d'oeuvre – voor zijn uiteindelijke plan?

Had Dirgrove Jocelyn op dezelfde manier aangepakt? Ze had het met Jeremy nooit over hem gehad, maar waarom zou ze? Er was niets normalers dan een gesprek tussen een chirurg en een verpleegkundige.

Zou Dirgrove iets te maken kunnen hebben gehad met de neurologische patiënten van Jocelyn? Jawel, als een van hen hartproblemen had gekregen.

Was het mogelijk dat hij had geprobeerd om Jocelyn te versieren en dat zij geen zin had gehad om dat aan Jeremy te vertellen?

Er werd altijd gezegd dat je je leven met elkaar deelde, maar...

Jocelyn was bijzonder gehecht geweest aan haar patiënten. Een arts die net deed alsof hij hetzelfde voor hen voelde, zou diepe indruk op haar hebben gemaakt.

Jocelyn mocht dan een gehaaide tante zijn geweest, maar in feite was ze zo onschuldig als een kind.

Een gemakkelijke prooi.

Een chirurg die laat op de avond op de parkeerplaats van de verpleegkundigen opdook, wuivend en lachend, zou bij Jocelyn geen spoor van angst hebben opgeroepen. Ze was altijd veel te goed van vertrouwen geweest en had Jeremy uitgelachen toen hij had gesuggereerd dat ze beter niet alleen naar haar auto kon lopen.

Een vermoeide, in witte jas gehulde strijder die zich na een slopende dag op de afdeling langzaam naar haar toe sleepte, zou onmiddellijk verzekerd zijn geweest van Jocelyns medeleven.

Hij gaat naar haar toe en ze staan even te babbelen.

Dan grijpt hij zijn prooi.

Toen hij er langer over nadacht, raakte hij er langzaam maar zeker van overtuigd dat Dirgrove ook met hem had gespeeld. Door hem te vragen naar Merilee Saunders toe te gaan, zonder Merilee daarvan op de hoogte te brengen. In de wetenschap dat Jeremy geconfronteerd zou worden met woede en tegenwerking, zodat hij uiteindelijk het gevoel zou hebben dat hij een mislukkeling was.

Om hem vervolgens te tarten met de mededeling dat hij echt had geholpen.

Een boodschap die hem via Angela werd doorgegeven.

Het verzoek om assistentie was een smoes geweest.

Of iets veel ergers? Was dat hele verhaal van Dirgrove over het risico van een ongecontroleerde piek gewoon een poging geweest zich in te dekken, omdat hij heel goed wist wat er in de operatiekamer zou gebeuren?

Was Merilee bang geweest voor de operatie omdat ze instinctief had gevoeld dat er iets mis was met de chirurg?

Hij is een hark... Behalve als hij iemand om zijn vinger wil winden. Mijn moeder is dol op hem.

Dirgrove had niet eens de moeite genomen om Jeremy op de hoogte te brengen van de ramp in de operatiekamer. Hij had het hem tussen neus en lippen door in de kantine verteld, waar hij met Angela had zitten praten.

Hoe had hij dat voor elkaar gekregen? Met een vrijwel onzichtbare beweging van zijn pols nadat hij de borst had opengemaakt, het bot had doorgezaagd, de hartzak had blootgelegd en zijn vingers er gretig in had gestoken om die kloppende pruim te pakken – die gepelde tomaat – die de voedingsbodem was van Merilees ziel?

Wat is het ergste dat me kan overkomen? Dat ik erin blijf?

Jeremy had over vijf minuten een afspraak met Doug Vilardi. Hij maakte een omweg over de begane grond van de administratieve vleugel, liep naar het kantoor van de medische staf en vroeg aan de secretaresse of hij even een blik mocht werpen op zijn eigen cv dat in het archief zat.

'Dat van uzelf, dokter?'

'Ik wil even kijken of jullie wel de laatste versie hebben.' Zijn mond was droog van van de zenuwen. Hij hoopte dat zijn vraag geloofwaardig overkwam en dat ze niet de moeite zou nemen om zijn cv uit de ringmap te halen, maar hem de hele map zou geven.

'Alstublieft, dokter.'

Ja!

Hij nam de map mee naar een stoel aan de andere kant van

het vertrek, ging zitten, bladerde tot hij bij cardiochirurgie was en toen de secretaresse een privé-telefoontje kreeg, scheurde hij het recentste cv van Theodore G. Dirgrove uit de map, vouwde de velletjes haastig op en stopte ze in zijn zak.

Hij liep snel naar het dichtstbijzijnde herentoilet en sloot zich in een van de wc's op. De opgevouwen papieren brandden in zijn zak en hij trok ze ongeduldig te voorschijn.

Theodore *Gerd* Dirgrove. Geboren in Berlijn, Duitsland, op 20 april 1957.

Dat klopte precies met de levensloop van de Laserslager die Colin Pugh had beschreven: eind jaren vijftig was hij getrouwd met een vrouw uit de hoogste kringen en kort daarna was zijn kind geboren.

Dirgrove vermeldde dat hij opgegroeid was in Baltimore en dat hij een universitaire vooropleiding en een studie medicijnen had gevolgd aan een exclusieve universiteit aan de Oostkust. Niet hetzelfde met klimop begroeide bolwerk waar Norbert Levy machinebouwkunde en natuurkunde had gedoceerd, maar een instituut dat daar grote gelijkenis mee vertoonde.

Studieprijzen, cum laude afgestudeerd, de gebruikelijke horden.

De smeerlap had een behoorlijk aantal artikelen gepubliceerd in vaktijdschriften voor heelkunde. Angela had verteld dat hij een lezing had gehouden over transmyocardiale revasculatie en dat stond hier ook bij, kennelijk omdat het een van Dirgroves specialiteiten was.

Transmyocardiale laserkanalisering ten behoeve van revasculatie.

Misschien had hij dat wel zitten demonstreren tegenover Mandel en de donkere, besnorde man. Pronkend met zijn techniek, trots op zijn virtuositeit met het instrument dat zijn vader zo creatief had aangewend.

Een Humpty Dumpty toestand...

Jeremy las het cv snel door en daarbij viel hem nog iets anders op.

De afgelopen zes jaar was Dirgrove gedurende de zomer in Londen geweest, om bypass-chirurgie te doceren aan het Kings College of Medicine.

Zes zomers geleden was Bridget Sapsted in Kent ontvoerd en vermoord, op een paar uur rijden van de hoofdstad, en haar geraamte was twee jaar later teruggevonden, nadat haar vriendin Suzie hetzelfde lot had ondergaan.

Tijdens beide moorden was Dirgrove in Engeland geweest.

Daarom had Jeremy's vraag over chirurgische precisie de belangstelling gewekt van inspecteur van recherche Nigel Langdon (gep.). En die had ongetwijfeld zijn opvolger, inspecteur Michael Shreve, gebeld. En Shreve had de moeite genomen om Jeremy terug te bellen. Niet om hem inlichtingen te geven, maar om hem het hemd van het lijf te vragen. En vervolgens had Shreve zijn Amerikaanse collega Bob Doresh opgespoord en hem gewaarschuwd.

Met als gevolg dat Doresh prompt bij Jeremy's kantoor had aangeklopt.

Langdon en Shreve waren allebei naar Oslo geweest. Vakantiereisjes? Of waren de Britse speurneuzen bekend met de bijzonderheden van de reeks afschuwelijke moorden die Gerd Dergraav had gepleegd en beseften ze dat er grote gelijkenis bestond met de moorden in Kent?

En nu die reeks moorden in Amerika.

Hoeveel daarvan was tot Doresh doorgedrongen? De man maakte een klunzige indruk, maar Jeremy kon zich nog goed herinneren wat zijn eerste indruk was geweest van Doresh en zijn partner, Hoker. Ogen die niets ontgingen.

Maar nu ontging hen toch een heleboel.

Waarom verdenken ze míj nog steeds?

Omdat bureaucratie boven creativiteit ging en het middel belangrijker was dan het doel.

Het had geen zin om contact op te nemen met Doresh of zijn soortgenoten. Ondanks alles wat Jeremy wist – de nachtmerrieachtige feiten waarvan hij zéker was – had het geen zin om de weerspannige rechercheur op de hoogte te brengen. Sterker nog, het zou Jeremy alleen maar verdachter maken.

Geweldige theorie, dok. Goh… u bent echt geïnteresseerd in dat soort smerige praktijken, hè?

Hij zou er niets mee opschieten, als hij de normale weg bewandelde.

Hij moest armslag hebben.

En in een flits besefte hij plotseling dat juist dat ook de bedoeling was. Van Arthurs correspondentie en van de mededelingen die de oude man hem zelf of via zijn vrienden van CCC had toegestuurd.

De essentie van het hele etentje.

De suggestie van Tina Balleron dat hij doelgericht moest blijven.

Denk aan de jan-van-genten, die gewoon automatisch het juiste doen.

Slechte dingen gebeurden nu eenmaal en maar al te vaak was het middel belangrijker dan het doel. De wet eiste bewijzen en een correcte procedure, maar deed weinig om de zaken recht te trekken.

Echtgenoten werden vermoord aan hun eigen bureau zonder dat de moordenaars zich voor de rechter hoefden te verantwoorden. Vreedzame geestelijk leiders werden op smerige parkeerterreinen neergeknald, vermogens werden geroofd, hele families – hele rassen – werden uitgeroeid, zonder dat iemand daar de prijs voor hoefde te betalen.

Een nietige blonde schoonheid die geboren was om te lachen kon zo gemakkelijk overweldigd worden…

Je kon er niet op rekenen dat anderen de zaken rechtzetten.

Arthur had zeker geweten dat Jeremy dat zou begrijpen, omdat Jeremy het allemaal zélf had meegemaakt.

Terwijl hij daar op die wc zat, werd hij overspoeld door een gevoel van vrede.

Pathologie en psychologie stonden lijnrecht tegenover elkaar, maar dat was niet belangrijk. Wat telde, was de beproeving.

Het oorlogszwaard zal de wereld teisteren indien het recht niet wordt toegepast.

Een tweeduizend jaar oude leerrede van de Vaderen, die niet op een beter moment had kunnen komen.

Een blik op zijn horloge riep hem tot de orde.
De voor de tweede keer getroffen Doug Vilardi wachtte op hem. Een ander soort beproeving.
Maar dit soort verdriet was tenminste iets waar Jeremy dankzij zijn opleiding mee om kon gaan.
Woorden. Strategische pauzes, een vriendelijke blik in de ogen. Geméénd.
Maar dat was niet genoeg, lang niet genoeg...
Ik kom eraan, slachtoffers van de wereld. God helpe ons allemaal.

41

Doug zag er echt uit als een patiënt.
Hij lag aan het infuus voor zijn chemokuur, nog steeds goed gehumeurd en druk pratend, maar zijn gezicht was pips.
Zijn prothese lag gehuld in een hoes van vinyl op de vloer.
Jeremy ging zitten, praatte over koetjes en kalfjes en probeerde hem zover te krijgen dat hij over metselen begon. Maar Doug liet zich niet afleiden.
'Weet u wat me dwarszit, dok? Twee dingen. Ten eerste dat ze andere lui hun chemokuur thuis laten doen, terwijl ze mij hier vast willen houden.'
'Heb je aan dokter Ramirez gevraagd waarom dat zo is?'
'Ja, mijn milt is naar de filistijnen. Die moeten ze er misschien wel uithalen.' Hij grinnikte. 'Ik mag niks zwaars tillen, anders kan ik uit elkaar klappen en dat zou een hoop troep maken.' De glimlach ebde weg. 'En met mijn lever is het ook niet best. Kijk maar.'
Hij trok zijn ooglid omlaag. Het wit van zijn ogen was groenachtig beige.
'Dus dat biertje kun je wel op je buik schrijven,' zei Jeremy.
'Ja, jammer... Hoe gaat het verder met u?'
'Je zei dat er twee dingen waren die je dwarszaten.'

'O, ja. Het tweede is, dat iedereen verdomme veel te aardig voor me is. Dat vind ik doodeng. Het is net alsof ze denken dat ik doodga, of zo.'

'Als je dat prettig vindt, kan ik wel een opdracht uitvaardigen,' zei Jeremy. '"Iedereen is verplicht om vervelend tegen Doug te doen."'

De jongeman lachte. 'Ja, doe dat maar... Dus met u gaat het goed, dok?'

'Prima.'

'U ziet er anders een beetje... hoe zal ik het zeggen... een beetje weggetrokken uit. Laten ze u te hard werken?'

'Het oude liedje.'

'Ja... Ik wilde u niet beledigen, hoor, met die opmerking dat u er moe uitziet. Het kan ook best aan mij liggen, misschien zie ik het allemaal niet zo goed. Maar het is wel zo dat ik, toen ik u gisteren na al die jaren weerzag, dacht: die vent is helemaal niet veranderd. Het was precies zoals toen ik u voor het eerst leerde kennen en ik nog maar een knulletje was en u volwassen. Maar nu ben ik zelf volwassen en u bent eigenlijk nauwelijks veranderd. Het lijkt wel... hoe zeggen ze dat ook alweer, dat het leven steeds minder snel gaat als je ouder wordt? Is het dat?'

'Dat zou kunnen,' zei Jeremy.

'Ik denk dat het afhangt van de lol die je in het leven hebt,' zei Doug.

'Wat bedoel je daarmee?'

'U weet toch wel wat er altijd gezegd wordt? De tijd vliegt als je plezier hebt. Mijn leven ging als een speer, tsjak, tsjak, tsjak. Het een na het ander, allemaal avonturen. De ene dag sta ik een muur op te trekken en dan... en nu is er een baby op komst.' Hij wierp een blik op de naald die in zijn hand stak. 'Ik hoop dat ze me snel beter maken. Ik moet hier zo snel mogelijk vandaan. Ik heb massa's dingen te doen.'

Toen hij in slaap was gesukkeld, liep Jeremy de kamer uit en liep Dougs ouders en zijn vrouw tegen het lijf. Met als gevolg dat ze een uur lang in de cafetaria zaten, waar Jeremy koffie en iets te eten voor het drietal haalde. Ze protesteerden een beetje en bedankten hem uitgebreid. De jonge Marika deed haar mond nauwelijks open. Ze leek nog steeds verbijsterd en meed Jeremy's ogen toen hij probeerde contact met haar te krijgen.

Doug Vilardi sr. probeerde uit alle macht de moed erin te houden. Zijn vrouw leek dat nogal vermoeiend te vinden, maar ze liet hem begaan. Het grootste deel van het uur werd gevuld met nietszeggend gebabbel.

Toen Jeremy opstond om weg te gaan, volgde Dougs moeder zijn voorbeeld. Ze liep samen met hem de cafetaria uit en zei: 'Ik heb nooit eerder zo'n dokter als u ontmoet.' Daarna pakte ze Jeremy's gezicht in haar handen en gaf hem een kus op zijn voorhoofd.

Een moederlijke kus. Het deed Jeremy denken aan iets dat hem lang geleden was overkomen. Alleen wist hij dat niet zeker.

Hij bezocht zijn andere patiënten en haalde Angela af bij de afdeling longziekten, waar ze haar laatste dag had doorgebracht. Hij trof haar in het gezelschap van drie andere arts-assistenten met wie ze op weg was naar een of andere vergadering. Door haar met opgetrokken wenkbrauwen aan te kijken wist hij haar los te weken van de groep en nam haar mee naar een lege kamer van de verpleegkundige staf.

'Hoe gaat het met je?'

'Prima.' Ze beet op haar lip. 'Ik heb nog eens goed nagedacht over wat er is gebeurd. Ik geloof dat ik me een beetje aangesteld heb.'

'Helemaal niet,' zei Jeremy. 'Het is gebeurd en het deugde voor geen meter.'

'Nou ja, dat is niet bepaald een prettig idee.'

'Het is echt gebeurd, Angela.'

'Ja, natuurlijk. Daar heb ik ook geen moment aan getwijfeld, maar...'

'Dat zei ik alleen maar om je nog eens met de neus op de feiten te drukken,' zei hij. 'Omdat je je anders misschien gaat afvragen of het wel echt is gebeurd. Dat is heel normaal in een fase van ontkenning.'

'Doe ik dat dan?' Haar donkere ogen schoten vuur.

'Het was geen verwijt. Ontkenning is geen teken van zwakte... geen neurotische toestand. Het hoort gewoon bij het leven, een natuurlijk afweermechanisme. Het is heel gewoon dat je brein en je lichaam zichzelf in bescherming nemen. Verzet je daar niet tegen. Misschien verras je jezelf wel door je gelukkig te voelen. Geef er maar lekker aan toe.'

'Misschien verras ik mezelf wel?' herhaalde ze. 'Wat is dat nu weer, een of andere vorm van posthypnotische suggestie?'

'Het is een redelijke veronderstelling.'

'Ik voel me in de verste verte niet gelukkig.'

'Vroeg of laat komt dat weer terug. Het nare gevoel gaat voorbij. Maar het is wel gebeurd.'

Angela keek hem met grote ogen aan. 'Wat een hoop goede raad.'

'In dat opzicht kan ik je nog iets vertellen,' zei Jeremy. 'Blijf bij hem uit de buurt. Hij deugt niet.'

'Wat bedoel je daar...'

'Gewoon dat je bij hem uit de buurt moet blijven.'

'Daar hoef je je geen zorgen over te maken,' zei ze. 'Vanmorgen tijdens zijn ronde kwam hij in de gang recht op me af lopen. Maar ik ging niet opzij en toen hij me zag, veranderde hij van richting. Hij draaide zich om en liep naar de andere kant. Hij maakte een omweg om mij te vermijden. Dus hij maakt zich juist zorgen over mij, snap je.'

Als je eens wist. 'Laten we het zo houden.'

'Waar heb je het over, Jeremy? Denk je soms dat ik hem niet aankan?'

'Ik weet zeker dat je dat wel kunt. Probeer nou maar gewoon om hem te ontlopen. Luister naar me. Alsjeblieft.' Hij pakte haar bij haar schouder en trok haar naar zich toe.

'Ik begin een beetje bang te worden.'

Goed zo.

'Als je voorzichtig bent, hoef je nergens bang voor te zijn. Beloof me dat je bij hem uit de buurt blijft. En pas goed op jezelf.'

Ze maakte zich los. 'Jeremy, je jaagt me echt de stuipen op het lijf. Wat is er aan de hand?'

'Hij deugt niet, meer kan ik niet zeggen.'

'Hoezo? Vanwege die hartpatiënte die is overleden? Heb je daar iets over gehoord?'

'Dat zou er best deel van uit kunnen maken.'

'Deel van... god, wat is er aan de hand?'

'Niets,' zei hij.

'Eerst val je me met al die enge uitspraken op mijn dak en nu wil je niets meer zeggen? Wat bezielt je?'

'Je werkt nu niet meer op de longafdeling, dus zoveel moeite zal het je niet kosten. Doe nou maar gewoon je werk en blijf bij hem uit de buurt.' Hij lachte even. 'En je mag geen snoepjes van vreemde mannen aanpakken.'

'Dat is helemaal niet grappig,' snauwde ze. 'Je kunt niet zomaar...'

'Denk je soms dat ik je overstuur wil maken?' vroeg hij.

'Nee... ik weet het niet. Ik wou dat ik wist wat je bezielde. Waarom wil je me niet vertellen wat er aan de hand is?'

Daar stond hij even over na te denken.

'Omdat ik er niet zeker van ben.'

'Van Dirgrove?'

'Van wat hij allemaal gedaan heeft.'

'Allemaal.' Ze kreeg een harde blik in haar ogen. 'Dit gaat over haar, hè? Over Jocelyn. En probeer nou maar niet je mond te houden, zoals de vorige keer toen ik over haar begon. Ik weet dat je door een hel bent gegaan en ik weet ook dat ik het nooit echt zal kunnen begrijpen. Maar na wat er allemaal tussen ons gebeurd is – nadat we in zo'n korte tijd zo naar elkaar zijn toegegroeid – kun je me toch wel genoeg vertrouwen om geen barrières op te werpen, vind je ook niet?'

Jeremy's hoofd bonsde. Hij had haar het liefst in zijn armen genomen om haar te kussen, maar hij wilde ook dat ze zo gauw mogelijk zou verdwijnen. 'Het is geen kwestie van dichtslaan,' zei hij zacht. 'Alleen is er niets om over te praten. En dit is ook niet het juiste moment.'

'Niets,' zei ze. 'Je maakt zoiets mee en dan is er niets om over te praten?'

Jeremy gaf geen antwoord.
'Dus zo staan de zaken?' zei ze.
'Voorlopig wel.'
'Oké,' zei ze. 'Jij bent degene die alles afweet van menselijke emoties. Ik moet ervandoor. Je greep me in mijn kraag toen we net op het punt stonden om een gesprek met de baas te hebben. Over tropische longziekten. Misschien ga ik wel een tijdje stage lopen in een of andere kliniek in de rimboe.'
Jeremy had het gevoel dat er een nest wriemelende insecten in zijn hoofd zat.
'De rimboe,' zei hij. 'Dat lijkt me een interessante plek.'
Ze staarde hem aan alsof hij niet goed wijs was, liep zonder hem aan te raken naar de deur en rukte die met geweld open.
'Wanneer heb je weer vrij?' vroeg hij.
'Voorlopig niet,' zei ze zonder om te kijken. 'Je weet toch hoe het gaat. Het werkschema.'

Hij werkte zijn dossiers bij, praatte met Ramirez over Doug Vilardi en belde Angela's pieper via een toestel op Vijf West. Geen antwoord. Toen hij terug was in zijn eigen kantoor probeerde hij het nog een keer. Maar zijn eigen pieper bleef stil. Vervolgens belde hij de balie van de verpleegkundigen op de longafdeling, de kleedkamer van de arts-assistenten en het kantoor van de interne staf. Nul op het rekest.
Het was inmiddels twee uur geleden dat hij haar boos had gemaakt en hij miste haar nu al.
Alleenzijn was ineens heel anders. Het maakte niet langer deel uit van zijn persoon, het was een soort geamputeerd gevoel geworden.
Na twee uur kon je iemand nog niet missen. Belachelijk.
En als Angela hem een poosje op afstand zou houden, was dat maar beter ook. Zolang ze maar deed wat hij tegen haar had gezegd en uit de buurt bleef van Dirgrove.
Hij had het idee dat ze dat wel zou doen, want ze was bijzonder intelligent en evenwichtig.
Hij dacht aan de dwangmatige rituelen waarover ze hem had verteld.

Een gedreven vrouw. Des te beter. Uiteindelijk zou haar gezonde verstand zegevieren en daar zou ze zich aan houden.

Trouwens, hij moest een tijdje alleen zijn.

Hij had werk te doen.

42

Nachtwerk.

Jeremy zorgde ervoor dat niemand hem in de gaten kon houden door op onregelmatige uren te werken en het ziekenhuis binnen te gaan door een andere, afgelegen achteringang – een deur van het souterrain die toegang gaf tot een laadvloer. Een van die onvermijdelijke, vergeten plekjes van een gebouw dat zo oud en zo uitgestrekt was als het City Central. Op dezelfde verdieping als pathologie en het mortuarium, maar in de andere vleugel. Hier moest hij langs de wasserij, de boilerruimte, elektriciteitstoestanden en het archief voor verlopen patiëntendossiers.

De ingewanden. Dat beviel hem wel.

Hij hield zich aan een bepaald schema: hij bezocht op de afgesproken tijden Doug en zijn andere patiënten, maar hij verliet de afdeling via het trappenhuis in plaats van de lift te nemen.

Hij haalde geen koffie en at ook niet in de artsenkantine of in de cafetaria. Als hij honger had – wat zelden voorkwam – ging hij patat of ander junkvoer kopen. Zijn huid werd vet, maar dat was de prijs die je daarvoor moest betalen.

Toen hij een keer een portie patat naar binnen zat te werken zonder iets te proeven, dacht hij: Dit is wel heel iets anders dan *foie gras*. Maar dat goedkope eten vulde zijn maag net zo goed, hoor. Misschien was hij helemaal niet voorbestemd voor duurdere dingen.

Iedere dag liep hij tegen de avond zijn post door, maar hij

kreeg geen kaarten van Arthur en geen verrassingen in interne enveloppen meer.

Ze weten dat ze me voldoende informatie hebben gegeven.

Als hij het ziekenhuis verliet, zette hij het volledig uit zijn hoofd. Dan concentreerde hij zich op zijn nachtwerk. Rijden.

Hij toerde rond door de met afval bezaaide, smalle straatjes van Iron Mount, langs de pandjeshuizen, de bureaus voor rechtsbijstand, de hulpposten en de goedkope kledingzaakjes waarmee de achterbuurt vol zat. Een paar keer maakte hij de tocht naar Saugatuck Finger, waar hij ondanks de vrieskou zijn schoenen uittrok en op blote voeten over het harde, natte zand liep. Op de plaats van het misdrijf was niets meer te zien, alleen strand, water, meeuwen en sjofele picknicktafels. Achter de landtong rezen de hoge bomen op, die de moordenaar van een volmaakte achtergrond hadden voorzien.

Beide keren bleef hij maar heel even, stond naar het kabbelende, smerige water te kijken en vond hier een dode krab en daar een verweerde steen. Toen het begon te regenen, een bui die zo kil was dat het bijna op natte sneeuw begon te lijken, liep hij blootshoofds verder door de striemende vlagen.

Af en toe maakte hij een rondje over het industrieterrein dat de twee moordplaatsen van elkaar scheidde en vroeg zich af waar de volgende vermoorde vrouw zou worden aangetroffen. Hij reed rond zonder zich te verbergen, terwijl de gouwe ouwen uit de radio van de Nova schalden. Zijn gedachten werden in beslag genomen door afgrijselijke dingen.

Als het donker was geworden, nam hij de toeristische route naar het noorden. Dezelfde weg die hem uiteindelijk bij de hekken van de Haverford Country Club had gebracht, voor dat korte, koele gesprekje met Tina Balleron. Dit keer reed hij niet door tot hij bij de dure landhuizen was, maar sloeg aan het eind van de boulevard af naar chique, met iepen omzoomde straten, met aan weerszijden bistrootjes, boetiekjes, dure juwelierszaken en uit natuursteen opgetrokken herenhuizen, tot hij de parkeerplaats vond die hij zocht.

Een plaats die hem een goed uitzicht bood op een bepaalde, dichtbij gelegen torenflat van crèmekleurig zandsteen.

Een postmodern geval, met onnodige versierselen, een met groene markiezen bedekte luifel, een rondlopende, met klinkers bestrate oprit en niet één, maar twee in donkerrood uniform gestoken portiers. Een van de beste adressen langs Hale met chique koopflats.

De plek die Theodore G. Dirgrove, arts, in zijn cv had ingevuld onder het kopje 'woonadres'.

Precies zo'n rank en stijlvol gebouw waarin je verwachtte dat een succesvol chirurg samen met zijn vrouw en twee kinderen zou wonen.

Dat was een behoorlijke verrassing geweest, dat Dirgrove getrouwd was, kinderen had en er een quasi-gezinsleven op nahield. Maar toen dacht Jeremy: nee, dat is niet waar. Natuurlijk houdt hij de schijn op. Net zoals zijn vader heeft gedaan.

Echtgenote: Patricia Jennings Dirgrove
Kinderen: Brandon, 9; Sonja, 7.

Wat schattig.

Nog een verrassing: Dirgrove reed in een saaie auto, een vijf jaar oude Buick. Jeremy had iets duurders verwacht, een gestroomlijnde Duitse bak. Dat zou toch een leuk eerbetoon aan pappie zijn geweest?

Maar het was opnieuw een bewijs van Dirgroves slimheid: die grijsblauwe vierdeurswagen zou toch niemand opvallen als hij behoedzaam wegreed uit een donker steegje in een buurt vol goedkope huurhuizen?

Als je wist waar je mee te maken had, waren al die dingen volkomen logisch.

Duidelijkheid was iets om verslaafd aan te raken. Jeremy werkte de hele dag, reed de hele nacht rond, voedde zich met begrip en wist zichzelf ervan te overtuigen dat hij nauwelijks eten of slaap nodig had.

De chirurg hield er chirurgenwerktijden op na en ging vaak

’s morgens al voor zes uur naar zijn werk om pas ver na het donker terug te keren naar huis.

Op de derde dag dat hij hem in de gaten hield, ging Dirgrove met zijn hele gezin uit eten en Jeremy kreeg gelegenheid om de vrouw en de kinderen goed te bekijken toen het hele stel in de Buick stapte.

Patricia Jennings was klein en vrij aantrekkelijk, een brunette met een krullend, nogal mannelijk aandoend kapsel. Een goed figuur, energiek en lenig. Uit de flits die Jeremy van haar gezicht opving, maakte hij op dat ze een vastberaden vrouw was. Ze droeg een zwarte jas met een bontkraag, die ze open liet hangen. Jeremy kon nog net een rode jersey broek zien, met een bijpassende trui. Net iets eleganter dan een joggingpak. Gemakkelijk zittende kleding. Dirgrove droeg nog steeds het pak met de das dat hij de hele dag had aangehad.

De kinderen leken meer op Patty – zoals Jeremy haar in gedachten was gaan noemen – dan op Ted. Brandon was stevig gebouwd, met een bos donker haar, en de kleine Sonja was iets blonder, maar vertoonde geen spoor van Dirgroves Scandinavische beenderstructuur.

Jeremy hoopte voor hen dat het gebrek aan gelijkenis met hun vader daar niet ophield.

Snoezige kinderen. Hij wist wat hen te wachten stond.

Hij volgde hen naar het eettentje. Ted en Patty hadden gekozen voor een Italiaans restaurant met redelijke prijzen, tien straten verwijderd van hun huis, waar ze een tafeltje voorin kregen, vanaf de straat duidelijk zichtbaar achter een met sierlijke gouden letters versierde spiegelruit. Binnen bevonden zich houten zitjes, een cappuccinobar met een koperen railing en een koperen espressoapparaat.

Jeremy parkeerde zijn auto om de hoek en liep te voet langs het restaurant, waarbij hij de revers van zijn regenjas optrok om zijn gezicht, dat verder schuilging onder een pasgekochte hoed met een brede rand.

Hij wandelde langs de ruit, terwijl zijn ogen verborgen bleven in de schaduw van de rand. Hij kocht een krant bij een kiosk om niet op te vallen en liep weer terug. Heen en weer. Nog drie keer. Dirgrove keek geen moment op van zijn lasagna.

De chirurg zat er verveeld bij. De enigen die vrolijk zaten te babbelen waren Brandon, Sonja en mama.

Patty besteedde veel aandacht aan de kinderen en hielp de kleine meid de spaghetti om haar vork te wikkelen. Toen hij de laatste keer voorbijkwam, zag Jeremy dat ze een blik op haar echtgenoot wierp. Ted had niets in de gaten, hij zat naar het espressoapparaat te staren.

Een uitje met het gezin.

Wanneer zou hij de genoegens van huis en haard vaarwel zeggen om te gaan doen wat hij echt leuk vond?

De vierde avond was het zover.

Het was al een dag vol verrassingen geweest, want die ochtend had Jeremy een ansicht uit Rio gekregen.

Prachtige lijven op een Braziliaans strand met wit zand.

Hij voelde zich bijzonder slim.

Dr. C.,
Op reis en ik kom steeds meer te weten.
A.C.

Ik ook, beste vriend.

Alsof dat nog niet genoeg was, kreeg hij om zes uur een telefoontje van Edgar Marquis, vlak voordat hij op pad zou gaan om zijn prooi weer te schaduwen.

'Dokter Carrier,' zei de bejaarde diplomaat. 'Ik heb een boodschap voor u van Arthur.'

'O ja?'

'Ja, hij vroeg me om u te laten weten dat hij van zijn vakantie geniet en dat hij er veel van opsteekt. Hij hoopt dat alles goed gaat met u.'

'Dank u wel, meneer,' zei Jeremy. 'Alles is prima en ik heb het heel druk.'

'Aha,' zei Marquis. 'Dat is mooi.'
'Ik vermoedde al dat u dat zou denken, meneer.'
Marquis schraapte zijn keel. 'Goed, dat was eigenlijk alles. Ik wens u een prettige avond.'
'Waar belde hij vandaan, meneer Marquis?'
'Dat heeft hij niet gezegd.'
Jeremy lachte. 'U bent niet van plan om me ook maar iets te vertellen, hè? Zelfs nu niet.'
'Nu?'
'Ik ben er druk mee bezig, meneer Marquis.'
Geen antwoord.
'Zou u zo vriendelijk willen zijn om me nog één dingetje te vertellen?' vroeg Jeremy. CCC. Wat betekent dat precies? Hoe is het begonnen... en wat heeft u samengebracht?'
'Lekker eten en goede wijn, dokter Carrier.'
'Ja, dat zal wel,' zei Jeremy.
Stilte.
'Wat was uw beproeving, meneer Marquis? Wat heeft het innerlijk vuur bij u ontstoken?'
Een moment van aarzeling. 'Spaanse pepers.'
Jeremy wachtte op uitleg.
'De Indonesische keuken,' zei Marquis, 'kan behoorlijk gekruid zijn. Mijn smaak en mijn inzicht zijn daar tot wasdom gekomen.'
'Goed,' zei Jeremy. 'Dus daar houden we het bij.'
De bejaarde man gaf geen antwoord.
'Meneer Marquis, u zult me wel niet willen vertellen wanneer Arthur precies terugkomt.'
'Dat bepaalt Arthur zelf.'
'Ja, dat neem ik onmiddellijk aan. Tot ziens, meneer.'
'Dokter? Laat het voldoende zijn om met betrekking tot het ontstaan van ons groepje te vermelden dat uw deelname in meer dan één opzicht als... zeer toepasselijk zal worden beschouwd.'
'Is dat zo?'
'O, ja. Beschouw het maar als iets dat voor de hand ligt.'
'In welk opzicht?'

'Het ligt zo voor de hand,' herhaalde Marquis, 'dat het in steen staat gebeiteld.'

Geen nummerweergave. Er waren mensen die zeiden dat alles buiten de normale telefoondiensten overdreven luxe was.

Terwijl Jeremy de trap afliep naar de achteruitgang, dacht hij na over was Marquis had gezegd.

Gekruid eten in Indonesië. Daar ben ik tot wasdom gekomen.

Het verlies dat Marquis had geleden had daar in dat eilandenrijk plaatsgevonden. Op een dag, als Jeremy nieuwsgierig genoeg was, zou hij wel een poging doen om dat uit te vissen. Maar nu moest hij iemand schaduwen.

Toen hij bij de achteruitgang kwam, bleek die op slot te zitten. Was iemand erachter gekomen dat hij daar gebruik van maakte? Of was het gewoon een oprisping van plichtsbesef van de bewakingsdienst?

Hij liep terug naar de entreehal van het ziekenhuis en stopte bij de snoepautomaat waar hij Bob Dorish had zien staan om een met kokos gevulde reep te kopen.

Hij had eigenlijk nooit van snoep gehouden, zelfs toen hij nog klein was, hadden ze hem daar nooit mee kunnen verleiden. Maar nu had hij behoefte aan suiker. Tevreden kauwend liep hij naar de hoofdingang. Langs de muur met de namen van de weldoeners.

In steen gebeiteld. En daar stond alles.

DE HEER EN MEVROUW ROBERT BALLERON. Een schenking die hen meteen tot Lid van de Stichting maakte. Daaronder een recentere schenking, vier jaar geleden:

RECHTER TINA BALLERON, TER LIEFDEVOLLE NAGEDACHTENIS AAN ROBERT BALLERON.

De lijst van weldoeners stond niet op alfabet, waardoor het hem wat meer tijd kostte, maar Jeremy vond hen allemaal. Tegen de tijd dat hij het laatste flintertje kokos wegslikte, begon Jeremy te begrijpen waar het om ging.

PROFESSOR NORBERT LEVY, TER LIEFDEVOLLE NAGEDACHTENIS AAN ZIJN FAMILIE.

Vier jaar geleden.

DE HEER HARRISON MAYNARD, TER LIEFDEVOLLE NAGEDACHTENIS AAN ZIJN MOEDER, EFFIE MAE MAYNARD, EN DR. MARTIN LUTHER KING.

Hetzelfde jaar.

Idem dito: DE HEER EDGAR MOLTON MARQUIS, TER LIEFDEVOLLE NAGEDACHTENIS AAN HET DORP OP KURAU.

En:

ARTHUR CHESS, ARTS, TER LIEFDEVOLLE NAGEDACHTENIS AAN SALLY CHESS, SUSAN CHESS EN ARTHUR CHESS JUNIOR.

Arthur had zijn hele gezin verloren.

Dat was te afgrijselijk voor woorden, maar Jeremy kon zich dat soort medeleven op dit moment niet veroorloven. Terwijl hij het papiertje van de reep in zijn zak propte, liep hij terug door de hal en ging op weg naar het kantoor van de afdeling ontwikkelingswerk.

'Ontwikkelingswerk' was ziekenhuisjargon voor fondswerving en Jeremy kon zich herinneren dat de afdeling bevolkt werd door slanke, praatzieke jongedames in dure merkkleding. Een man met een geföhnd hoofd, een zekere Albert Trope, had de leiding. Het was tien voor halfzeven en hij had nog wel even de tijd. Dirgrove was zelden voor zeven uur, halfacht thuis. Niet-medisch personeel was meestal ruim voor vijven vertrokken, dus waarschijnlijk zou het kantoor dicht zijn, maar hij was er nu toch.

De kwebbeltantes waren inderdaad al weg, maar de deur stond open en een schoonmaker – een chagrijnig uitziende Slavische man, waarschijnlijk een van de recente immigranten die het ziekenhuis tegenwoordig in dienst nam omdat die niet op de hoogte waren van de arbeidswetten – stond de chique, blauwe vloerbedekking te stofzuigen.

Jeremy, met zijn naamplaatje duidelijk zichtbaar, liep langs de man naar binnen en wandelde naar een pseudo-Regency boekenkast in de hoek van de ruim bemeten receptie.

Het rook hier naar dure parfum – een overblijfsel van de jongedames. Het hele vertrek was duur en zogenaamd stijlvol ingericht, waardoor het op een Franse salon uit een of andere

Hollywoodfilm leek. Hier zouden de rijkelui zich vast thuis voelen...

De schoonmaker negeerde Jeremy die in de boekenkast stond te rommelen. Op de planken stonden gelamineerde loftuitingen van tevreden patiënten, fotoalbums vol lieve kleine kindertjes die in City Central genezen waren, hijgerige reportages van het bezoek dat diverse beroemdheden aan het ziekenhuis hadden gebracht plus de onvermijdelijke fotoreportages en een verzameling prullaria die een groot aantal jaren van de afdeling besloeg. Plus de verslagen van het grootste evenement dat door het ziekenhuis werd georganiseerd, het jaarlijkse galabal.

Jeremy was twee jaar geleden ook naar zo'n gala geweest. Hij had het verzoek gekregen om een toespraak te houden over humanisme en zijn biezen weer te pakken voordat het diner begon.

Hij pakte de uitgave van vier jaar geleden. Voorin stond een verklaring van de verschillende niveaus van bijdragen. Bij elk niveau werden de namen alfabetisch vermeld.

Donateur, Sponsor, Beschermheer, Lid van de Stichting en de Gouden Lintjes Kring.

Lid van de Stichting betekende dat je minstens twintigduizend dollar had opgehoest. De mensen van de CCC hadden diep in de buidel getast.

Hij vond een foto waar ze allemaal samen op stonden. Arthur in het midden, omringd door Balleron, Marquis, Maynard en Levy.

CCC... *de City Central Club?*

Hier was het dus mee begonnen. Vijf weldoeners, bijeen voor het algemeen welzijn, hadden een gezamenlijke doelstelling gevonden.

Ongetwijfeld had Arthur – de charismatische, gezellige en nieuwsgierige Arthur – daarbij een hoofdrol gespeeld.

Hij had zijn hele gezin verloren, dus je mocht het de man niet kwalijk nemen dat hij veel waarde hechtte aan vriendschap. En aan gerechtigheid.

'U nu weg,' zei de schoonmaker. Hij had de stofzuiger uitgezet en het was stil in de receptie.

'Goed, bedankt dan maar,' zei Jeremy. 'Prettige avond.'
De man bromde iets en peuterde in zijn oor.

Jeremy was om tien over halfzeven op Hale Boulevard, vond een fantastische plek om op de uitkijk te zitten en moest tot negen uur wachten voordat Dirgrove eindelijk opdaagde.

Dirgrove was al drie avonden achter elkaar thuisgebleven, dus Jeremy had geen al te hooggespannen verwachtingen. Maar toen Dirgrove de Buick op de rondlopende oprit liet staan en de portier geen aanstalten maakte om de wagen weg te zetten, wist hij dat het die avond anders zou lopen.

Vooruit met de geit, Ted. Maak het me eens een beetje gemakkelijker.

Om kwart over elf dook de chirurg weer op, pakte zijn sleutels, gaf de nachtportier een fooi en reed weg.

Naar het zuiden.

Richting Iron Mount.

Regelrecht naar Iron Mount. Het regende niet meer en het wemelde van de tippelaarsters, gehuld in imitatiebont en gewatteerde ski-jacks, allemaal kort om de goedgevormde benen te tonen die nog langer leken door schoenen met venijnig hoge hakken.

Jonge benen, oude gezichten. Een paraderende, huppelende optocht. Heel weinig autoverkeer. Niemand die bereid was de kou te trotseren, met uitzondering van de meisjes van de straat.

Dirgrove reed langs hen heen, zonder te merken dat Jeremy hem op ruime afstond volgde in zijn Nova met gedoofde koplampen.

Het was een stomme en gevaarlijke manier van rijden en Jeremy slaagde er een paar keer maar op het nippertje in om een vrouw te ontwijken die onder invloed van verdovende middelen het trottoir af liep.

Vloeken en opgestoken vingers waren zijn verdiende loon, maar wat moest hij dan? In het ergste geval zou hij door een of andere smeris aangehouden worden voor een verkeersovertreding. Maar dat zat er niet in, want er was in geen velden of wegen een patrouillewagen te bekennen. Het was te koud voor de smerissen.

Ineens drong er iets tot hem door. In deze slechte buurten was er helemaal geen politie op straat.

Doresh mocht dan beweren dat er een onderzoek werd ingesteld naar de moorden, maar dit waren wegwerpvrouwen, om wie niemand zich bekommerde. De naam van Tyrene Mazursky had de kranten nog gehaald, maar het volgende slachtoffer, de vrouw die op de landtong was achtergelaten, was die eer niet eens gegund. Als het op dezelfde manier doorging, zou er nog geen druppeltje inkt worden verspild aan het volgende slachtoffer.

Het middel is belangrijker dan het doel.

Dirgrove bleef doorrijden en passeerde met matige snelheid drommen hoeren. Jeremy verwachtte dat hij een prooi zou uitkiezen, maar de Buick remde geen enkele keer af, vervolgde zijn weg dwars door Iron Mount, reed onder een viaduct door en langs een rij met luiken geblindeerde bedrijfspanden de volgende wijk binnen.

Ook goedkope huizen. Jeremy wist niet eens of deze buurt wel een naam had. Het was ook eigenlijk geen buurt, alleen maar een rij donkere zakenpanden die voor de nacht gesloten waren.

Groothandels en kleine fabrieken. Geen tippelaarster te bekennen. Dat had ook geen zin. De dichtstbijzijnde kroegen, striptenten en drugsdealers bevonden zich anderhalve kilometer verderop.

Verlaten.

Met uitzondering van de vrouw die uit de schaduwen opdook en aan de rand van het trottoir ging staan, voor een lang met gaas bespannen hek. Ze wachtte terwijl ze op en neer hupte op haar naaldhakken.

Toen de anonieme grijsblauwe Buick stopte, schudde ze haar haar naar achteren.

43

De prostituee stapte in Dirgroves auto en Jeremy zat een meter of dertig verderop toe te kijken. Hij had zijn licht en zijn motor uitgedaan, zodat er geen uitlaatgassen of geluiden waren die hem konden verraden.

Tussen hem en de Buick stonden twee geparkeerde auto's. Hij draaide zijn raampje open en stak zijn hoofd naar buiten om beter te kunnen zien. De koude lucht sneed in zijn longen, maar dat ongemak had hij er graag voor over.

Hij liet zijn sleuteltje in het contactslot zitten, zodat hij onmiddellijk achter de Buick aan kon gaan. Hij wist dat hij erbij moest zijn als... wannéér de zaak uit de hand begon te lopen.

Hij zal haar ergens mee naartoe moeten nemen. Om zijn auto schoon te houden.

Hij heeft ruimte nodig om zijn werk te kunnen doen. Dissectie... Een of andere geïmproviseerde operatiekamer verstopt in een achterbuurt...

De lichten van de Buick gingen uit. Witte rook kringelde omhoog uit de uitlaat en loste op. De auto bleef gewoon staan, vijf minuten, tien, vijftien. Na twintig minuten begon Jeremy in paniek te raken en vroeg zich af of hij zich niet ontzettend had vergist. Stel je voor dat Dirgrove zijn auto wél gebruikte... misschien reed hij daarom in zo'n oud model. Nee, dat zou te onvoorzichtig zijn. Je zou al dat bloed nooit kunnen opruimen... Misschien verdoofde hij ze wel in de auto... of hij wurgde ze... Zou hij het risico nemen om even te gaan kijken?

Het dichtslaan van een portier onderbrak zijn gedachten.

De prostituee was uitgestapt en trok haar kleren recht. Ze zwaaide naar de Buick en Dirgrove reed weg.

Nu moest hij snel een beslissing nemen: zou hij de auto volgen of met de vrouw gaan praten? Om haar te waarschuwen. *Ja, hij is een charmante vent, maar je hebt dit keer geluk gehad...*

De prostituee liep de straat in, met klikkende hakken en een wiebelkont. Haar benen waren zo lang dat ze op stelten leken.

Ze stapte in een van de geparkeerde auto's.

Een tippelaarster met haar eigen wagen. Dat was weer eens iets heel anders.

Een mooie wagen ook, een Lexus, een van de kleinere modellen. Licht van kleur, met glanzende wieldoppen.

Misschien had ze geen pooier en kon ze al haar verdiensten zelf houden.

Maar wat kon ze hier in vredesnaam verdienen, op zo'n grote afstand van de optocht van potentiële klanten die door Iron Mount reden? En waarom zou je in de vrieskou gaan tippelen als je je zo'n auto kon veroorloven?

Tenzij deze dame voor kwaliteit had gekozen in plaats van voor kwantiteit. Mannen als Dirgrove die bereid waren grof geld neer te tellen voor wat zij te bieden had. Wat dat ook mocht wezen.

De Lexus reed weg. Jeremy wachtte tot ze bij de volgende zijstraat rechtsaf was geslagen, voordat hij zijn sleutel omdraaide.

Ze reed naar het centrum. Ze bestudeerde haar gezicht in de achteruitkijkspiegel en zat een tijdje in een mobiele telefoon te praten, maar verder reed ze voorzichtig en conservatief, zonder zich te bekommeren om mogelijke nieuwe klanten.

Eén goeie klant per avond? Wat moest ze dan in vredesnaam voor hem doen?

De Lexus vervolgde zijn weg en kwam in de buurt van het ziekenhuis. Inmiddels waren ze vlak bij City Central.

De prostituee reed naar een stille straat opzij van City Central. Hooguit een paar meter verwijderd van de parkeerplaats van de verpleegkundigen, waar Jocelyn was overweldigd. Ze zette de auto langs het trottoir en deed de lichten uit.

Daar bleef ze vier minuten staan en in die tijd zag Jeremy dat ze haar armen opstak en een kledingstuk over haar hoofd trok. Het werd vervangen door iets anders, met lange mouwen.

Ze kleedde zich om.

Toen ze klaar was, keek ze opnieuw in de achteruitkijkspiegel en knipte een leeslampje aan. Niet lang genoeg om Jeremy de kans te geven haar goed te bekijken, maar hij zag wel wat ze deed. Ze werkte haar lipstick bij. Daarna reed ze op haar gemak verder.

De straat uit. Naar de parkeergarage van de artsen. En naar binnen.

Jeremy volgde haar nu zonder moeite te doen om zich te verbergen, want dit was een plek waar hij thuishoorde.

En zij ook. Ze stopte een kaartje in de gleuf en het hek ging open.

Ze zetten allebei hun auto's weg. De Lexus was lichtblauw. Toen ze uit de auto stapte, herkende hij haar als een arts die hij wel eens had gezien, maar met wie hij nooit kennis had gemaakt. Hij wist bijna zeker dat ze een internist was, die pas onlangs in dienst was genomen.

Midden veertig, een goed figuur, een leuk maar onopvallend gezicht, blond haar dat praktisch kort was geknipt. Ze droeg een antracietgrijze wollen rok die op haar knieën viel in plaats van het minirokje dat ze had aangehad tijdens haar afspraakje met Dirgrove. Het kledingstuk dat ze over haar hoofd had aangetrokken was een roze wollen trui met een gedrapeerde hals, die ze snel verborg onder een lange grijze tweedjas met een zwartfluwelen kraag. De naaldhakken hadden plaatsgemaakt voor verstandige wandelschoenen. Ze droeg een bril.

Toen Jeremy langs haar heen liep op weg naar de overdekte galerij, glimlachte ze tegen hem en zei: 'Brr, wat is het koud.'

Jeremy glimlachte terug.

Ze droeg een diamanten trouwring. Hoe heette ze ook alweer? Gwen nog iets...

Moest hij haar waarschuwen?

Of moest hij andere vrouwen voor haar waarschuwen?

Om de twee jaar kreeg de medische staf een boek met foto's. Jeremy had het nooit nodig gevonden om dat van hem open te slaan en hij wist niet eens waar hij het had gelaten. Maar hij vond het in een van de onderste laden van zijn bureau. Honderden gezichten, maar slechts twintig procent daarvan waren vrouwen, dus dat was snel bekeken.

Gwynn Alice Hauser, arts. Interne Medicijnen. Een assistent-professor.

Dr. Hauser leidde een dubbelleven.

Maar hoe ver ging dat?

De volgende vier dagen hield Jeremy Gwynn Hauser in de gaten, zowel op de afdelingen als in de artsenkantine. Ze deed geen poging om contact op te nemen met Dirgrove en at meestal alleen of in het gezelschap van andere vrouwen. Ze was een vrolijk type, dat graag lachte en zich uitbundig kon gedragen. Als ze echt met iemand in gesprek raakte, zette ze haar bril af en boog zich voorover. Ze kon intens luisteren, alsof de persoon tegenover haar onvoorstelbare diepzinnigheden debiteerde.

Ze lunchte één keer met een lange, donkere, knappe man in een donkerblauw pak. Hij had het vierkante, onbewogen gezicht van een president-directeur. Hij droeg eveneens een trouwring en stak zijn genegenheid voor haar niet onder stoelen of banken.

De bedrogen echtgenoot.

Jeremy durfde te wedden dat hij geen arts was, maar een of ander financieel baantje had. En hij had de tijd vrijgemaakt om een keer samen met zijn drukbezette vrouw te lunchen. Hij moest eens weten hoe druk ze was.

Toen hij een internist tegenkwam met wie hij wel eens had samengewerkt, een zekere Jerry Sallie, informeerde hij of die Gwynn Hauser kende.

‘Gwynn? Ja, natuurlijk. Heeft ze geprobeerd je te versieren?’

‘Doet ze dat vaker dan?’

‘Ze is een echte flirt, maar ik waag het te betwijfelen of ze wel tot het uiterste zou gaan,’ zei Sallie. ‘Ik heb er tenminste nog niets over gehoord. Ze is getrouwd met een bankdirecteur en ze heeft een luizenleventje... Ze mag van hem doen wat ze wil. Ze is een behoorlijk goede arts. Maar wel een ontzettende flirt. Mooie benen, hè?’

Vrijdagavond verliet Gwynn Hauser het ziekenhuis om half-acht.

Jeremy zat onderuitgezakt in zijn Nova, achter een pilaar in de parkeergarage van de artsen, en wachtte tot ze wegreed in haar hemelsblauwe Lexus. De Buick van Dirgrove stond nog steeds op zijn plaats.

Twintig minuten later kwam de chirurg op een holletje aanlopen, sprong in de Buick, startte de motor met veel geraas en scheurde weg.

Precies dezelfde plek op het naamloze industrieterrein.

Dr. Gwynn Hauser dook net als de eerste keer uit de schaduwen op. Ditmaal droeg ze een omvangrijke witte bontmantel. Een in wolken gehulde vrouw op naaldhakken, sommige mensen zouden het een hemelse aanblik vinden.

Toen Dirgrove stopte, deed ze de jas open om te laten zien dat ze met uitzondering van een jarretelgordel en kousen verder naakt was.

Hoe hield ze het uit in die kou?

Ze hield het ook niet uit. Ze huiverde, trok de jas stijf om zich heen en hupte op en neer, wijzend naar de auto.

Laat me erin, ik sterf van de kou.

Dirgrove gehoorzaamde.

Tweeëntwintig minuten later gingen ze ieder hun weg.

Dit keer volgde Jeremy Dirgrove. De chirurg reed rechtstreeks naar zijn luxueuze koopflat op Hale. Hij bleef de hele avond thuis.

Vader van een gezin.

Wanneer zou hij in actie komen?

44

Doug Vilardi zag er slecht uit. Zijn gezicht en armen begonnen te vervellen – een onverwachte allergische reactie op de chemokuur – zijn percentage witte bloedlichaampjes was nog steeds veel te hoog, zijn milt was opgezwollen en zijn leverfunctie bleef afnemen. Hij was wakker maar niet in staat een gesprek te voeren, hoewel hij blij leek te zijn met Jeremy's bezoek. Jeremy bleef gewoon naast hem zitten, babbelde wat en vond iets op tv dat de jongeman een glimlach ontlokte... de herhaling van een college-footballwedstrijd van een week geleden.

Jeremy ging opnieuw weg toen Doug in slaap sukkelde en opnieuw kwam hij in de gang de familie tegen.

Mevrouw Vilardi en Marika. Doug senior was op zijn werk. Ze gingen in een lege wachtkamer zitten. Hun voorgangers hadden een hele stapel tijdschriften over binnenhuisarchitectuur achtergelaten, die Jeremy opzij legde.

Nu praatte Marika wel. Over van alles, behalve de ziekte van Doug. Wat hij graag at, de gerechten die haar schoonmoeder haar had leren koken. Dat ze overwoog om een jong hondje te nemen en of Jeremy dat nu wel of geen goed idee vond met een baby op komst.

De twee vrouwen leken een sterke band te hebben en zochten af en toe letterlijk steun bij elkaar.

Toen Jeremy informeerde naar Marika's familie was het mevrouw Vilardi die antwoord gaf. 'Ze zijn allebei overleden. Haar arme mama was nog heel jong. Rosanna was een van mijn beste vriendinnen, echt een fantastisch mens. Toen ze ziek werd, nam ik Mari vaak mee, zodat ze een rustig plekje had om te spelen, want Joe – haar vader – werkte en ze had verder alleen maar een tante die... nou ja, u weet wel.'

Ze lachte een beetje onbehaaglijk.

'Mijn tante was gek,' zei Marika.

'Zo heeft Doug Mari leren kennen, omdat ik haar altijd mee naar huis nam. Daarna overleed Joe en moest ze bij de nonnen op kostschool, maar ze kwam nog steeds vaak bij ons. Destijds was Doug nog helemaal niet in meisjes geïnteresseerd, hè, schat?'

Ze stootte Marika aan.

'Ik was een magere spriet met rare tanden en Doug had alleen maar belangstelling voor sport,' zei de jonge vrouw.

'Ach, je bent altijd een schatje geweest,' zei mevrouw Vilardi. En tegen Jeremy: 'Ik ben altijd dol op dit kind geweest, het is echt een lieve meid. Om eerlijk te zijn dacht ik dat ze de ideale vrouw zou zijn voor Andy, mijn andere zoon. Maar dat weet je toch nooit van tevoren, hè, liefje?'

'Absoluut niet, mam.' Marika's ogen werden vochtig.

'Komt u ook uit een groot gezin, dokter Carrier? Neem me niet kwalijk dat ik zo'n persoonlijke vraag stel, maar dat komt omdat u ook zo'n groot hart hebt.'

'Vrij groot,' zei Jeremy.

'Het zijn vast allemaal aardige mensen.'

'Heel aardig... Ik kom straks nog wel even langs om te zien hoe het met hem gaat.' Hij kneep even in haar hand, schudde toen Marika's hand en stond op.

'Zoals altijd weer bedankt, dokter... Ik heb u toch niet beledigd, hè? Door naar uw familie te vragen?'

'Helemaal niet.' Jeremy klopte ter geruststelling nog even op haar schouder.

'Gelukkig,' zei ze. 'Want ik dacht heel even dat u... eruitzag alsof ik u gekwetst had. Maar dat zal wel aan mij liggen, ik denk dat ik momenteel alles verkeerd begrijp. Door al dat gedoe staat mijn verstand gewoon stil, snapt u.'

'U hebt rust nodig,' zei Jeremy.

'U bent heel belangrijk voor Dougie, dokter. Vroeger... de vorige keer, zei hij altijd dat u de enige was die hem als een mens behandelde.'

'Ja, dat klopt,' beaamde Marika. 'Dat heeft hij ook tegen mij gezegd.'

'Hij wordt weer beter,' zei mevrouw Vilardi. 'Ik voel het in m'n botten.'

Tegen de avond, iets meer dan uur voordat hij Ted Dirgrove weer zou gaan schaduwen, kwam Jeremy er met behulp van interne personeelszaken achter waar Angela uithing. Ze was inmiddels verhuisd naar de afdeling endocrinologie. Hij ging ernaartoe en de hoofdverpleegkundige wees naar een behandelkamer.

'Een diabeticus die is opgenomen om een wond te laten helen, dus lang zal het niet duren.'

Angela kwam tien minuten later te voorschijn. Ze zag er verward uit. 'Hoi. Ik ben een beetje moe.'

'Neem even pauze. Dan kunnen we een kopje koffie gaan drinken.'

'Ik zit al ruim boven de toegestane hoeveelheid cafeïne. Maar het heeft niets geholpen.'

'Dan moet je nog wat meer hebben.' Hij pakte haar arm. 'Kom op, dan zullen we je eens een fikse stoot cafeïne toedienen.'

'En dan?'

'Dan bestudeer ik je, schrijf alles op en publiceer de gegevens in een medisch tijdschrift.'

Ze probeerde haar lachen in te houden, maar dat mislukte. 'Oké, maar niet langer dan een paar minuten.'

In plaats van naar de cafetaria sleepte hij haar mee naar een stel automaten op de volgende verdieping, net voorbij de ontwenningskliniek, stopte er een dollar in en haalde er voor hen allebei een kop koffie uit.

'Die troep?' zei ze. 'Dat is net vitriool.'

'Je moet het ook niet als een kopje koffie beschouwen. Het is een verdovend middel.'

Hij nam haar mee naar een paar harde oranje stoelen. Ontwenning was eigenlijk een polikliniek en het was rustig op de afdeling.

'Ik ben echt bekaf,' zei ze. 'En ik ben nog lang niet klaar met mijn patiënten.'

Jeremy pakte haar hand vast. Haar huid was koel. Ze wendde haar ogen af en hield haar vingers slap.

'Jij bent heel belangrijk voor me,' zei hij. 'Ik mis je en ik weet dat ik een blunder heb begaan. Ik had niet op die manier mogen reageren. Ik ben bereid om overal over te praten.'

Angela knabbelde op haar lip en sloeg haar ogen neer. 'Dat hoeft helemaal niet.'

'De moord op Jocelyn was erger dan ik me ooit had kunnen voorstellen. Ze vormde een groot deel van mijn leven en toen ik haar verloor – en ging nadenken over wat ze moest hebben doorgemaakt – brak mijn hart echt in stukken. Ik had er alleen eerder iets aan moeten doen. In plaats daarvan kropte ik alles op. Je weet wel, een dokter slikt nooit zijn eigen medicijnen.'

Angela keek op. Haar wangen waren nat van de tranen. 'Daar had ik begrip voor moeten hebben. Ik had niet zo mogen aandringen.'

'Nee, het is goed dat iemand me eindelijk eens met de neus op de feiten drukt. Ik heb me al veel te lang afgezonderd.'

Ze nam een slokje koffie en trok een gezicht. 'Het is écht vitriool.' Haar vingers pakten die van Jeremy vast. 'Ik kende haar. Niet goed, maar ik kende haar wel. Uit de tijd dat ik stage liep op neurologie. Op een keer zat ik de patiëntendossiers bij te werken en toen stond zij met een andere verpleegkundige te praten over haar vriend. Over hoe fantastisch hij was, zo attent en zorgzaam. En dat hij haar altijd het gevoel gaf dat ze heel bijzonder was. De andere zuster probeerde er de draak mee te steken, in de trant van: ja, dat kun je wel aan die psychiaters overlaten, dat leren ze tijdens hun opleiding. Maar daar moest Jocelyn niets van hebben, ze viel haar in de rede en zei: "Daar mag je geen grapjes over maken, ik meen het echt. Ik meen het ook echt met hem." Ik weet nog dat ik me afvroeg wat voor soort vent dat soort gevoelens op zou roepen. Ik wist niet dat het om jou ging. Zelfs toen we voor het eerst met elkaar uitgingen, had ik geen flauw idee. Ik vond je alleen maar ontzettend aardig omdat je zo gepassioneerd was als je ons college gaf. Over wat je deed... de mens in iedereen naar boven halen. Dat was precies wat ik wilde horen toen ik co-assistent werd, maar vrijwel niemand zei het. Pas nadat we al een paar keer uit eten waren geweest vertelde iemand me – een van de andere arts-assistenten – dat jij Jocelyns vriend was geweest. Ik weet nog dat ik dacht, o jee, dit zal niet gemakkelijk worden. Maar ik mocht je zo ontzettend graag, dus... O, Jeremy, ik ben hier helemaal niet goed in.'

Ze legde haar hoofd tegen zijn schouder.

'Wat zou niet gemakkelijk worden?' vroeg hij.

'Dit.'

'Het zal geen enkel probleem zijn. Geen taboes, alles is bespreekbaar. Als jij wilt dat ik over Jocelyn praat, dan zal ik dat...'

'Maar daar gaat het juist om,' zei ze. 'Ik weet niet eens of ik dat echt wil... Je hebt kennelijk ontzettend veel van haar gehouden, ze is nog steeds een stukje van je, en daar is niets mis mee. Als je haar zomaar uit je hoofd kon zetten, zou me dat tegen de borst stuiten. Maar mijn egoïstische kant weet niet of ik daar wel mee kan leven... met de herinnering aan haar. Die zal ons altijd boven het hoofd hangen. Het is net alsof je een chaperonne hebt... Dat klinkt afschuwelijk, dat weet ik ook wel, maar...'

'Die herinnering hangt boven mijn hoofd en niet boven het onze,' zei Jeremy. 'Ze is er niet meer. Over een maand zal ze weer iets verder weg zijn, over een jaar nog iets verder en op een dag zal ik vrijwel niet meer aan haar denken.' Zijn ogen brandden. Nu moest hij zelf tegen zijn tranen vechten. 'Mijn verstand zegt me dat het zo is, maar mijn verdomde ziel wil er nog niet aan.'

Ze streek met haar vingers over zijn ogen. 'Ik wist niet dat de psychologie het bestaan van een ziel erkende.'

Dat is ook niet zo.

'Het zal z'n beloop moeten hebben,' zei Jeremy. 'Je kunt het proces niet versnellen.' Hij keek haar aan.

Angela kuste zijn voorhoofd.

Jeremy sloeg zijn armen om haar heen. Ze voelde klein aan. Hij wilde net haar gezicht optillen om haar nog een keer te kussen, toen een slungelige tiener, waarschijnlijk iemands kleinzoon, een van de kamers uit kwam lopen. Hij draafde naar de koffieautomaat, zag hen en produceerde een geil lachje.

'Zet 'm op, kerel,' mompelde de knul terwijl hij munten in het apparaat gooide.

Angela giechelde in Jeremy's oor.

Ze gingen naar zijn kantoor, waar ze nog een kwartiertje rustig bleven zitten, Angela op Jeremy's schoot, met haar hoofd tegen zijn borst. De draagbare radio die Jeremy vrijwel nooit aan had, stond afgesteld op waardeloos slome muziek die *smooth* jazz moest voorstellen. Angela ging langzamer ademhalen en hij vroeg zich af of ze in slaap was gevallen. Toen hij zijn hoofd boog om te kijken, fladderden haar ogen open en ze zei: 'Nu moet ik echt terug.'

Op endocrinologie werden ze ontvangen door een zuinig kijkende verpleegkundige die zei: 'Er wacht een catheter op u, dokter Rios.' Ze liep meteen weer weg.

'Wat is het toch leuk om met open armen ontvangen te worden,' zei Jeremy.

Angela lachte even, maar werd meteen weer ernstig. 'Het is hoog tijd dat ik voor loodgieter ga spelen... Bedankt, Jeremy. Dat jij de eerste stap hebt gezet. Dat was niet gemakkelijk, dat weet ik best.'

'Ik zei al dat je belangrijk voor me bent.'

Ze speelde met haar stethoscoop en schopte met haar ene schoen tegen de andere... een kinderlijk gebaar dat Jeremy recht in het hart trof. 'Jij bent ook belangrijk voor mij. Ik wou dat we meer tijd hadden om bij elkaar te zijn, maar de komende twee nachten heb ik dienst.'

Ik ook.

'Laten we het dan maar op de lunch houden,' zei hij.

'Dat lijkt me een goed idee. Kerel.'

45

Overdag handjes vasthouden, 's avonds een beetje voor voyeur spelen?

Twee avonden achter elkaar reed Theodore Gerd Dirgrove vanuit het ziekenhuis rechtstreeks naar huis en bleef daar. Beide keren bleef Jeremy de crèmekleurige torenflat tot drie uur 's ochtends in de gaten houden, afwisselend vanuit zijn auto en lopend door de chique buurt. Hij had geen last meer van de kou, diep vanbinnen brandde het heilige vuur.

Het was een goede plek om iemand te bespioneren, want de

opeenhoping van cafés en dure cocktailbars zorgde voor een constante stroom voetgangers die zijn aanwezigheid maskeerden. De tweede avond ging hij bij een van de bars naar binnen, een tent op Hale die de Pearl Onion heette en gespecialiseerd was in martini's. Hij probeerde er een, zonder ijs, met Boodlesgin. In de olieachtige vloeistof dreef een stel zilveruitjes, waarnaar de bar vernoemd was. Arthurs drankje.

Hij nam maar één borrel, gevolgd door koffie en ging bij het raam zitten, waar hij het gebouw van Dirgrove door de vitrage in de gaten kon houden.

Hij voelde zich thuis en genoot van de zachte muziek – echte jazz – het gerammel van de glazen en de enthousiaste gesprekken van de aantrekkelijke, welgestelde vrijgezellen aan de tap.

Hij had ervoor gezorgd dat hij er goed uitzag. Hij kleedde zich de laatste tijd toch beter, om te voldoen aan de eisen van het... werk. Nu droeg hij zijn beste colbert en pantalon en een luxueuze zwarte wollen overjas die hij jaren geleden bij het warenhuis Llewellyn's in de opruiming had gekocht en nog nooit had aangetrokken – *waar had hij die voor willen bewaren?*

Hij had zelfs een schoon overhemd meegenomen naar kantoor, zodat hij zich kon verkleden voordat hij begon aan zijn...

Missie?

Wijs me een paar windmolens en ik ram erop los.

Die avond kreeg hij de Buick van Dirgrove niet meer te zien. De achterkant van het gebouw was een ommuurde binnenplaats met slechts één uitgang vanuit de ondergrondse parkeergarage, dus als de chirurg had besloten zelf zijn auto te gaan halen, zou hij naar de voorkant moeten rijden.

Ted bleef vanavond thuis. Om zijn energie te sparen?

Jeremy liet de liter vocht die hij had gedronken achter in het naar pepermunt ruikende herentoilet van de bar en reed naar huis. Morgen had Angela geen dienst en dan zou hij een excuus moeten bedenken om niet naar haar toe te hoeven. Zou het slim zijn om net te doen alsof hij ziek was? Nee, dat zou het tegenovergestelde effect hebben, want dan zou ze naar hem toe willen komen om hem te vertroetelen. Hij zou wel iets anders bedenken.

Toen hij in bed kroop, dacht hij: martini's. Arthurs drankje.
Waar was de oude man?
Wat was er met zijn gezin gebeurd?

Acht uur 's morgens zat hij alweer achter zijn bureau en logde in bij het archief van de *Clarion*. Hij had het al eerder geprobeerd, met 'Chess-moord' als zoekopdracht, maar dat had niets opgeleverd. Hij had niet geweten waar hij verder had moeten zoeken.

Maar nu wist hij meer, nu kon hij zijn parameters aanpassen.

Volgens de secretaresse van de afdeling pathologie was Arthur een verstokt vrijgezel en zij werkte al jaren in het Central. Jeremy had nooit iemand horen praten over het feit dat de oude man getrouwd was geweest.

Dus Arthur was al een hele tijd vrijgezel en de tragedie die zijn leven verwoest had, moest tientallen jaren geleden plaats hebben gevonden.

Behalve de leden van de CCC was er nog iemand die de waarheid kende: Arthurs buurvrouw, Ramona Purveyance. Zij had hem gekend als de knappe jonge arts die haar kinderen ter wereld had geholpen.

Voordat...

Ze was een openhartige vrouw, een echte kletskous, maar toen ze vertelde dat Arthur zijn huis in Queen's Arms had opgegeven, had ze daar niet dieper op in willen gaan.

Ze was op de hoogte van de beproeving die Arthur had veranderd van een bevrijder van krijsende borelingen in een opzichter van de doden.

En die Arthur had aangezet om bij de gerechtelijke medische dienst te gaan werken. De rest van zijn leven had hij zijn brood verdiend met levens die ten einde waren gekomen. Maar toch had de oude man zich vastgeklampt aan zijn herinneringen.

Twee kinderen. De toegewijde echtgenote over wie Jeremy had gefantaseerd.

Die losse veronderstellingen leken nu wel erg wreed.

Arthur, omringd door geesten.

En toch kon hij nog lachen en drinken en genieten van een laat soupeetje. Hij reisde en zijn kennis werd steeds groter.

En hij gaf les.

Plotseling voelde Jeremy een golf van bewondering voor Arthur opkomen, maar tegelijkertijd maakte het idee dat hij net zo zou worden als Arthur hem doodsbang.

Hij zette al die dingen met moeite uit zijn hoofd en vluchtte in de kille troost van cijfers. Ramona Purveyance was zeker halverwege de zestig, dus haar kinderen zouden waarschijnlijk tussen de dertig en de vijfenveertig jaar geleden geboren zijn.

En Arthur was... hoe oud? Zeventig? Na zijn studie medicijnen en zijn dienstplicht moest hij rond de dertig zijn geweest toen hij als verloskundige bij Central kwam.

Jeremy gokte op veertig jaar geleden en gaf als zoekopdracht: 'de Chess-moorden'.

Meervoud, want dat was het geval geweest. De computer was niet zo slim om die optie automatisch mee te nemen, dus misschien had hij daarom de eerste keer nul op het rekest gekregen.

Niets.

Zou hij meer succes hebben met 'gezin Chess vermoord'?

Ja, dus.

Zevenendertig jaar geleden. Een ongebruikelijk droge julimaand.

DRIE LICHAMEN AANGETROFFEN IN UITGEBRAND ZOMERHUISJE

Het onderzoek naar de brand vanmorgen vroeg in een zomerhuisje in de buurt van Lake Oswagumi, in het toeristische Highland Park, veranderde in een moordonderzoek toen in de verkoolde puinhopen drie lijken werden aangetroffen.

De stoffelijke resten zijn geïdentificeerd als die van mevrouw Sally Chess, een jonge moeder, en haar beide kinderen, Sarah (9) en Arthur Chess junior (7). Arthur Chess senior (41), een arts van het City Central

Hospital, was niet aanwezig in het gehuurde zomerhuisje toen de brand het drie kamers tellende gebouwtje in de as legde. Dr. Chess was naar het ziekenhuis geroepen om met spoed een keizersnede uit te voeren en zegt dat hij eerst nog een biertje is gaan drinken in een plaatselijke kroeg, voordat hij begon aan de negentig kilometer lange rit terug naar Highland Park.

Rechercheurs van het kantoor van de sheriff hebben reden om aan te nemen dat mevrouw Chess is vermoord en dat de brand is aangestoken om de sporen van het misdrijf uit te wissen. Beide kinderen zijn waarschijnlijk in hun slaap gestikt. De rechercheurs deelden verder mee dat dr. Chess weliswaar ondervraagd is, maar dat hij op dit moment niet als verdachte wordt beschouwd.

Die laatste zin herinnerde Jeremy aan iets dat hij pas geleden had gelezen. Het verslag van de moord op Robert Balleron. De rechter was ondervraagd, maar de politie had met nadruk gesteld dat zij niet als verdachte werd beschouwd.

Zou dat precies het tegendeel betekenen? Wisten Tina en Arthur hoe het voelde als je verdriet vergiftigd werd door argwaan?

Arme Tina. Arme Arthur.

De oude man had toenadering gezocht en Jeremy had niet thuis gegeven.

Maar dat was voorbij. Hij hoorde erbij.

Omdat hij toch moest betalen voor zijn bezoek aan het archief zocht hij 'het dorp op Kurau' op. Het enige resultaat was een berichtje van een persbureau, met een datum van eenenvijftig jaar geleden.

KANNIBALEN OP STROOPTOCHT!

Kurau is een onbekend eilandje temidden van de duizenden die de Indonesische gordel van smaragd vormen. In de oorlog was het bezet door de Japanners voordat het door de geallieerden werd bevrijd, en tegenwoordig wordt het opgeëist door diverse inheemse stammen. Het eiland kreeg te maken met een ploselinge terugkeer naar primitieve tijden toen plunderende bendes die de diverse groeperingen vertegenwoordigden in dorpen van de tegenpartij met kapmessen en van de Japanse bezetter geconfisqueerde sabels een bloedbad aanrichtten. Mensen werden aan stukken gehakt en opengereten, terwijl de bendeleden door de jungle paradeerden met op palen gespietste hoofden. De berichten dat er vele vuren waren aangestoken, doen vermoeden dat het kannibalisme, dat vroeger in dit gedeelte van de wereld veelvuldig werd aangetroffen, weer de kop heeft opgestoken. Een handjevol Amerikaanse militairen en diplomaten is op het eiland achtergebleven om de overgang van bezetting naar zelfbestuur in goede banen te leiden. Het ministerie van Buitenlandse Zaken raadt Amerikaanse reizigers aan het gebied te mijden tot de rust is teruggekeerd.

De telefoon ging.

'Heb je tijd om over Doug Vilardi te praten?' vroeg Bill Ramirez.

'Ja, hoor. Hoe gaat het met hem?'

'Kunnen we dat onder vier ogen bespreken? Doe maar net alsof ik een patiënt ben of zo.'

Vijf minuten later stond Ramirez hijgend voor de deur. 'Wat ben jij moeilijk te vinden... Hebben je collega's je in de ban gedaan of zo?'

'We hadden ruimtegebrek. Ik heb me vrijwillig opgeofferd.'

'Wel een beetje somber,' zei Ramirez. 'Maar goed... je zit hier lekker afgezonderd... Ruimtegebrek? O ja, de slagers hebben jullie kantoor ingepikt, hè?'

'Het middel is belangrijker dan het doel.'

'Pardon?'

'Ga zitten. Hoe is het met Doug?'

Ramirez trok een stoel bij. 'Niet zo geweldig. Als zijn milt niet slinkt, halen we die eruit. Dat kan ieder moment gebeuren, we houden het scherp in de gaten. De idiopathische reactie op de chemo die wat het ook is geweest, oplost.' De oncoloog zakte onderuit in zijn stoel en strekte zijn benen. Zijn overhemd zat vol kreukels. Rond zijn oksels zaten zweetplekken. 'Dat is typisch voor dit soort gevallen. Ze zorgen wel dat je nederig blijft.'

'Altijd.'

'Gewoonlijk,' ging Ramirez verder, 'kan ik mezelf wijsmaken dat ik een held ben. Maar bij gevallen als Doug, met een secundaire ziekte, ga je jezelf onwillekeurig als de boosdoener beschouwen.'

'Als jij hem niet voor die beenmergkanker had behandeld, was hij nu dood geweest. Geen vrouw, geen baby op komst.'

'Sprak de psychiater... Maar ja, je hebt gelijk. Ik ben wel blij dat je het zegt. Toch zou ik het leuk vinden als ik daarbij niet iemand naar de verdommenis help.'

'Dan moet je dichter worden.'

Ramirez lachte. 'Maar goed, dat is niet de reden waarom ik hier ben. Pathologie worstelt nog steeds met de vraag om welke vorm van leukemie het gaat. Ik heb net van ze te horen gekregen dat het een mengeling kan zijn van lymfatische en myeloïde, of geen van beide – iets raars en onherkenbaars. Het kan tegelijk acuut en chronisch zijn. Het beenmerg van die knul is een puinhoop. Ik laat de uitstrijkjes naar L.A. en Boston sturen, omdat ze daar vaker met die rare vormen geconfronteerd worden dan wij. Waar het om draait, is dat we erachter moeten zien te komen welke vorm hij nu precies heeft, maar als hij nergens bij past en wij maar op goed geluk iets proberen, wordt onze kans op initiële remissie kleiner.'

Hij slaakte een diepe zucht. 'Vind je het goed als ik een kopje koffie neem?'

'Op eigen risico,' zei Jeremy.

'Laat dan maar zitten. Maar wat ik je eigenlijk wilde vertellen, is dat er een grote kans bestaat dat onze meneer Vilardi uiteindelijk toch een beenmergtransplantatie zal moeten ondergaan. We hebben de hele familie getest, hoewel de moeder daar een beetje huiverig voor was. Ik dacht dat het gewoon angst was. Nu blijkt dat zowel zij als een van de broers bijzonder geschikt zou zijn als donor.'

Hij fronste.

'Zitten daar dan ook haken en ogen aan?' vroeg Jeremy.

'Je kunt echt gedachtelezen.' Ramirez zuchtte weer. 'Het vervelende is, dat Doug niet de biologische zoon is van zijn vader.'

'Nou ja,' zei Jeremy.

'Je bent niet verbaasd.'

'Jawel, maar niet heel erg. Mensen blijven mensen.'

'Goh,' zei Ramirez, 'ik wou dat je míjn vader was. Dan had ik niet zo'n verdomd moeilijke puberteit gehad. Oké, dat is dus het grote geheim. De vraag is, wat doen we ermee?'

'Niets,' zei Jeremy.

'Helder en duidelijk.'

'Helder en duidelijk.'

'Je hebt gelijk,' zei Ramirez. 'Ik wilde het alleen uit je eigen mond horen. Bij wijze van steun.' Hij kwam overeind. 'Oké, mooi, bedankt. Dan gaan we maar weer verder.'

'Is er anders niets, Bill?'

'Was dat niet genoeg voor één dag?'

Jeremy lachte.

'Ik ben blij dat jij mijn instinctieve reactie hebt bevestigd. Doug is een volwassen man, dus hij heeft het recht om zijn dossier in te zien, maar dat deel van het verslag haal ik eruit. Voor het geval iemand stiekem een blik waagt.'

Hij keek Jeremy aan.

'Daar ben ik het ook roerend mee eens,' zei Jeremy.

'Dat is toch het beste,' zei Ramirez. 'Ik heb al genoeg schade veroorzaakt bij die knul.'

's Middags, nadat Jeremy bij al zijn andere patiënten was geweest, ging hij naast Dougs bed zitten. Er waren geen familieleden in de buurt. Die kwamen meestal twee uur later en Jeremy had zijn bezoek zorgvuldig gepland. Hij wilde mevrouw Vilardi niet onder ogen komen.

Doug lag te slapen met de tv aan. Een lawaaierige soap – het leven in een kleine stad, flauwe grappen. Hollywoods visie op een stelletje halve idioten, begeleid door ingeblikt gelach. Jeremy liet het programma aanstaan, maar zette het geluid zachter terwijl hij zich concentreerde op Dougs gezwollen, geel verkleurde gezicht en zijn grote, eeltige arbeidershanden die werkeloos op het bed lagen. Het ingeblikte gelach begon hem te irriteren en hij zette het toestel uit, luisterend naar het getik, gegorgel en gepiep dat de levensvatbaarheid van de jongeman bevestigde.

Doug verroerde geen vin.

Zorg dat je hier doorheen komt, vriend.

Geef me iets waardoor ik geïnspireerd word.

Vooruit.

46

Jeremy wist zijn volgende drie avonden vrij te houden met behulp van smoesjes. Hij speldde Angela allerlei verhalen op de mouw over de inleverdatum van zijn boek en de enorme druk die het hoofd van de afdeling oncologie op hem uitoefende, terwijl hij momenteel geen letter op het scherm kreeg.

Hij moest zeker twee of drie keer een avond doorwerken, misschien wel vier keer.

'Ik weet precies hoe dat is,' zei ze. 'Maar het komt vast wel in orde, schat.'

De eerste dag smokkelde hij haar al vroeg het ziekenhuis uit voor een etentje bij Sarno's en zorgde ervoor dat hij genoeg aandacht aan haar besteedde, terwijl hij gezellig over koetjes en kalfjes zat te praten. Ondertussen liep de gore film in zijn hoofd gewoon door: smerige, gewelddadige beelden, een geestelijke beerput die kilometers verwijderd was van de liefhebbende minnaar die hij Angela voorschotelde.

Toen ze het eten bijna op hadden, ging hij ervan uit dat het gelukt was. Angela was niet meer zo gespannen, ze zat regelmatig te lachen en ze praatte honderduit over haar patiënten en de bureaucratie van het ziekenhuis. Tegen de tijd dat hij haar bij endocrinologie afzette, was het halfzes geworden en had ze weer nieuwe energie.

De volgende dag liet ze hem oproepen en vertelde hem dat de leidinggevende arts-assistent het maar niks vond dat ze er vroeg tussenuit kneep.

'Zal ik een briefje voor je schrijven?' vroeg hij. '"Angela's buikje was leeg en ze moest iets eten."'

'Als dat zou kunnen,' zei ze. 'Hoe is het gisteravond met je boek gegaan?'

'Dramatisch.'

'Volhouden. Ik weet zeker dat je met iets geweldigs op de proppen komt.'

'Bedankt.'

'Ik heb trouwens toch geen tijd, Jer. De behandelende artsen hier op de afdeling zijn voornamelijk invloedrijke barbaren met een privé-praktijk. Ze beulen ons af alsof we een stel slaven zijn, zodat zij lekker op tijd thuis zijn voor de gehaktballen. Dus als we al een afspraak maken, zal het voor de lunch moeten zijn. En morgen krijgen we tijdens de lunch een college over het misbruik van groeihormonen.'

'Het werkschema.'

'Ik laat je wel weten wanneer het iets minder druk wordt. Sorry.'

'Je hoeft je niet te verontschuldigen, Ang. Dit zal ook wel weer voorbijgaan.'

Bovendien heb ik zelf ook een werkschema waaraan ik me moet houden.

'Ik weet het,' zei ze. 'Maar nu is het net alsof er nooit een eind aan zal komen. Oké, ik moet ervandoor. Ik mis je.'

'Ik mis jou ook.'

Dirgrove hing opnieuw twee avonden lang de brave huisvader uit. Of wat hij dan ook uitspookte, zodra hij in zijn zandstenen toren zat.

Op de op een na hoogste verdieping. Dat wist Jeremy omdat hij net voorbij was gekomen toen de portier naar boven moest om een pakje af te geven bij een van de bewoners. Hij was de entreehal met de marmeren muren ingelopen en had de lijst met adressen bestudeerd, omringd door een stel prachtige, gezonde potpalmen.

Als Dirgrove de huisdeur achter zich had dichtgetrokken, hoever ging hij dan met zijn schijnvertoning? Zou hij regelmatig met zijn vrouw en kinderen aan tafel zitten? Of liep hij rechtstreeks naar zijn studeerkamer?

Zou hij de moeite nemen om aandacht te besteden aan Brandon en Sonja? Wat Jeremy had gezien tijdens het familie-uitje had hem de indruk gegeven dat de klootzak geen zak om hen gaf.

Zou hij nog steeds met Patty naar bed gaan?

Arme vrouw, ondanks dat vastberaden gezicht en die atletische houding. Alle geneugten van een goed leven en vroeg of laat zou haar hele wereld instorten.

Als het aan Jeremy lag liever vroeg dan laat.

Op de derde dag werd Doug Vilardi naar de OK gebracht om zijn milt te laten verwijderen. Jeremy troostte de familie, maar hij wist dat de jongeman hem de komende vierentwintig uur niet nodig zou hebben. En geen van zijn andere patiënten was urgent. Een paar van hen waren ontslagen en hij werd maar één keer met spoed opgeroepen, voor een vijftienjarig meisje met derdegraads brandwonden op haar dij. Ze werd behandeld met pijnlijke whirlpoolbaden om de dode huid los te weken.

Jeremy ontdekte dat ze van tennis hield en zei dat ze zich moest voorstellen dat ze meedeed aan het Grand Slam toernooi op Roland Garros.

Het meisje had de behandeling zonder problemen doorstaan. Haar vader, een keiharde vent met een of andere directiefunctie, zei: ‘Dat was ongelooflijk.’

‘Jennifer is ongelooflijk.’

De vent schudde zijn hoofd. ‘Man... wat ben jij verdomd goed.’

Nu was het zes uur ’s avonds en hij had vrij. Hij wilde absoluut zijn hoofd helder houden, zodat er ruimte in zijn geest was voor Dirgrove, diens psychopathologie en de voorwerpen die hij gebruikte. En voor de vrouw die vrijwel zeker zijn volgende slachtoffer zou zijn.

Dirgrove werkte langer door dan normaal en dook pas een paar minuten over acht in de parkeergarage op. Toen hij wegreed, sloeg hij af naar het zuiden.

Om bij zijn huis te komen moest hij de andere kant op. Dit was nog nooit eerder gebeurd.

Daar gaan we dan.

Het was een fantastische avond om iemand te schaduwen. Het kwik was nog meer gedaald, maar de lucht was een stuk droger. IJler ook, alsof een of andere god er alle overbodige gassen uit had gezogen. Jeremy haalde diep en gretig adem en voelde zich opgewekt. Geluiden schenen zich ook sneller te verplaatsen en hoewel zijn raampjes gesloten waren, kon hij de herrie van de stad nog steeds horen. Lampen waren feller, mensen liepen sneller en ieder nachtelijk detail sprong eruit.

Vanavond was er geen gebrek aan auto’s. De automobilisten uit de stad waren in drommen de straat opgegaan, blij dat het niet langer glad was en dat de mist was opgetrokken. Ze waren zo uitgelaten dat ze veel te snel reden.

Iedereen draait op volle toeren.

Dirgrove reed in de richting van de Asa Brander Bridge. Dezelfde weg die Jeremy had genomen naar het pension van Arthur in Ash View. Maar in plaats van de ventweg op te draaien en de tolweg te nemen, reed de Buick door.

Naar het vliegveld.

Zes straten verder sloeg hij rechtsaf, een drukke winkelstraat in. Na twee zijstraten waren ze op Airport Boulevard, waar Dirgrove stopte op de parkeerplaats van een motel.

Rode neonbandjes vormden de naam ‘The Hideaway’ dwars over een neonuitsnede van twee elkaar overlappende harten. Het motel adverteerde met massagebedden, volslagen privacy (hier, op die drukke boulevard) en pornofilms op de kabel. Naast het motel was een benzinestation, aan de andere kant zat een zaak, TravelAid, waar niet-afgehaalde bagage werd verkocht. Verderop in de straat waren een winkel met pornoboeken en -video's, twee drankzaken en een drive-in-hamburgertent.

Een wipcentrum.

Alle kamers kwamen uit op een binnenplaats. De entree was groot genoeg voor twee auto's naast elkaar. Jeremy liet zijn wagen op Airport staan en liep naar de overkant van de boulevard. Hij bleef op de stoep voor het motel staan, zodat hij net op de binnenplaats kon kijken en een raam zag met het opschrift RECEPTIE. Achter zijn rug suisde het verkeer voorbij. Boven zijn hoofd opstijgende en landende vliegtuigen. Op het hele trottoir was geen voetganger te bekennen. Overal hing de stank van kerosine.

Er hingen geen gordijnen voor de ramen van de receptie en het vertrek was helder verlicht. Vanaf de plek waar Jeremy stond, kon hij duidelijk zien hoe Ted Dirgrove een kamer reserveerde. De chirurg leek even ontspannen als iemand die lekker op vakantie ging.

Het viel Jeremy op dat hij het gastenregister niet tekende. Vaste klant? Dirgrove kreeg een sleutel en wandelde naar een kamer aan de oostkant van de binnenplaats.

Keurig uitgedost in een zwarte overjas en een grijze broek. Fluitend.

Kamer 16.

Jeremy liep terug naar zijn auto en bleef de Hideaway vanaf de overkant van de straat in het oog houden. Hij was net op tijd uit het zicht verdwenen. Vijf minuten later draaide Gwynn Hausers Lexus het parkeerterrein op en stopte op drie plaatsen van de Buick.

Ze stapte uit zonder de moeite te nemen om zich heen te kijken en liep opgewekt en zwaaiend met haar tas naar de binnenplaats.

Haar korte blonde haar ging schuil onder een zwarte pruik en ze droeg weer die dikke witte bontjas die Jeremy nog kende van haar laatste afspraakje met Dirgrove. De ingang van het motel was beter verlicht dan de straat op het industrieterrein en Jeremy kon zelfs van die afstand zien dat het een goedkope imitatie was, het leek wel gemagnetiseerd ijzervijlsel.

Lekker ordinair doen.

Hij wachtte tot ze tien minuten binnen was, liep toen naar de receptie en telde vierenveertig dollar neer om een kamer een halve dag ter beschikking te hebben. De receptionist was een gereserveerde jongeman met vettig zwart haar die nauwelijks opkeek toen hij Jeremy's geld aanpakte. Hij reageerde evenmin toen Jeremy hem vertelde welke kamer hij wilde hebben.

Nummer 15. Recht tegenover 16.

Hij liep ernaartoe, vlak langs het gebouw, en meed de lampen die de binnenplaats verlichtten. Nadat hij de deur achter zich had dichtgetrokken, ademde hij de geur in van oud zweet, shampoo en een naar frambozen ruikend schoonmaakmiddel. Hij deed geen licht aan in de kamer, maar wel in het belachelijk kleine badkamertje – eigenlijk niets anders dan een kant-en-klaar hokje van fiberglas, met een toilet dat wiebelend op de grond was vastgeschroefd en een schimmelende douchecel, die nauwelijks plaats bood aan een kind.

Door de indirecte verlichting leek alles wat in de kamer stond groter: een tweepersoons bed met een slap matras en twee kussens, een apparaat op een van de nachtkastjes waar je munten in kon doen om het bed te laten schudden en een dertig centimeter tv-toestel dat aan de muur was vastgeschroefd, met daarop de converter om betaal-tv te ontvangen. Het enige raam in de kamer was bedekt met een geplastificeerd rolgordijn. Door het een paar centimeter op te trekken en een stoel bij het raam te trekken, had Jeremy een prima uitzicht op nummer 16.

Daar was het licht wel aan. Twee uur lang. Toen ging het ineens uit.

Maar er kwam niemand naar buiten. De tijd ging voorbij. Halftien, tien uur, elf uur. Om middernacht werd Jeremy bijna gek van verveling en hij begon zich af te vragen of Dirgrove en Hauser van plan waren om de hele nacht te blijven.

Hij had zijn tv aangezet. De meeste kanalen waren onduidelijk, maar hij had geen zin om de receptie te bellen en een vieze film te bestellen. In plaats daarvan koos hij voor een tv-dominee, een programma vanuit een enorme, met veel licht hout ingerichte kerk in Nebraska, en wist dat hij zijn tijd zat te verdoen terwijl hij luisterde naar verhalen over zonden en verlossing. Dirgrove zou vannacht niemand kwaaddoen, daar zorgde zijn vriendinnetje wel voor.

Tenzij er iets in hun relatie was veranderd en... Nee, geen denken aan, dat zou veel te riskant zijn. Niet met Gwynns auto en de zijne open en bloot langs de boulevard geparkeerd.

Ted was een man die van verandering hield.

Hij was ervan overtuigd dat ze in slaap waren gevallen. Het was kwart over drie in de nacht en Jeremy had zijn buik vol van gebedsgenezing en chantagepogingen om in Gods kudde opgenomen te worden door het opsturen van geheime potjes, los geld of bijstandsuitkeringen, stuk voor stuk garanties om in genade aangenomen te worden.

'U zult het weten,' beloofde de prediker die nachtdienst had, een magere, knappe vent die op een eerstejaarsstudent leek. 'U zult het vóélen.'

Om zeven minuten over halfvier kwam Gwynn Hauser, nog steeds met haar pruik op en zo te zien een beetje uit haar evenwicht, de kamer uit en trok haar imitatiebontjas stijf om zich heen.

Vijf minuten later kwam Dirgrove te voorschijn. Hij keek omhoog naar de maan, gaapte en slenterde langzaam naar zijn auto.

Jeremy volgde hem. Terug naar Patty en kroost.

Wat zou hij tegen haar zeggen? Dat er een spoedgeval was geweest? Dat hij levens had gered? Of had hij inmiddels het punt bereikt waarop hij haar niets meer uit hoefde te leggen?

Zou ze hem horen en ruiken als hij tussen de lakens gleed en zou ze de geur opsnuiven van het parfum van een andere vrouw in hun centraal verwarmde en ongetwijfeld uiterst chique tweepersoonsslaapkamer?

Arme vrouw.

Jeremy was zelf vlak voor vier uur thuis. In zijn buurt was nergens een teken van leven te bespeuren en toen hij zijn lege slaapkamer binnenliep, leek het de cel van een vreemde.

47

Dougs milt was verwijderd. Hij zag eruit alsof hij onder een trein was gekomen, zijn urine werd door een catheter afgevoerd en zijn stem klonk gesmoord, onduidelijk en sloom.

'Het rare is dat ik me echt al weer... beter voel, dok,' zei hij. 'Zonder die... verrekte... milt in mijn lijf.'

Veel meer had hij niet te vertellen en Jeremy had maar drie uur geslapen, dus echt creatief voelde hij zich ook niet. Hij bleef een tijdje bij de jongeman zitten, glimlachte tegen hem, keek hem bemoedigend aan en maakte een paar milde grapjes.

'Ik moet hier... weer op tijd weg zijn... om te gaan... ijsvissen,' zei Doug.

'Doe je dat vaak?'

'Ieder jaar. Met... mijn vader.'

Mevrouw Vilardi kwam de kamer binnen en zei: 'O, arme schattebout van me!'

'... prima, mam.'

'Ja, dat weet ik heus wel.' Ze glimlachte tegen Jeremy terwijl ze vocht tegen haar tranen. Ze droeg een vormeloze bruine jas met daaronder een kunststof trui en een dikke joggingbroek. Haar voeten waren gestoken in glanzende bruine imitatieleren laarzen. De trui was groen met rood, met rendieren die over haar ruim bemeten boezem huppelden. Ze had kort vaalbruin haar, doorspekt met grijs, in een permanentje.

Gewoon een vrouw van middelbare leeftijd die de jaren voelde. Toen ze jong was, had ze een minnaar gehad en uit diens zaad was Doug voortgesproten. Jeremy had haar eigenlijk nog nooit goed bekeken.

'Dan laat ik jullie nu maar alleen,' zei hij.

'Tot ziens, dok.'

'Ik wens u verder nog een prettige dag toe, dokter Carrier.'

Rechercheur Bob Doresh dook uit het niets op en versperde hem de weg toen hij naar het trappenhuis liep.

'Neemt u de lift niet, dok?'

'Ik moet aan mijn conditie denken.'

'Hebt u het gisteravond druk gehad, dok?'

'Waar hebt u het over?'

Het gezicht van Doresh stond grimmig. Zijn kaakspieren bolden. 'We moeten met elkaar praten, dok. In mijn kantoor.'

'Ik heb patiënten.'

'Die kunnen wel wachten.'

'Nee, dat kunnen ze niet,' zei Jeremy. 'Als u wilt praten, dan kan dat ook in mijn kantoor.'

Doresh kwam dichterbij. Jeremy stond met zijn rug tegen de muur en heel even dacht hij dat de rechercheur hem klem zou zetten. De kloof in Doresh' vlezige kin trilde. Mijn god, daar kon je écht iets in verstoppen.

'Is dat erg belangrijk voor u, dok? Wáár we met elkaar praten?'

'We hoeven niet met elkaar op de vuist te gaan, rechercheur. Ik ben volkomen bereid om mee te werken, hoewel ik me niet kan voorstellen wat er zo belangrijk is. Ik wil het alleen hier doen, zodat het me niet te veel tijd gaat kosten.'

'Wat er zo belangrijk is,' zei Doresh. Hij kwam nog een stapje dichterbij. Jeremy kon het spek ruiken waarmee hij ontbeten had. 'Ik heb iets wat écht belangrijk is.' Hij zette zijn handen in zijn zij.

Jeremy trok wit weg. 'Weer één? Maar dat is onmogelijk.'

'Onmogelijk, dok?' Als blikken konden doden, was Jeremy in een hoopje as veranderd.

Onmogelijk, omdat het monster de hele nacht met zijn vriendinnetje heeft gestoeid.

Zou ik me dan zo vergissen?

'Wat ik bedoelde... Mijn eerste gedachte was niet alwéér, niet zo snel. Zoveel doden. Het is bijna niet te vatten.'

'Ach.' Doresh begon te lachen op een manier waar hij misselijk van werd. 'En dat vindt u niet leuk.'
'Natuurlijk niet.'
'Natuurlijk niet.'
'Verdomme, wat bedoelt u nou weer, rechercheur?'
Jeremy's zag verderop in de hal iets bewegen. Mevrouw Vilardi was Dougs kamer uitgelopen, zag Jeremy staan en woof. Ze maakte het gebaar dat ze iets ging drinken. Alsof ze Jeremy's toestemming nodig had om een kop koffie te gaan halen.
Jeremy zwaaide terug.
'Is dat een fan van u?' vroeg Doresh.
'Wat wilt u van me? Laten we het nou maar meteen doen, dan zijn we ervan af.'
'Prima,' zei Doresh. 'Wat zou u zeggen van een compromis? Niet bij u of bij mij, maar bij God.'
De kapel van het ziekenhuis – de 'meditatieruimte' – bevond zich opzij van de hoofdingang, vlak achter het kantoor van de afdeling ontwikkelingswerk. De ruimte was officieel bestemd voor alle gezindten en zag eruit alsof iemand zich ineens had gerealiseerd dat zoiets wellicht ook nodig was. Drie rijen lichte, essenhouten banken op een dunne rode vloerbedekking, plastic ruiten die gebrandschilderde ramen moesten voorstellen en een laag, hol plafond met glinsterend stucwerk. Tegenover de banken was een aluminium kruis tegen de muur geschroefd. Op een lessenaar achterin lag een bijbel, naast een rek met allerlei bezielende brochures geschonken door evangelische groeperingen.
Jeremy nam aan dat de ruimte af en toe gebruikt werd, hoewel hij nooit iemand had gezien die naar binnen ging of naar buiten kwam.
Doresh liep naar binnen alsof hij er al eerder was geweest.
Wat krijgen we nou, moet dit mij soms aanzetten om te bekennen?
De rechercheur liep naar de voorste rij, trok zijn regenjas uit, legde die over een van de banken, ging zitten en klopte op de plek rechts naast hem om Jeremy duidelijk te maken dat hij moest gaan zitten.

Gaan we nu samen bidden?

Jeremy negeerde het uitnodigende gebaar en liep om Doresh heen. Hij bleef tegenover de rechercheur staan.

'Wat kan ik voor u doen, rechercheur?'

'Om te beginnen zou u me kunnen vertellen waar u gisteravond bent geweest, dokter.'

'Hoe laat?'

'De hele avond.'

'Ik ben uitgeweest.'

'Dat weet ik, dokter. U kwam om een uur of vier 's ochtends thuis. Laat voor uw doen.'

'Houdt u me soms in de gaten?'

'Heb ik dat gezegd?'

'Nee,' zei Jeremy. 'Natuurlijk niet. Wat een stomme vraag. Als u me in de gaten hield, zou u hebben geweten dat ik er niets mee te maken heb.'

En hetzelfde geldt voor Dirgrove, die in de kamer aan de overkant van de binnenplaats zat.

Weer helemaal mis!

'Laat maar eens horen,' zei Doresh.

'Ik ben kort na achten uit het ziekenhuis weggegaan en heb een halfuur later een kamer genomen in een motel in de buurt van het vliegveld. De Hideaway, op Airport Boulevard. Ik heb contant betaald, maar de receptionist kan zich mij waarschijnlijk wel herinneren, omdat het niet druk was. Een jonge vent met donker haar. Gisteren droeg hij een groen-wit gestreept overhemd. Zijn broek heb ik niet gezien. Ik heb voor een halve dag betaald. Vierenveertig dollar.'

'Een motel.'

'Dat klopt.'

'Wie had u bij u?'

'Niemand.'

Doresh trok zijn ruige wenkbrauwen op. Hij ging verzitten en de bank kraakte. 'U bent in uw eentje in een motel gaan zitten.'

'Kamer 15. Daar ben ik gebleven tot ongeveer tien voor halfvier en zoals u weet, was ik vlak voor vieren weer thuis.'

Als hij niet was gezien door Doresh of een andere smeris, door wie dan wel? Het moest een van de buren zijn en de enige die daarvoor in aanmerking kwam, was mevrouw Bekanescu. Ze was een geboren gluurder, die hem nooit had gemogen, en hij had vaak gezien dat ze ver voor zonsopgang het licht al aan had. Soms zette ze iets te eten buiten voor zwerfkatten, die dan door de buurt liepen te miauwen als het nog donker was. Hoe dan ook, ze was op geweest, had zijn koplampen gezien en toen Doresh haar had ondervraagd, had ze geen moment geaarzeld hem dat door te brieven.

Met hoeveel buren had Doresh gesproken? Dachten ze allemaal dat hij een gevaarlijke klant was? Was dat de reden dat niemand ooit iets tegen hem zei en niet het feit dat ze huurders waren die daar maar kort bleven wonen?

Doresh bleef hem zonder een woord te zeggen aanstaren.

'Waar en wanneer is het gebeurd?' zei Jeremy.

'Dat meent u echt.'

'Dat ik dat wil weten? Ja.'

'Dat u in uw eentje een kamer hebt genomen in zo'n wiptent.'

'Ik had behoefte aan eenzaamheid.'

'En die hebt u in een wiptent gevonden?'

'Ja.'

'Maar u woont toch alleen? Waarom kon u geen eenzaamheid vinden in uw eigen huis?' Hij lachte. 'U hebt tegenwoordig meer dan genoeg eenzaamheid.'

Doresh klonk alsof hij Jeremy uitdaagde. *Kom op, slimme jongen, wordt maar woest.*

Jeremy haalde zijn schouders op. 'Een verandering van omgeving wil wel eens helpen.'

'Wat helpen?'

'Om met jezelf in het reine te komen.'

Het gezicht van Doresh kreeg de kleur van rauw vlees. 'Het zou verstandiger zijn als u me niet besodemieterde.'

'Ga maar met de receptionist van het motel praten. Vraag het kamermeisje dat kamer 15 heeft schoongemaakt maar of het bed beslapen was.'

'Hebt u daar niet geslapen? Wat hebt u dan in vredesnaam uitgespookt?'

'Op een stoel gezeten. Nagedacht. Televisiegekeken, voornamelijk religieuze programma's. Wie me het best is bijgebleven, was een dominee uit Nebraska. Thadd Bromley. Een echte kletskous. Hij droeg een blauwe trui met een v-hals en praatte als een cowboy. Als ik naga hoeveel donaties er binnenkwamen, doet hij het lang niet gek. Ik vond het prachtig om hem te horen vertellen hoe ik moet leven.' Jeremy's blik dwaalde rond door de kapel.

'Dus u bent religieus,' zei Doresh.

'Ik wou dat het waar was.'

'Dat wat waar was?'

'Religie kan veel troost bieden. Ik zou best gelovig willen zijn.'

'Wat houdt u dan tegen?'

'Ik heb te veel andere dingen te doen. Wie was ze? Waar is het gebeurd?'

Doresh negeerde hem. Hij wendde zich af en in het licht dat door een van de plastic gebrandschilderde ramen viel, leek zijn gezicht op een regenboog.

'Weer een Humpty Dumpty toestand,' zei Jeremy.

Nog steeds geen antwoord.

'Had u verder nog iets, rechercheur?'

Doresh sloeg zijn benen over elkaar. 'Wat u me probeert wijs te maken, is dat u van halfnegen tot tien voor halfvier 's nachts in een of andere wiptent helemaal in uw eentje naar een stel preken hebt zitten luisteren. Wat een verhaal.'

'Waarom zou ik zoiets verzinnen?'

'Het probleem is, dok, dat de receptionist waarschijnlijk wel kan bevestigen dat u inderdaad een kamer hebt genomen. Maar ik neem aan dat u niet de moeite hebt genomen om hem welterusten te wensen toen u er weer vandoor ging. Dus hoe moet ik dan weten waar u de hele nacht hebt uitgehangen? U had ieder moment weg kunnen gaan.'

'Thadd Bromley,' zei Jeremy. 'Hij zat laat in de uitzending. Hij citeerde uit Handelingen. Hij genas een meisje op krukken. En er waren nog meer van die lui. Waarschijnlijk kan ik me nog wel een paar andere preken herinneren. Ik heb even zitten dommelen, maar het grootste deel van de nacht ben ik wakker gebleven.'

'Tv-dominees.'

'De Hideaway heeft niet zoveel zenders in de aanbieding. Van de meeste was de ontvangst slecht. Ik denk dat het signaal van die religieuze zenders gewoon sterker is.'

'Hebt u pornofilms gehuurd?'

'Nee.'

'Dat soort tenten heeft toch altijd een grote verzameling pornofilms? Dat is juist hun specialiteit. Behalve dat de meeste mensen iemand meebrengen.'

De blik in de ogen van de rechercheur was kil en minachtend.

'Geen porno,' zei Jeremy. 'Kijk het maar na bij de receptie.'

'Gelul,' snauwde Doresh. 'Wat u me vertelt, is gewoon gelul.'

'Als ik had geweten dat ik een alibi nodig had, zou ik daar wel voor gezorgd hebben.'

'Leuk, hoor. U bent in staat alles recht te praten.'

'Wie is er vermoord?' vroeg Jeremy.

'Een vrouw.' Doresh strekte zijn benen.

'Stofzuig mijn auto maar uit,' zei Jeremy. 'Neem al mijn kleren in beslag en ga weer naar mijn huis om alles onder te spuiten met luminol. Ga maar op zoek naar vezels, vloeistoffen, wat u wilt. En u hoeft van mij niet eens eerst een bevel tot huiszoeking te gaan halen.'

'Wat zou u zeggen van een test met een leugendetector?'

'Prima, geen enkel probleem.'

'Geen restricties?'

'Zolang u maar zorgt dat uw vragen beperkt blijven tot mijn eventuele betrokkenheid bij meer dan één moord.'

'Wat?' zei Doresh. 'Mogen we u niets vragen over godsdienst?'

'Hebt u verder nog iets, rechercheur?'

'Een leugentest,' zei Doresh. 'Natuurlijk kan zo iemand als u, een eersteklas hypnotiseur en zo, waarschijnlijk wel manieren bedenken om zo'n test te vervalsen.'

'Daar zijn geen trucjes voor,' zei Jeremy. 'Als je met succes een leugentest wilt vervalsen, moet je een abnormaal kille persoonlijkheid hebben of geruime tijd met zo'n apparaat hebben geoefend. En beide dingen gaan voor mij niet op. O ja, verdoving wil ook nog wel eens helpen. Als u van tevoren wilt controleren of ik bepaalde middelen heb gebruik, gaat u uw gang maar.'

'Een kille persoonlijkheid, hè? Volgens mij bent u een behoorlijk koele kikker, dokter Carrier. Zelfs nadat mevrouw Banks was afgeslacht en wij u meenamen naar het bureau was u verdomd koel. Mijn partner en ik waren diep onder de indruk. De vriendin van een vent wordt aan mootjes gehakt en hij zeilt zonder problemen door het verhoor.'

Voorzover Jeremy zich kon herinneren, was dat gesprek een eindeloze nachtmerrie geweest. Hij lachte, om te voorkomen dat hij de klootzak een mep zou verkopen.

'Is er iets om te lachen, dok?'

'Ja, dat u de plank zo hopeloos misslaat. Als u bang bent om belazerd te worden, laat die leugentest dan maar zitten.'

Doresh pakte zijn jas, stond op en ging voor hem staan. Zijn gespleten kin sidderde en zijn brede borst kwam gevaarlijk dicht in de buurt van Jeremy's bovenlijf. 'Nee, laten we dat maar doen. Morgen misschien. Of overmorgen.'

'Bel me maar,' zei Jeremy. 'Dan zal ik in mijn agenda kijken wanneer ik tijd voor u heb.'

'En zonder gesjoemel, hè?' zei Doresh.

'Ik zou niet weten hoe. Ik heb trouwens ook geen chirurgische vaardigheden, rechercheur. En ik ben nooit in Engeland geweest.'

Doresh knipperde met zijn ogen. 'Waarom zou ik in dat soort dingen geïnteresseerd zijn?'

Jeremy haalde zijn schouders op en wilde om de rechercheur heen lopen. Doresh versperde hem de weg. Hij maakte een gebaar met zijn hoofd – quasi-agressief – alsof hij op het punt stond hem aan te vallen. Jeremy week automatisch achteruit, verloor zijn evenwicht en moest zich aan een van de banken vastgrijpen.

Doresh lachte en liep de kapel uit.

48

Jeremy wachtte tot hij zeker wist dat Doresh niet terug zou komen voordat hij de deur van de kapel op slot deed, op een van de achterste banken neerzeeg en zijn handen voor zijn gezicht sloeg.

Het is Dirgrove niet. Ik heb mijn tijd verspild en nu is er weer een vrouw...

Altijd fout, ik zit er verdomme altijd naast.

Hoe kon dat nou? Alles paste zo precies. Gebruiksartikelen, lasers, zo vader zo zoon. Dirgrove, het seksuele roofdier dat iedereen naar zijn hand probeerde te zetten. Hij was absoluut in Engeland geweest toen de Engelse meisjes afgeslacht waren en die Engelse meisjes hoorden er ook bij, dat kon niet anders. Daarom hadden Langdon en Shreve hun oren gespitst en daarom had Shreve contact opgenomen met Doresh, die prompt bij Jeremy langs was gekomen.

Ik ben nooit in Engeland geweest! Waarom dringt dat toch niet tot die zak van een Doresh door!

De leugentest zou zijn onschuld bewijzen, net als alle andere dingen die ze zouden ondernemen, maar ondertussen werden nog steeds vrouwen...

Fout.

Dat betekende dat Arthur zich ook had vergist. De ansichten, de enveloppen, die hele verrekte preek waarop de oude man hem...

Arthur.

Een vreselijke gedachte bekroop hem... Een afschuwelijk idee dat alles tartte.

Arthur, de opzichter van de dood. Expert op het gebied van griezelverhalen, de man die als geen ander spelletjes kon spelen.

Arthur, die zich verdiepte in krijgskunde.

Hij wist al een tijdje dat de oude man hem door middel van kunstgrepen beïnvloedde, maar hij had achter alle list en bedrog alleen goede bedoelingen gezocht.

Arthur. Die genoot van zijn werk voor de dood en die een lijkwagen als reserveauto had... Het voertuig dat hem had achtervolgd was groot geweest. Hij had aan een SUV gedacht, een terreinwagen, maar waarom geen bestelbusje?

De man sneed lijken open. Hij groef gaten met een spade... Nee, geen denken aan. De patholoog was veel te oud. Oude mannen, die geen testosteron en dromen meer hadden, deden dat soort dingen niet.

En trouwens, de ervaring die Arthur met geweld had, was het tegenovergestelde. Hij was het slachtoffer geweest. Hij had de beproeving meegemaakt.

Zijn hele gezin omgebracht.

Een onopgeloste, drievoudige moord.

Geen alibi voor Arthur, die op het moment dat de brand was gesticht onderweg was naar het zomerhuisje.

Arthur die er jaren over had gedaan om het huis waarin hij met zijn gezin had gewoond vaarwel te zeggen. Die daar omringd was geweest met geesten.

Geesten waarvoor hij zelf verantwoordelijk was geweest?

Nee, onmogelijk, dat bestond niet. De oude man was excentriek, maar hij was geen monster. Als Arthur een monster was, zou dat betekenen dat de andere leden van de CCC ook... Nee, ze waren allemaal slachtoffers, stuk voor stuk. Ze hadden allemaal hun eigen beproevingen doorstaan, het lijden had hen edelmoedig gemaakt.

Arthur was vreemd, maar hij was een goed mens. Jeremy's beschermengel die hem langzaam maar zeker de onverbiddelijke waarheid toonde.

Maar toch had de oude man hem hopeloos op het verkeerde been gezet.

Zo kan ik me toch niet hebben vergist.

Als dat wel zo is, ga ik iets anders doen. Loodgieter, metselaar, receptionist bij een of andere gore wiptent. Of nog beter, ik monster gewoon aan op een van die trawlers, die met sleepnetten de zeebodem afstropen.

Zo vader...

Waarom had Arthur hem dit aangedaan?

Toen hij rechtop ging zitten en zijn handen liet zakken, viel zijn oog op het gebrandschilderde plastic.

En ineens drong het tot hem door. In een plotselinge opwelling van begrip waarvan zijn maag omdraaide... Een geweldige ontdekking die ervoor zorgde dat alles... precies klopte!

Hij sprong op en rende naar de deur van de kapel. Terwijl hij met het slot stond te worstelen, ging zijn pieper af.

'Dokter Carrier, met Nancy, de hoofdverpleegkundige van Vier Oost. Ik heb hier een zekere mevrouw Van Alden, een van de patiënten van dokter Schuster, die een ruggenprik moet hebben. En zij zegt dat u beloofd had dat u hier tien minuten geleden zou zijn om haar erdoor te helpen. Eigenlijk zitten we alleen op u te wachten.'

'Ik ben opgehouden door een spoedgeval. Ik kom er meteen aan.'

'Fijn. Ze lijkt me behoorlijk gespannen.'

Hij liep haastig naar de liften zonder om zich heen te kijken en vroeg zich af: *Hoe moet ik dat voor elkaar krijgen?*

Terwijl hij onderweg was naar de vierde verdieping controleerde hij zijn agenda.

Nog negen patiënten, vlak achter elkaar, die hem allemaal nodig hadden. En dan telde hij Doug niet eens mee, hoewel hij wist dat er van hem verwacht werd dat hij nog even bij Doug langs zou gaan. Christus, dat verdiende die arme knul ook wel.

En als zijn klinische werk erop zat, moest hij naar het patiëntenoverlag van psychiatrie. Dat kon hij wel laten lopen, maar de mensen die van hem afhankelijk waren, kon hij niet in de steek laten.

Tien patiënten, zonder pauze achter elkaar gepland, omdat hij zijn schema had aangepast. Hij had meer tijd willen hebben voor wat hij 's avonds deed en dat kwam hem nu duur te staan.

Vechten tegen windmolens, zwaaiend met een gebroken lans.

Toen de liftdeur opengleed, hoorde hij de geluiden van de afdeling. Mevrouw Van Alden had hem nodig. Ze zou het wel redden, daar zou hij voor zorgen.

Op de een of andere manier zou hij deze dag wel doorkomen.

Een echte koele kikker. Nietwaar?

49

Terug in zijn kantoor, hijgend van het rennen, borg hij de geluiden van die dag – pijnkreten, gehuil, berustend gezucht, een stortvloed van dankbaarheid – op in een donker, diep vestzakje van zijn hersenen, waar de kruimels van de vorige keer nog in zaten.

Hij ging meteen op zoek naar het boek... Daar was het al, het lag boven op het 'Wetenswaardigheden'-dossier.

Koud bloed in de aderen. Meneer Colin Pugh die een graantje meepikte door bijzonder kwalijk gedrag te vereeuwigen.

Een boek dat was gekocht bij Renfrew. Uiteraard, dat kon ook niet anders, dat was logisch, zo zat de wereld in elkaar...

Nadat hij haastig het laatste hoofdstuk had opgeslagen, bladerde hij het zo snel door dat het oude papier begon te schilferen en het stof alle kanten op vloog.

Hier stond het:

> Gerd Degraav komt Brazilië binnen met behulp van
> een Syrisch paspoort.
> Hertrouwd en een kind.

Nog een zoon.

Hier? Arthur die hem op het juiste spoor zette... die dag in de cafetaria. Die andere man, de donkerharige chirurg met de snor die bij Dirgrove en Mandel had gezeten terwijl Arthur hen onafgebroken in het oog hield.

De man die Jeremy met Dirgrove had zien redetwisten. Een koppel dat aan elkaar gewaagd was, even groot, zelfde lichaamsbouw. Met opgetrokken lippen als een stel vechtende honden...

Een tweede zoon, geboren in Syrië. Half Duits, half afkomstig uit het Midden-Oosten. De huidkleur klopte.

Het was niet Dirgrove maar de donkere man die Arthurs aandacht had vastgehouden.

Dat moest wel, dat kon niet anders, laat ik er nu niet weer naast zitten... Jeremy rukte de onderste la van zijn bureau open, pakte het fotoboek van de interne staf en begon bij de D, want deze man had waarschijnlijk net als Dirgrove zijn naam veranderd en hopelijk was hij daar, net als zijn halfbroer, in alfabetisch opzicht niet ver van afgeweken.

Maar dat was niet zo.

Jeremy begon weer bij de A en bestudeerde iedere foto in het boek. Zijn eigen gezicht staarde hem nietszeggend aan, een foto die vlak na de moord op Jocelyn was genomen. *Mijn god, ik zie eruit alsof ik een zware shock heb.*

De donkere, besnorde dokter was nergens te vinden.

Een witte jas, een chirurg die niet bij City Central werkte?

Dat zou Mandel wel weten. Jeremy belde het kantoor van de cardioloog en kreeg te horen dat dr. Mandel op vakantie was.

'Waar?'

'Dat mag ik aan niemand vertellen,' zei de secretaresse.

'Je spreekt met dokter Carrier.'

'Een spoedgeval met betrekking tot een van de patiënten?'

'Ja.'

'Dokter Rhinegold behandelt alle spoedgevallen van dokter Mandel.'

'Ik moet dokter Mandel persoonlijk spreken.'

'Het spijt me...'

'Alsjeblieft.'

'Ik wou net zeggen dat ik dokter Mandel toch niet kan bereiken, zelfs al zou ik dat willen. Hij is samen met zijn gezin op trektocht in Colorado en hij heeft geen telefoon bij zich. Daar heeft hij nog eens extra de nadruk op gelegd. Drie dagen lang geen telefoon. Hij heeft die paar dagen vrij echt verdiend.'

'In welk hotel logeert hij?'

'Dokter,' zei ze. 'Misschien hebt u me niet goed begrepen. Hij is aan het kampéren. Midden in de rimboe.'

'Hebben jullie ook een arts op de afdeling van een jaar of veertig, met een donkere huid en een donkere snor?'

'Nee,' zei ze. 'Is er iets met u aan de hand, dokter Carrier?'

Omdat hij niet wist wat hij vervolgens moest doen, belde hij het kantoor van Dirgrove.

Ha, die Ted, dat is een tijd geleden. Tussen twee haakjes, hoe heet dat moordlustige broertje van je eigenlijk? En waarom was je laatst zo ontzettend nijdig op hem?

Hadden Dirgrove en zijn broer ruzie gehad over iets belangrijks? Zou Dirgrove de waarheid vermoeden?

De telefoon van de chirurg bleef overgaan tot Jeremy ten slotte werd doorverbonden naar een voicemail.

Dokter Dirgrove kan u momenteel niet te woord staan. Als het om een spoedgeval gaat, toets dan alstublieft een...

Hij was al naar huis. Of zou hij weer een afspraakje hebben met dr. Gwynn Hauser?

Hauser. Zij en Dirgrove hadden meer dan zes uur samen doorgebracht in dat motel. Dat betekende dat hun relatie verder ging dan rare rollenspelletjes.

Zouden ze in bed met elkaar praten?

Hij zocht het toestelnummer van Hauser op en toen ze opnam, verbrak hij de verbinding en trok zijn witte jas aan.

Ze deelde een kantoorsuite met drie andere internisten, twee verdiepingen onder de luxueuze penthouseruimte van Dirgrove. Jeremy liep door een lege receptie, klopte op de deur waar haar naam op stond en deed die open toen ze 'kom binnen' zei.

Ze zat achter haar bureau te schrijven en keek op. Glimlachend zette ze haar bril af en legde haar pen neer. 'Mijn vriend uit de parkeergarage. Ik vroeg me al af wanneer je zou komen opdagen.'

Heftig geknipper met de wimpers. Haar korte blonde haar trilde toen ze haar gezicht naar Jeremy ophief.

Hij was glimlachend binnengekomen om haar op haar gemak te stellen, maar ze was zo relaxed dat hij een beetje van zijn stuk raakte. Ze reed achteruit in haar bureaustoel, zodat hij een onbelemmerd uitzicht had op lange benen die over elkaar werden geslagen. Ze droeg een rode wollen jurk en vleeskleurige kousen. Fantastische benen. Van dichtbij kon ze haar leeftijd niet verbergen, maar dat maakte niet uit. Dit mens liep over van de hormonen.

Jeremy sloot de deur. 'Verwachtte je me dan?'

'Het kan verbeelding zijn,' zei ze, 'maar volgens mij heb je een oogje op me. Eerst die keer in de parkeergarage en later nog een paar keer op verschillende plekken in het ziekenhuis.' Ze knipoogde. 'Ik ben een oplettend meisje, hoor. Het viel me op dat ik jou opviel. Ik heb zelfs opgezocht wie je was. Jeremy Carrier, van de afdeling psychologie.'

Jeremy glimlachte.

'Het gaat om dat kleine vonkje,' zei ze. 'Als dat overspringt, weet je waar je aan toe bent.'

'Dat is waar,' zei hij terwijl hij voor haar bureau ging zitten.

'Goed. Jeremy. Wat kan ik voor psychiatrie betekenen?'

'Ik heb inlichtingen nodig.'

Haar mond zakte open. Ze leek verward.

'Over de broer van Ted.'

'Ted?' De bril werd weer opgezet. Ze zette haar beide voeten weer op de grond en bleef stram zitten.

'Ted Dirgrove.'

'De chirurg?'

'Je hoeft niet zo bedeesd te doen, Gwynn.'

Ze maakte een gebaar naar de deur. 'Ik denk dat je beter weg kunt gaan. En wel meteen.'

'Die jas vond ik wel leuk,' zei Jeremy. 'Die grote, pluizige witte. Precies de juiste combinatie van chique en goedkoop. Wat is het precies? Polyester? Net als die zwarte pruik?'

Het gezicht van Gwynn Hauser werd doodsbleek. 'Val dood... donder alsjeblieft op.'

Jeremy sloeg zijn benen over elkaar. 'Ik zal je eens wat vertellen. Ik stuur die foto's gewoon gelijktijdig op. Een stel naar jouw man en een ander stel naar Patty Dirgrove.'

'Je bent niet goed wijs. Welke foto's?'

'Het Hideaway Motel. Kamer 16. Gisteren, van halfnegen tot

tien over halfvier. Een lange afspraak. Jullie zullen wel lol hebben gehad.'

Gwynn Hausers mond viel open. 'Je bent echt stapelgek.'

'Dat kan wel waar zijn,' zei Jeremy, 'maar de conditie van mijn geestelijke gezondheid hoeft jouw leven niet te verpesten.'

'Is dat een dreigement? Dacht je dat je maar zo hier binnen kon lopen om mij te bedreigen en me op m'n kop te zitten? Ben je nou helemaal...' Ze pakte haar telefoon op, maar toetste geen nummer in.

'Het enige wat ik wil, zijn een paar inlichtingen.'

'Over... waarom?'

'Dat hoef je niet te weten.'

'Wat heeft hij dan gedaan?'

'Je gaat er meteen vanuit dat hij wat gedaan heeft,' zei Jeremy. 'En je bent ook niet verbaasd dát hij iets gedaan heeft.'

Hauser legde de telefoon weer op de haak. De pezen in haar hand leken op strakgespannen veren. Jeremy keek toe hoe ze een paar velletjes papier op elkaar legde tot ze een stapeltje had van tien centimeter hoog en dat tussen haarzelf en Jeremy in legde.

Een zielige poging om zich te verschansen. Ze wist het. Haar ogen straalden verwarring en angst uit.

'Ik weet niet genoeg van hem om verrast te zijn. Alleen wat ik van Ted heb gehoord.'

Ze probeerde te pruilen als een klein meisje. Vervolgens glimlachte ze. Toen Jeremy haar stoïcijns bleef aankijken, snauwde ze: 'Klootzak. Je hebt helemaal geen foto's, die kun je helemaal niet gemaakt hebben.'

'Durf je dat risico te nemen?' vroeg Jeremy. Hij klonk kil – de koele kikker die kwam bovendrijven ondanks het feit dat zijn hoofd tolde.

'Wat wil je?'

'Vertel me maar eens iets over hem.'

'Wat wil je weten?'

'Om te beginnen hoe hij heet.'

'Dus je weet niet eens hoe hij... Ben je nou echt helemaal... Hij heet Graves. Augusto Graves, hij is voor een deel Zuid-Amerikaans. Augie. Hij is geen volle broer van Ted, maar een halfbroer. Er bestaat geen enkele band tussen hen, ze zijn apart opgegroeid. Ted wil niets met hem te maken hebben. Jaren geleden hebben ze een verschrikkelijke ruzie gehad en Ted dacht dat hij van hem af was, maar toen kwam Augie weer opdagen.'

'Werkt hij hier?'

'Hij is hier maar tijdelijk. Hij heeft een subsidie gekregen voor één jaar research bij gynaecologie en verloskunde. Van een of andere firma. Ted is ervan overtuigd dat hij die alleen maar heeft aangenomen om hem dwars te kunnen zitten.'

Een tijdelijke benoeming zou verklaren waarom er geen foto in het jaarboek stond.

'Research op het gebied van laserchirurgie,' zei Jeremy.

Haar mooie blauwe ogen werden groot. 'Je wist niet hoe hij heette, maar dat weet je wel? Wat is er in hemelsnaam aan de hand?'

'Aan welk ziekenhuis is hij officieel verbonden?'

'Aan een van de grote academische ziekenhuizen aan de westkust. Ik geloof in Seattle. En hij zit ook vaak in Cambridge, in Engeland. Hij reist de hele wereld rond om lezingen te geven. Hij is een genie. Hij was al professor op zijn vijfendertigste. Zover heeft Ted het nog niet geschopt. Hij haat hem.'

'Kwestie van jaloezie?'

'Dat heeft er wel mee te maken. Maar ik geloofde Ted toen hij me vertelde dat Augie elke gelegenheid aangrijpt om hem de loef af te steken.'

'Ted praat wel vaak over hem.'

Gwynn Hauser slaakte een zucht. 'Het onderwerp komt regelmatig langs.'

'Hij is hem een doorn in het oog.'

'Een dikke doorn. Wat heeft hij gedaan en waarom maak jij je daar druk over?'

'Je gaat er dus vanuit dat hij iets slechts heeft gedaan.'

'Anders zou jij toch niet hier zijn?'

Jeremy zei niets. Hij liet een therapeutische stilte vallen, een van de weinige 'trucjes' die hij in zijn mars had. Bedoeld om haar weerstand te breken.

'Ted zegt dat hij akelige streken heeft,' zei ze. 'Ze ontmoetten elkaar pas toen Ted op college zat en Augie op de middelbare school. Teds vader heeft hem en zijn moeder in de steek gelaten. Hij is met Augies moeder getrouwd en is eerst in een of ander Arabisch land gaan wonen en vervolgens in Zuid-Amerika. Later kwam Augie met zijn moeder naar de Verenigde Staten zodat Augie hier naar school kon gaan. Op een dag dook hij ineens op bij Teds studentenhuis, min of meer uit het niets, stelde zich voor en probeerde zich aan Ted op te dringen.'

'Dus Ted was niet blij met die reünie.'

'Hij wist niets van het bestaan van Augie af. Niemand had het ooit over een ander gezin gehad. Hij wist vrij weinig van zijn vader. Het enige wat zijn moeder hem had verteld, was dat hij arts was en dat hij ergens in de jungle bezig was met onderzoek toen hij overleed.'

'Onderzoek waarnaar?'

'Ik heb geen flauw idee,' zei Hauser. 'Ongetwijfeld iets briljants. Ted is briljant en hetzelfde geldt voor Augie. Dat is ook gedeeltelijk het probleem. Ik neem aan dat ze het toch van iemand hebben.'

'Zo vader zo zoon.'

Ze knikte.

'Wat is dat probleem waar je het net over had?' informeerde Jeremy.

'Twee stel waanzinnig goeie hersens en twee enorme ego's. Ted is ervan overtuigd dat Augie alleen medicijnen is gaan studeren omdat hij dat ook had gedaan. En Augie overtrof hem. Hij mocht naar de beste universiteit van het land, terwijl die van Ted pas op nummer drie kwam. Bovendien kreeg Augie een volledige beurs en mocht hij twee studierichtingen tegelijk volgen. Binnen vijf jaar was hij arts en was hij ook in die andere discipline afgestudeerd.'

'Over welke discipline hebben we het dan?'

'Biomechanica. Hij is een kanjer op het gebied van lasers. Bovendien heeft hij zich gespecialiseerd in algemene chirurgie, in gynaecologie en verloskunde en hij heeft zelfs wat werk op het gebied van oogheelkunde gedaan. We hebben het over een echt genie.' Ze slaagde erin een wrang glimlachje te produceren. 'En die arme Ted is alleen maar briljant.'

Biomechanica. In gedachten zag Jeremy de map 'Wetenswaardigheden' voor zich. Het tweede artikel. Laserchirurgie op vrouwen. Een Amerikaanse ploeg, afkomstig van de westkust. Artsen en biochemici.

Arthur had hem de juiste weg gewezen. Maar de clou was hem ontgaan.

'Heb je hem wel eens ontmoet?'

'Ik heb hem hier zien rondlopen, maar ik heb hem maar één keer gesproken. Vorige week om precies te zijn. Ted en ik zaten te lunchen in de artsenkantine toen hij ineens opdook en bij ons kwam zitten.' Ze lachte. 'Hij zat nog niet op zijn kont of hij begon me te versieren. Niet echt opvallend, niets waar je hem op kon betrappen. Heel subtiel. Met blikken en glimlachjes. Hij is heel geraffineerd. Ted kon er niet om lachen. Maar ik zei tegen hem dat hij zich geen zorgen hoefde te maken, want die vent is absoluut mijn type niet.'

'Waarom niet?'

'Hij is veel te beschaafd. Ik heb ze liever wat ruiger.' Ze wierp Jeremy een veelbetekenende blik toe.

Hij had geprobeerd haar af te pakken van zijn broer. Daarmee was de ruzie verklaard.

'Wat waren die nare streken die hij had uitgehaald?' vroeg hij.

'Dat heeft Ted me nooit precies verteld,' zei Gwynn Hauser. 'Hij zei alleen maar dat Augie erom bekend stond dat hij wreed was... en wrede dingen deed. Dat Augie hem zenuwachtig maakte en dat hij daarom niet wilde dat hij in de buurt kwam van zijn gezin. Of van mij. Ik heb niet naar bijzonderheden gevraagd.' De wimpers begonnen opnieuw te knipperen. 'Eerlijk gezegd word ik doodziek van dat gezeur van Ted. Ik had niet verwacht dat ik zijn hand zou moeten vasthouden en al dat geweeklaag aan zou moeten horen.'

'Dus hij is neurotisch in plaats van ruig.'

'Precies. En geef mij maar ruige, misplaatste energie.'

Ze sloeg opnieuw haar benen over elkaar. 'Om eerlijk te zijn begin ik een beetje genoeg te krijgen van Ted. Toen puntje bij paaltje kwam, was hij net als al die anderen.'

'Saai.'

'Saai en een zeurpiet. Hij heeft altijd een zetje nodig. Hij denkt dat hij een grote versierder is, maar diep in zijn hart is hij gewoon een brave huisvader die vreemdgaat.'

'Wat kun je me nog meer vertellen over Augie Graves?'

'Niets,' zei ze. Haar linkerhand streek over haar rechterborst. 'Sjonge, je hebt me wel de duimschroeven aangezet, hè? Je komt hier als een of andere barbaar binnenstuiven en dwingt me om allerlei dingen te doen die ik nooit van mezelf verwacht had.'

Ze had weer kleur in haar gezicht gekregen. Perziktinten aangedikt met een blosje.

Ze glimlachte waardoor een rij parelende, glanzende tanden zichtbaar werd. 'En op het eerste gezicht zou je dat nooit van jou verwachten... Jij zou me nog heel wat kunnen leren, hè?'

'Dat hoort gewoon bij mijn opleiding,' zei Jeremy, terwijl hij opstond.

'Dat zal wel,' zei ze. 'Misschien kun je me daar op een dag iets meer over vertellen.'

50

Kwart over acht.

Jeremy kwam achter het nummer van Augusto Graves' kantoor door de telefoniste van het ziekenhuis te bellen. Ze had geen privé-adres van hem en dr. Graves droeg geen pieper.

Hij hoefde geen patiënten te bezoeken, hij deed alleen research.

Het ziekenhuis had Graves ondergebracht in de oostvleugel van een hulpgebouw aan de overkant. Een nieuwer gebouw, dat niets te maken had met het klinische aspect van het ziekenhuis. Hier heerste rust en stilte in de laboratoria van veelbelovende wetenschappers. Het was een oord waar een briljant maar wreed brein wel eens op hol kon slaan.

Het was ook het gedeelte van het ziekenhuis dat het dichtst bij de parkeerplaats van de verpleegsters lag.

Graves die hier zat te wachten en te gluren. Die Jocelyn iedere dag naar haar auto zag lopen.

Jocelyn, blij dat het werk er voor die dag opzat en nog blijer dat ze weer naar huis kon, naar Jeremy. Dan de ontmoeting met een knappe man in een witte jas, die haar groette.

Een jonge verpleegkundige, een oudere arts. De hiërarchie van het ziekenhuis schreef respect voor.

Zijn naamplaatje zou de rest hebben gedaan. Professor, doctor, arts. Toen hij zijn mond opendeed, klonk hij beschaafd en beleefd. Waarom zou ze argwaan hebben gekoesterd?

Het lab van Graves was op de begane grond en de deur stond open.

Jeremy bleef op de drempel staan en tuurde naar binnen. De grote ramen aan de noordkant boden een ruim uitzicht op de parkeerplaats.

Hij ging naar binnen. De inrichting was niets bijzonders, de gewone verzameling tafels met zwarte bladen, glinsterend glaswerk en hightech-apparatuur. Jeremy herkende verschillende lasers, vaste en handzame exemplaren, allemaal naast elkaar in een indrukwekkende rij, stuk voor stuk voorzien van een etiket en een plakkertje met NIET AANRAKEN. Computers, scanners, printers en nog een heleboel andere apparatuur die hij niet thuis kon brengen.

Een van de wanden was volledig bedekt met boeken. Algemene wetenschap en heelkunde. Medische tijdschriften die in dozen zonder deksel lagen opgestapeld. Alles perfect georganiseerd. Geen chemische luchtjes, dit was een schone vorm van research.

Graves was er niet. De enige persoon die hij zag, was een vrouw in het donkerblauwe uniform van de huishoudelijke dienst die de vloer aanveegde en stoelen rechtzette. Waarschijnlijk weer een Oost-Europese immigrant die haar werk deed met een berustende blik op haar bolle gezicht. Graves had in een hoekje van het lab een kantoorruimte ingericht. Zijn bureau was groot, indrukwekkend, en bedekt met een smetteloze glasplaat.

Leeg, met uitzondering van palissanderhouten postbakjes voor inkomende en uitgaande post. In beide bakjes lagen keurig opgestapelde documenten.

Jeremy liep snel naar het bureau toe en probeerde de lades die allemaal op slot zaten.

'Hé,' zei de schoonmaakster. 'Da mag nie.'

Jeremy doorzocht de inhoud van het bakje met de inkomende post, maar vond niets van zijn gading. Hij begon aan de uitgaande post.

'Hé!' zei de vrouw opnieuw.

Voordat ze nog meer kon zeggen, was hij alweer weg. Met zijn vondst krampachtig in zijn vingers geklemd.

Een abonnementskaart voor *The Nation.*

Graves had zijn abonnement een jaar verlengd. Op de kaart zat een etiketje met zijn nieuwe privé-adres.

Hale Boulevard.

Vier straten ten zuiden van de torenflat waarin zijn broer de brave huisvader uithing.

51

Jeremy wist wat hij zou vinden als hij het juiste gebouw had ontdekt. Een nog beter adres dan Dirgroves crèmekleurige torenflat.

Graves, de ultieme kaper op de kust.

Nu wist Jeremy zeker dat Dirgrove een oogje op Jocelyn had gehad. Misschien was het bij een flirt gebleven. Of Jocelyn had een slippertje gemaakt met de chirurg voordat ze Jeremy had leren kennen.

Hij had bij vrijwel alles waarvan hij Dirgrove had beticht de plank misgeslagen. De man ging voortdurend vreemd en hij was een onzekere rokkenjager, maar daar bleef het bij.

Hij had ook geen kwalijke bedoelingen gehad met de doorverwijzing van Merilee Saunders. Dirgrove had zich echt zorgen gemaakt over de manier waarop zijn patiënte op de operatie zou reageren, of hij had met zijn begripvolle houding geprobeerd indruk te maken op Angela.

Hoe het ook zij, de dood van Merilee Saunders was niet het gevolg van boze opzet. Jeremy was teruggegaan naar het hoofdgebouw, naar de medische bibliotheek gerend en had de uitslag van de autopsie op de jonge vrouw opgezocht. Een cerebraal aneurysma, een bloedvaatje in haar hersenen dat was gesprongen.

Een van die dingen die wel eens gebeuren, precies zoals Dirgrove had gezegd.

Maar hij had Jeremy getart... Toch een van zijn vader geërfde zonde, alleen in wat mindere mate?

Daar hoefde hij zich nu niet druk meer over te maken. Augusto Graves had iets heel anders geërfd. Die had zich de complete instelling van zijn vader eigengemaakt.

Hij líét dingen gebeuren.

Omdat hij in Brazilië was opgegroeid, wist Graves precies wat zijn vader had misdaan en onder welke omstandigheden hij was gestorven.

Op bezoek in de gevangenis had hij zelf kunnen zien hoe zijn vader als een beroemdheid was behandeld.

Na de zelfmoord van Dergraav had de moeder van Graves de jongen meegenomen naar de Verenigde Staten.

En daar had Graves goed gedijd. En was nog verknipter geworden.

Een man met onbedwingbare lustgevoelens, een intrigant die het liefst dingen kaapte die aan anderen toebehoorden.

Zijn oog was op Jocelyn gevallen omdat Dirgrove haar begeerde en daar was Graves achtergekomen.

Graves had ook geprobeerd Gwynn Hauser te versieren. Maar zij had niet thuis gegeven. Omdat hij niet haar type was. Ze had echt het idee dat ze dat zelf had beslist. Maar ze had er niets van begrepen.

Angela. Dirgrove had een handige smoes bedacht om haar te verleiden.

Was Graves daarvan op de hoogte?

Als dat zo was...

Jeremy moest Angela op de hoogte brengen. Het feit dat hij haar voor Dirgrove had gewaarschuwd had haar alleen maar geërgerd.

Sorry, het gevaar komt niet van hem. Maar...

Hoe moest hij dat voor elkaar krijgen zonder dat ze dacht dat hij gek was geworden? Het klonk ook krankzinnig.

Jeremy kon niets bedenken. Maar hij piepte Angela toch op. Als hij met haar praatte, zou hem wel iets te binnen schieten. Zo ging het altijd.

Ze belde niet terug.

Hij probeerde het opnieuw.

Niets.

Misschien was ze bezig met een behandeling. Hij ging wel even naar de afdeling endocrinologie toe, om haar te vertellen dat hij die avond iets te doen had. En daarna zou hij haar op de een of andere manier de verschrikkelijke waarheid moeten vertellen.

Toen hij daar aankwam, kreeg hij van een chagrijnige verpleegkundige te horen: 'Misschien kunt ú me vertellen waar ze is.'

'Wat bedoel je daarmee?'

'Ze heeft ons laten zitten. Ze was ineens verdwenen. Foetsie. We zitten met een afdeling vol patiënten en ze gaat er gewoon vandoor, zonder iets tegen iemand te zeggen. Bijzonder onprofessioneel. Ik heb het ook aan het hoofd doorgegeven.'

Ze liep nog steeds te zeuren, toen Jeremy zich al had omgedraaid en terugrende naar de liften.

52

Een schitterend gebouw.

Een witmarmeren gevel met koper afgezet, art-decohoeken en een rondlopende oprit die ruimer was dan de oprit voor het flatgebouw waar Dirgrove woonde. Een koperen fontein – trompetspelende engelen – stond midden tussen de oprit te spuiten. Tegen de hoeken van het gebouw stonden hoge sparren.

Tivoli Arms. Vijf verdiepingen hoger dan de torenflat van Dirgrove.

Maar slechts één portier. En zodra die een witharig echtpaar in hun limousine had geholpen liep Jeremy naar hem toe.

Hij had het reserve-overhemd aangetrokken dat hij die ochtend had meegenomen, een nette knoop in zijn das gelegd, zijn haar gekamd en zijn gezicht gewassen. Toen hij op de man af stevende, zorgde hij ervoor dat hij autoriteit uitstraalde. Zijn zwarte wollen overjas hing open en hij lette goed op dat de portier een glimp opving van de ziekenhuisbadge op zijn revers.

Hij moest een goede indruk hebben gemaakt, want de portier glimlachte alsof hij hier thuishoorde. 'Waarmee ik u van dienst zijn, meneer?'

'Ik ben dokter Carrier, een collega van dokter Graves uit het City Central Hospital. Is hij thuis?'

'Ja hoor, hij is een uur geleden thuisgekomen. Ik zal wel even iemand laten bellen dat u er bent. Kom maar gauw binnen, het is koud.'

'Dank u wel.'

Ze liepen samen de entreehal in en de portier gaf hem over aan de man achter de balie. Een jonge, aardige vent in een donkerblauwe blazer met gouden knopen, een overhemd waarvan de boord met knoopjes was vastgezet en een keurige das. Zijn korenblonde haar was met een scheermes in model gebracht. Op zijn gouden naamplaatje stond K. BURNSIDE.

'Momentje, dokter,' zei hij en pakte de huistelefoon op. Hij drukte de hoorn tegen zijn oor en legde die na een tijdje weer neer. 'Dat is vreemd. Ik weet zeker dat hij thuis is.'

'Hoezo?'

'Ik heb zijn auto weggezet en die heeft hij niet opnieuw laten ophalen.'

'Misschien heeft hij hem zelf opgehaald.'

'Hmm. Dat waag ik te betwijfelen. Dokter Graves laat ons altijd zijn auto voorrijden. Wacht, ik zal het even aan de bewaker van de parkeergarage vragen.'

Hij belde opnieuw. 'Nee, dokter, de auto staat er nog steeds.'

'Een mooie wagen,' zei Jeremy op goed geluk.

'De Porsche of de Navigator?'

'Allebei.' Een Navigator. Hij was gevolgd door een grote SUV. Ideaal om dingen te vervoeren...

De jongeman grinnikte. 'Dokter Graves houdt van zijn auto's. Het spijt me, kan ik misschien een boodschap voor hem aannemen?'

'Nee, het gaat om iets persoonlijks.' Jeremy leunde over de balie. 'Eerlijk gezegd is het een verrassing, meneer Burnside.'

'Zeg maar Kelvin. Wat voor verrassing?'

'Kun je een geheim bewaren, Kelvin?'

'Dat hoort bij mijn werk, dokter.'

'Goed, maar je mag het echt niet verder vertellen. Tenminste niet voordat het in de krant heeft gestaan. Onze afdeling heeft net te horen gekregen dat dokter Graves een belangrijke prijs heeft gewonnen. De Dergraav-prijs voor onderzoek op het gebied van biomechanica. En als ik belangrijk zeg, dan bedoel ik dat ook. In rangorde net onder de Nobelprijs.'

'Sjonge, dat is ongelooflijk.' Kevin Burnside leek ineens een tiener vol ontzag.

'Ik ben hiernaartoe gestuurd om hem te halen en hem mee terug te nemen naar het laboratorium. Bij wijze van smoes moet ik hem vertellen dat er iets is misgegaan in zijn laboratorium. En als ik daar dan met hem aankom, is er bij wijze van surprise een feestje voor hem geregeld.' Jeremy wierp een blik op zijn horloge. 'We hebben het allemaal perfect getimed, iedereen zit te wachten... Kun je zijn appartement nog een keer proberen?'

'Geen probleem.' Kevin toetste het nummer in, wachtte, en schudde zijn hoofd.

'Wat raar,' zei Jeremy. 'Hij komt thuis, maar hij geeft geen gehoor... Misschien kunnen we maar beter naar boven gaan om te kijken of alles in orde is...'

'Ja, misschien... Wacht even, er is nog een plek waar hij zou kunnen zitten. Beneden in de kelder. Daar zijn de opslagruimtes voor de bewoners... Sommige mensen hier hebben echt massa's spullen waar ze geen afstand van willen doen. Het zijn grote ruimtes, eigenlijk een soort extra kamers. Er zijn wel bewoners die ze verhuren, maar dokter Graves gebruikt die van hem heel vaak.'

'Waarvoor?'

'Dat weet ik niet zeker, maar hij loopt er altijd in en uit. Ik heb er een keer een grapje over gemaakt... Ik zei tegen hem: "Wat voert u daar beneden toch altijd uit, dok, wetenschappelijke experimenten?" Dat vond hij erg grappig. Hij rolde met zijn ogen en zei zoiets als: "Je weet maar nooit." Maar ik meende het niet serieus. Ik wist wel dat hij dokter was, maar ik had geen flauw idee dat hij echt belangrijke research deed. Nu u me dat van die prijs hebt verteld, heb ik toch een beetje het gevoel dat het een stom grapje was.'

'Daar zou ik maar niet over inzitten. Augie... Dokter Graves heeft veel gevoel voor humor. Ik denk dat ik maar eens even bij die opslagruimte ga kijken.'

'Dat wil ik wel voor u doen.'

'Nee hoor, blijf jij maar op je plaats zitten,' zei Jeremy. 'Ik wil hem echt verrassen. Ik heb van mijn baas zelfs ópdracht gekregen om hem te verrassen.'

De jongeman glimlachte onzeker.

'Ik loop alleen even naar binnen en naar buiten, Kelvin. Dokter Graves zal er best begrip voor hebben, ik heb al gezegd dat hij gevoel voor humor heeft.'

Jeremy speelde met zijn badge, in de hoop de aandacht te vestigen op dat symbool van autoriteit.

'Goed dan,' zei de jongeman. 'Ga gerust uw gang.'

Een dienstlift aan de achterkant, een onafgewerkte stalen doos met een vouwdeur, bracht hem naar kelder c.

Twee etages onder de parkeergarage. Hij had een kerker verwacht, maar hij belandde in een helder verlichte ruimte. Twee rijen opslagruimtes aan weerszijden van een ruwe stenen vloer. De muren waren ook van natuurstenen, die duidelijk met de hand losgebikt waren. Elke box was genummerd. Zwarte, ijzeren cijfers, geschroefd op eiken deuren die nog uit de vorige eeuw stamden. De verlichting kwam van plafondlampen waar bronskleurige metalen beschermrekjes omheen zaten. Elektrische leidingen en afvoerpijpen liepen langs het holle plafond.

Dat gebogen plafond en de stenen deden Jeremy aan iets denken: een kaart die hij van Arthur had gekregen. De bazaar in het oude Damascus. Zou Arthur echt zo'n vooruitziende blik hebben gehad?

Op die foto was het een drukte van belang geweest. Hier beneden was alles stil.

Geen ramen, geen licht van buitenaf.

Koel en vochtig. Jeremy verwachtte half-en-half dat er een vleermuis te voorschijn zou schieten.

Maar er was geen teken van leven, geen rat, geen insect te zien. Zelfs geen spinnenweb. En toen hij zijn vingers even langs de stenen muur liet glijden, vertoonden ze geen spoor van stof. Zelfs de vloer was schoon – keurig aangeveegd.

Een viersterrengrot, de glorie van het schijnfatsoen.

De box van Augusto Graves was aan het eind van de linkerrij. De laatste deur.

Jeremy bleef staan en drukte zijn oor tegen de deur. Niets te horen.

Hij had de zware ijzeren sleutel in zijn hand waarvoor hij Kelvin Burnside een smeergeld van twintig dollar had betaald ('O, dat hoeft helemaal niet, meneer.').

Hij stak de sleutel in het slot, draaide hem langzaam om, duwde de deur een centimeter of twee open en wachtte of er iets zou kraken.

Stilte. Hij raakte het slot aan en voelde vettigheid. In de Tivoli Arms liep alles gesmeerd. Of dr. Graves had speciale voorzorgsmaatregelen genomen.

Hij gaf opnieuw een duwtje. Hij moest er wat kracht voor aanwenden, de eiken deur was zwaar en dik en in de loop der jaren was het hout zo hard als steen geworden. Vijftien centimeter open. Dertig centimeter. Genoeg ruimte om naar binnen te glippen.

Eerst dacht hij dat hij zich weer had vergist.

Het licht in de box was niet aan en er was niemand binnen.

Toen hoorde hij de geluiden. Gezoem. Het geklik van metaal op metaal. Een zacht gezoem, alsof er een grote bromvlieg rondvloog.

Er was wel licht. Een schuin blokje licht, aan de linkerkant, een straal die onder een scherpe hoek op de muur viel.

Hij deed er een stapje naar toe en zag waarom. Het werd weerkaatst. Een L-vormige scheidingswand was voor de deur opgetrokken, waardoor er een halletje ontstond.

Hij sloop langs de muur.

En stond meteen in het volle licht. Veel meer licht dan hij had verwacht, fel, wit en doordringend. Drie halogeenspots die verbonden waren met een leiding tegen het plafond. Operatielampen.

Een cel, drie bij drie meter, met wanden, een vloer en een plafond uit diezelfde handgebikte stenen. Als het ware uit de ingewanden van de stad gehakt.

Augusto Grave stond aan de andere kant van een tafel, gekleed in een groen operatiepak. Zijn haar was bedekt, maar hij droeg geen masker. De koptelefoon van een walkman voerde hem geluid.

Muziek, zo te zien. Graves stond op de maat mee te deinen. Een huppelend ritme.

Vrolijk. Graves had een vage glimlach op zijn gezicht, zijn snor wipte aan de uiteinden omhoog als de vleugels van een vlinder.

Herinneringen aan Brazilië.

Een man die er aardig uitzag. Ongevaarlijk. Type leraar, met dat leesbrilletje halverwege zijn neus. Hij zag Jeremy niet. Zijn aandacht werd volkomen in beslag genomen door de vrouw die languit voor hem op een tafel lag.

Geen operatietafel, gewoon een brede gladde deur die op drie schragen rustte. Het geheel was bedekt met wit plastic. Aan Graves' rechterhand stond een tafeltje op wieltjes met een blad dat vol lag met glimmende instrumenten. Naast het blad stond een metalen kistje, op een soortgelijk tafeltje. De inhoud was niet te zien. Over het deksel van de kist kronkelde een elektrisch snoer waarvan de stekker in een stopcontact aan het plafond zat. In een hoek stonden een paar flessen gedistilleerd water. Plus een gezinsfles bleekwater en een spuitbus met een geurverdrijver. 'Verse dennen'-geur.

In de hoek daartegenover lag een stapeltje keurig opgevouwen kleren. Iets donkers, van katoen. Een witte beha en een bijpassend broekje. Daarbovenop een vleeskleurig hoopje, een panty. Geen schoenen.

De vloer liep schuin af naar links, waar een afvoer zat. Het glimmende stalen afvoerputje zag er nieuw uit en de steen waarin het zat, was door bleekmiddelen lichter van tint geworden.

De vrouw was slank en naakt. Haar donkere hoofd lag aan Jeremy's kant, hij zag haar ondersteboven. Ze had geen verwondingen, maar ze bewoog niet en haar huid was veel te bleek. Hij kende die kleur. Graves stond naast haar voeten, met zijn blik er vast op gericht. Haar lange donkere haar viel over de rand van de tafel aan Jeremy's kant. Haar borst bewoog niet. Zo bleek. Om haar nek zat een vage, roze ring.

Golvend haar.

O, god, Angela...

Graves raakte de grote teen van haar linkervoet aan, bracht zijn vinger naar zijn mond en likte die af. Hij stak zijn hand uit naar het blad en toen hij een scalpel pakte, maakte Jeremy aanstalten om zich op hem te storten. Maar nadat hij het instrument even had bekeken, legde Graves het weer weg. Hij stak zijn hand in de metalen kist en haalde er iets uit dat op een groot formaat metalen potlood leek.

Het liep taps toe. Aan de achterkant zat een elektrisch snoer.

Graves streek even met zijn vinger over de staaf en drukte op een knop.

Opnieuw dat bromvlieggezoem.

Graves stond naar de laser te staren, nog steeds heen en weer wiegend op de muziek. Hij drukte opnieuw op een knopje en de neus van de staaf werd helderrood. Tegen de tijd dat hij zich omdraaide om de laser op de vrouw te richten, was Jeremy achter de scheidingswand vandaan gekomen en wierp zich op hem.

Graves viel en kwam op zijn rug terecht, maar hij maakte geen enkel geluid. In plaats daarvan keek hij omhoog naar Jeremy. Zachte, bruine ogen.

Zijn koptelefoon was afgevallen en de draagbare cd-speler die eraan vastzat belandde op de vloer. Uit de koptelefoon kwam een blikken samba.

Graves bleef Jeremy uitdrukkingsloos aanstaren.

De man was op een andere planeet.

Jeremy probeerde de laser te pakken. Graves zwaaide met het instrument en slaagde erin om nog een knop in te drukken. Er schoot een dunne rode straal uit.

Het wenende rode oog van de duivel.

Graves draaide de straal in de richting van Jeremy.

Jeremy schopte naar de zoemende staaf, maar miste het instrument. Zijn aanval zorgde er echter wel voor dat Graves' hand uitschoot en de rode straal raakte een van de schragen waar de tafel op rustte.

Hij ging er dwars doorheen. De tafel kantelde en de naakte vrouw viel met een bons op de vloer, met haar gezicht naar beneden.

OgodAngela...

Jeremy wierp zich op Graves. Graves rolde opzij. De laser wiebelde en raakte een steen, waar het stof van afvloog. Terwijl hij de hand waarmee hij de laser vasthield, ondersteunde met zijn andere hand, wierp Graves hem een vragende blik toe en richtte opnieuw, toen Jeremy probeerde dekking te zoeken.

Hij struikelde over Angela's lijk. IJskoud vlees. Hij viel op zijn neus en rolde om.

Graves torende boven hem uit.

'Je hebt me gestoord,' zei hij zonder rancune. Zijn ogen stonden helder en geconcentreerd, uiterst vastberaden. Hij had een prachtige huid en de snor glansde als sabelbont.

Een zachte, slissende stem. Vriendelijk. Vrouwen zouden er troost uit putten.

Graves likte zijn lippen af. 'Dit zal wel een beetje pijn doen.' Hij tilde de laser op. In het midden van zijn voorhoofd verscheen een rode stip.

Was er nog iemand met een laser?

Nee, dit was iets heel anders. Technisch minder verfijnd. De dreunende knal volgde een halve seconde later en het bloed duppelde uit het zwart omrande gat in Graves' voorhoofd, maar begon meteen daarna te gutsen. Niet precies in het midden, een paar millimeter naar rechts. De frontale lob.

Terwijl het bloed over zijn gezicht liep, stond Graves niet-begrijpend te staren. Ongelovig. *Waar is mijn persoonlijkheid gebleven?*

De stroom bloed werd gevolgd door klontjes grijsroze hersenweefsel, dat beetje bij beetje opborrelde als vlokjes havermout. Het leek op het spoelwater uit een afvoerpijp die plotseling ontstopt raakt.

Graves deed zijn ogen dicht, viel op zijn knieën en vervolgens op de grond.

De laser die nog steeds zoemde, was uit zijn hand gerold en op de vloer terechtgekomen. De rode straal was op de kleren in de hoek gericht. Ze vlogen in brand, maar de straal ging er dwars doorheen tot hij de stenen muur raakte, siste, spetterde en uitging.

Nee, niet vanzelf. Een grote hand had het snoer uit het stopcontact gerukt.

Het werd stil in de ruimte.

Jeremy rende naar Angela toe en rolde haar om.

Het gezicht van een vreemde keek hem aan.

Rechercheur Bob Doresh trok hem aan zijn arm overeind. 'Dokter, dokter, ik had nooit verwacht dat het zo interessant zou zijn om u te schaduwen.'

53

Om middernacht, toen hij onderweg was naar het politiebureau in een onopvallende vierdeurswagen die naar chips rook, zei Bob Doresh: 'Ik ben een aardige scherpschutter, hè? Ik heb u toch verteld dat het zinnig was om in dienst te zijn geweest.'

'Waar is Angela?' vroeg Jeremy.

'Maar goed,' zei Doresh, 'je weet toch nooit hoe je reageert als het er echt om gaat. Ik doe dit werk nou drieëntwintig jaar en dit was de eerste keer dat ik dat verdomde kreng moest afschieten. Ze zeggen dat het behoorlijk traumatisch kan zijn om iemand te doden, zelfs als het gerechtvaardigd is, maar ik moet bekennen dat ik me op dit moment best lekker voel. Denkt u dat ik later hulp nodig zal hebben, dok?'

'Waar is Angela?'

Doresh had maar één hand aan het stuur. De andere lag op de rug van de stoel naast hem. Hij reed langzaam maar goed. Tijdens de heisa van agenten, technisch personeel en leden van de gerechtelijke medische dienst had hij Jeremy achter slot en grendel gehouden in de wachtkamer van de Tivoli Arms. Een geüniformeerde agent had de wacht gehouden, even spraakzaam als Renfrew.

Niemand had iets tegen hem gezegd.

'Ik vroeg u iets, rechercheur.'

'Oké, ik zal u precies vertellen wat er met dokter Rios aan de hand is,' zei Doresh. 'Laat ik maar beginnen met het feit dat ze veilig is en in haar eigen appartement zit, met mijn collega Steve Hoker die haar in de gaten houdt. Je zou kunnen zeggen dat ze voor haar eigen veiligheid in hechtenis is genomen.'

'Dus ú hebt haar van de afdeling weggeroepen?' vroeg Jeremy.

'Dat is het tweede, dok. Mijn beweegredenen. Die van Steve en mij. We hebben haar weggehaald uit het ziekenhuis omdat we met haar over u wilden praten. We dachten dat u gevaarlijk was... Oké, we hebben ons vergist, maar de manier waarop u zich gedroeg... Met name gisteren, daar in die kapel.' Hij haalde zijn schouders op. 'Dat u in uw eentje in een motelkamer was gaan zitten. Dat is wel een beetje... abnormaal, vindt u ook niet? Ik bedoel, ik begrijp inmiddels wel dat u die andere vent in de gaten hield, maar bekijk het eens vanuit mijn standpunt.'

'U hebt tegen haar gezegd dat ik een moordlustige psychopaat was.'

Doresh tikte even tegen zijn slaap en hield zijn voet op het gaspedaal. Het was een koude, heldere nacht en de verwarming van de onopvallende auto deed het verrassend goed. 'We hadden het beste met haar voor.'

'Bedankt.'

Doresh keek hem even vanuit zijn ooghoeken aan. 'Is dat sarcastisch bedoeld?'

'Nee, ik meen het. Bedankt. U deed het voor haar veiligheid. Bedankt dat u haar in bescherming hebt genomen.'

'Oké... graag gedaan. En neem me niet kwalijk dat ik even aan sarcasme dacht, maar u moet toegeven dat u behoorlijk sarcastisch kunt zijn.'

'Af en toe wil me dat wel eens lukken.'

'Zeg dat wel,' zei Doresh. 'Maar goed, het heeft geen kwade gevolgen gehad. Het was ook nooit persoonlijk bedoeld, hè? Uiteindelijk bleken we toch aan dezelfde kant te staan.'

'Dat klopt.'

Doresh lachte en zijn grote kin stak naar voren. 'Het verschil was dat ik mijn werk deed en dat u... uw verbeelding gebruikte.'

'Moet ik me daar soms voor verontschuldigen?'

'Daar gaan we weer, u zet meteen uw stekels op. Dat zal wel een kwestie van... botsende karakters zijn. Nee hoor, u hoeft zich niet te verontschuldigen. U draafde alleen een beetje door. Maar uiteindelijk is het toch allemaal goed gekomen. En goed is nog maar zwak uitgedrukt... Hé, dok, wat trillen uw handen toch. Als we er zijn, zal ik u een kopje koffie geven... die van mij is een stuk beter dan die van u. Mijn partner Steve Hoker brengt dokter Rios voor u mee. Ik heb hem de toestand uitgelegd. Ze zal niet bang meer voor u zijn.'

'Dus dat was ze wel?'

'Is dat een geintje? Na alles wat ik haar had verteld? Ze was als de dood. En ik ben niet van plan me daarvoor te verontschuldigen. Ik had aardig door hoe de vork in de steel stak, alleen heb ik me vergist in de rolverdeling.'

'Al doende wordt men wijzer,' zei Jeremy.

'U hebt het helemaal door, dok,' zei Doresh. 'En als we niet wijzer meer worden, kunnen we net zo goed de kop laten hangen en doodgaan.'

54

BEZOEKEND ARTS BLIJKT SERIEMOORDENAAR

Exclusief nieuwsbericht.

De politie heeft een uit Seattle afkomstige chirurg en medisch onderzoeker, die middels een studiebeurs een jaar aan het City Central Hospital verbonden was, ontmaskerd als een seriemoordenaar die hoogstwaarschijnlijk verantwoordelijk is voor de dood van ten minste vijf vrouwen uit deze omgeving en bovendien verdacht wordt van tussen de dertig en de veertig onopgeloste moorden verspreid over de hele wereld.

Augusto Omar Graves (40), die zowel arts was als doctor in de biomechanica en een erkend deskundige op het gebied van lasertechnologie en -chirurgie, is donderdagavond door de politie doodgeschoten in de ondergrondse opslagruimte van zijn luxueuze koopflat aan Hale Boulevard. Graves, van wie wordt aangenomen dat hij in Syrië is geboren en in Brazilië en de Verenigde Staten is opgegroeid, werd aangetroffen naast het lijk van zijn vijfde slachtoffer. Volgens de lijkschouwer is de vrouw door wurging om het leven gekomen. Het betrof Kristina Schnurr, die pas kortgeleden van-

uit Polen naar ons land emigreerde en werkzaam was bij de huishoudelijke dienst van het ziekenhuis.
Getuigen hebben Schnurr (29) op de dag van de moord in gesprek gezien met Graves. Aangenomen wordt dat Graves haar wist te verleiden een afspraakje met hem te maken, haar in zijn auto heeft gewurgd en haar lichaam heeft verborgen in de parkeergarage van de torenflat. Vervolgens is hij in de auto teruggereden naar de ingang van het gebouw om de portier de indruk te geven dat hij alleen thuiskwam. Graves slaagde erin het lichaam van Schnurr twee verdiepingen lager te brengen, naar de opslagruimte, een vochtige ruimte in de kelder die hij had omgebouwd tot snijkamer.
Onder de slachtoffers die Graves hier ter plaatse heeft gemaakt, bevond zich ook een verpleegkundige van City Central, Jocelyn Lee Banks (27), die zes maanden geleden werd vermoord en van wie aanvankelijk vermoed werd dat ze op een van de parkeerplaatsen van het ziekenhuis in haar auto ontvoerd werd. De politie denkt nu dat Graves haar onder valse voorwendsels heeft overgehaald vrijwillig met hem mee te gaan. Daarnaast wordt Graves ervan verdacht dat hij drie onlangs vermoorde prostituees om het leven heeft gebracht, Tyrene Mazursky (45), Odelia Tat (38) en Maisie Donovan (25). Gezien het tijdsverloop tussen de moord op Banks en de dood van de drie andere slachtoffers en rekening houdend met het feit dat Graves frequent op zakenreis was, lijkt het aannemelijk dat hij ook in andere steden in verband zal worden gebracht met onopgeloste moorden.
Graves lijkt ook betrokken te zijn geweest bij de moord op minstens twee vrouwen in Kent, Engeland, van wie de verminkte lijken werden aangetroffen in de periodes dat hij researchwerkzaamheden deed bij een Londense denktank en als wetenschappelijk correspondent was verbonden aan het dagblad *The Guardian*. Rechercheurs uit Spanje, Italië, Frankrijk

en Noorwegen hebben de dossiers heropend van onopgeloste moordzaken waarbij gebruik werd gemaakt van heelkundige dissectiemethoden die doen denken aan de werkwijze van Graves.
Hoofdcommissaris van politie Arlo Simmons noemde 'talloze manuren en prima werk van de recherche' als de factoren die uiteindelijk leidden tot de ontdekking van het hol van Graves.
'We hielden de persoon in kwestie al een tijdje in de gaten,' zei hoofdcommissaris Simmons. 'Het spijt me dat we niet in staat zijn geweest Kristina Schnurr te redden. Desondanks kan zonder meer worden gesteld dat de dood van deze man een eind heeft gemaakt aan een regelrecht terreurbewind.'

55

Drie dagen na de dood van Augusto Graves ging Jeremy's pieper af toen hij een zoveelste poging deed om even alleen te zijn met Angela.

Een paar seconden later ging ook de hare af.

Ze zaten op de grond in zijn kantoor, met vettige servetjes over hun schoot en een buiten de deur bestelde hamburger in hun hand.

Gepiep in het kwadraat. Ze barstten in lachen uit en dat was de eerste keer sinds die avond.

'Jij eerst,' zei hij.

Ze belde naar de afdeling. Een patiënt met suikerziekte was op Vier Oost in coma geraakt en een andere patiënt had niet goed gereageerd op het besluit te stoppen met het toedienen van prednison. Ze moest meteen komen.

Ze stond op, stopte nog een schijfje zuur in haar mond, stopte de hamburger, waarvan ze een kwart had opgegeten, terug in het doosje en zette dat op zijn bureau.

'Neem hem maar mee,' zei hij.

'Ik heb geen honger.'

'Dat idee had ik al. Volgens mij ben je afgevallen.'

'Jij zit ook met lange tanden te eten.'

'Met mij is niets aan de hand.'

'Met mij ook niet. Kerel.'

Ze schoot in haar witte jas en legde daarna haar beide handen op Jeremy's polsen. 'We zullen er toch wel een kéér over praten, hè?'

'Daar heb ik niets over te vertellen,' zei hij lachend. 'Het werkschema.' Zijn pieper ging opnieuw af.

Ze lachte, gaf hem een kus en was verdwenen.

De oproep was van Bill Ramirez.

'Ik hoor de raarste geruchten, vriend.'

'Waarover?'

'Dat jij op de een of andere manier betrokken was bij het oppakken van die gek Graves.'

'Dat zijn echt rare geruchten,' zei Jeremy. 'En hij is niet opgepakt, hij is doodgeschoten.'

'Dat is waar,' zei Ramirez. 'Het klonk ook vrij onwaarschijnlijk. Dat zo'n rustige vent als jij allerlei heldendaden had verricht.'

'Heldendaden?'

'Dat wordt in de wandelgangen verteld. Dat jij die zaak op de een of andere manier voor de smerissen hebt opgelost en met behulp van je vakkennis een profielschets van die klootzak voor hen hebt gemaakt. Ik heb zelfs het belachelijke verhaal gehoord dat jij erbij was op de avond dat ze hem te pakken kregen.'

'Ja, vast,' zei Jeremy. 'Onder het praten door zit ik mijn cape af te borstelen.'

'Dat dacht ik al. Het kan best zijn dat de administratie die geruchten in omloop heeft gebracht. Al die publiciteit is een nachtmerrie voor hen. Maar goed, ik vond toch dat ik het even tegen je moest zeggen. Ik heb die vent trouwens nooit gemogen. Arrogante kwal.'

'Voorzover ik heb gehoord was arrogantie wel het minste van zijn problemen, Bill.'

'Dat is waar,' zei de oncoloog. 'En over heldendaden gesproken, de reden waarom ik bel, is dat ik voor de verandering eens goed nieuws heb te melden. Het is onze knul Doug op de een of andere manier gelukt om lekker een remissie in te sukkelen.'

'Wat geweldig!'

'Ik had het nooit durven voorspellen, maar zo gaat het in mijn vak altijd... iedere dag heb je wel een reden om je nederig te voelen. Ik durf nog niet te voorspellen of het op de lange termijn ook goed blijft gaan, omdat zijn reactie over de hele linie zo vreemd is geweest. Maar voorlopig is er geen sprake van een transplantatie en hij mag van mij naar huis om de behandeling poliklinisch af te maken. Ik dacht dat je dat wel zou willen weten.'

'Dat waardeer ik echt, Bill. Wanneer wordt hij ontslagen?'

'Morgenochtend, als alles hetzelfde blijft. Over een cape gesproken. Als er al een Superman is, dan is dat volgens mij deze knul.'

Marika zat naast Doug op het bed. Ze waren allebei aangekleed. Doug had een Budweiser-T-shirt en een spijkerbroek aan en droeg zijn prothese. Zijn beide handen waren verbonden met een infuus. Zijn kleur was een stuk beter. Nog niet volmaakt, maar een stuk beter. Hij had al een beetje last van haaruitval, maar hij zag er stralend uit.

'Ha, die dok. Ik heb al die artsen een poepie laten ruiken.'

'Dat heb je zeker.'

'Ja, hè? Ik heb u toch verteld dat ik die klote leukemie wel eens zou laten zien wie de baas was?'

'Je bent een kei, Doug.'

De jongeman stootte zijn vrouw aan. 'Hoor je dat? En hij weet waar hij het over heeft.'

'Je bent een kei, schat.'

'Reken maar.'

'Goed,' zei Jeremy. 'Dus morgen ga je naar huis.'

'Het eerste wat ik doe, is naar de zaak rijden om een paar mooie gebruikte stenen op te halen en bij mijn ouders in de achtertuin die muur te metselen zoals ik hun heb beloofd. Dan bouw ik er meteen een leuk nisje in voor een fonteintje, dat ik op de waterleiding aansluit. Als verrassing voor mam.'

'Dat klinkt geweldig. Gefeliciteerd.'

'Bedankt... kom op, dok, geef me de vijf. Ik zal u eens laten voelen hoe sterk ik ben.'

Doug stak zijn rechterhand uit. De buis van het infuus kwam in een boog te hangen en sidderde. Jeremy liep naar hem toe. Doug greep zijn hand en kneep hard.

'Indrukwekkend,' zei Jeremy.

'Af en toe,' zei de jongeman, 'heb ik het gevoel dat ik tegen muren óp kan lopen.'

56

De dag dat Arthur Jeremy kwam opzoeken, zat er weer een verrassing bij de post.

Een goedkope witte envelop met op de achterkant het stempel OFFICIEEL POLITIEDOCUMENT.

De inhoud bestond uit twee met plakband aan elkaar bevestigde kartonnetjes. Jeremy sneed het plakband door om te zien wat ertussen zat.

Het kiekje van Jocelyn en hem. Omdat ze zo klein was, leek Jeremy een reus van een kerel. Ze zagen er allebei gelukkig uit. Haar blonde haar wapperde alle kanten uit in de wind.

Hij kon zich nog herinneren dat hij gek was geworden van het gekriebel en dat zij daar ontzettend om had moeten lachen.

O, kun je niet tegen kietelen?

Ze had meteen een uitval gedaan naar zijn ribben en hem met die sterke vingertjes vastgepakt. Giechelend als een klein meisje omdat ze zo'n plezier had.

Hij bleef nog een hele tijd naar de foto staren voordat hij het kiekje in een blanco envelop stopte en in een van de onderste laden van zijn bureau legde.

Boven op de map met het opschrift WETENSWAARDIGHEDEN.
Op een dag zou hij daar wel iets mee gaan doen.

Arthur was bruin geworden.

De goudkleurige tint had zich vermengd met zijn natuurlijke blos, waardoor de huid van de oude man iets glanzends had gekregen.

Hij was bijna tachtig, maar een toonbeeld van vitaliteit. Het reizen – en wat hij daarvan had opgestoken – was hem goed bekomen.

Hij trof Jeremy onder dezelfde omstandigheden aan als bij hun eerste ontmoeting. In zijn eentje, in de artsenkantine. Drie uur 's middags, een ongebruikelijke tijd om te lunchen. Jeremy had de hele dag patiënten bezocht, zoals hij dat voortdurend had gedaan sinds die avond in de kelder, en had nog niets gegeten. Er zat verder niemand in de kantine.

Arthur droeg een prachtig koningsblauw pak met een krijtstreepje en een roze overhemd met een wit boord. Zijn vlinderdasje was van goudkleurige shantoeng. In zijn borstzakje pronkte een pauwblauwe pochet. Hij had een kop thee in zijn ene hand en een glanzend leren koffertje in de ander. Een vrij grote koffer, handgemaakt en voorzien van Arthurs initialen. Jeremy had hem nooit eerder gezien.

'Mag ik gaan zitten?'

'Natuurlijk.'

Arthur nam plaats en nam uitgebreid de tijd om zijn theezakje in het warme water te hangen. Hij keek Jeremy recht aan.

'Hoe was de reis, Arthur?'

'Prima.'

'Reizen en er iets van opsteken.'

'Dat is inderdaad de bedoeling.'

'Ik heb heel wat van jou opgestoken,' zei Jeremy.

De oude man gaf geen antwoord.

'Waarom moest het op die slinkse manier, Arthur?'

'Dat is een goede vraag, beste kerel.' Arthur nam een slokje thee, streek over zijn baard en duwde het kopje aan de kant. 'Daar kan ik meerdere antwoorden op geven. Om te beginnen kun je nergens zeker van zijn zolang iets nog een hypothese is. Ik heb inderdaad onderweg nog een heleboel opgestoken. Ten tweede leek het me beter om het geleidelijk aan te doen, om je niet af te stoten. Geef het maar toe, jongen, als ik je alles had verteld, had je gedacht dat ik niet goed wijs was.'

Hij glimlachte.

Jeremy haalde zijn schouders op.

'En ten derde – en misschien beschouw je dit als een belediging, Jeremy, hoewel ik een bijzonder hoge dunk van je heb en dat ook nooit zal verhullen – kun je bepaalde dingen alleen waarderen als je er moeite voor hebt moeten doen.'

'Geen genuchten zonder zuchten?'

'Het mag dan een cliché zijn, maar het is wel waar.'

'U hebt me dus voor mijn eigen bestwil op het juiste spoor gezet met behulp van raadsels en spelletjes.'

'Precies,' zei de oude man. 'Ik had het zelf niet beter kunnen formuleren.'

Jeremy had geweten dat dit moment zou aanbreken en hij had zich afgevraagd hoe hij daarop zou reageren. De nachtmerrie in de kelder was inmiddels alweer weken geleden. Hij dacht er bijna nooit meer aan en de verschrikking was langzaam maar zeker veranderd in een macabere tekenfilm.

Maar vreemd genoeg was het late etentje met Arthur en zijn vrienden hem steeds helderder voor de geest gaan staan – het was duidelijker en reëler geworden.

'Na dat etentje,' zei hij, 'kwam je plotseling erg gesloten over.'

Arthur knikte. 'Ik hoop dat je me dat wilt vergeven. Ik werd... verscheurd door twijfels. Ik wist wat je te wachten stond. En ik vroeg me af wat ik moest doen.'

Bepaalde dingen kun je alleen waarderen als je er moeite voor moet doen. Nu hij Arthur die vraag had voorgelegd en antwoord had gekregen, kon hij er alleen maar om lachen.

'Oké,' zei hij.

'Is dat alles?' vroeg de oude man. 'Dus je weet genoeg?'

'Wat dat betreft wel. Maar ik heb nog wel een paar andere vragen. Aangezien je hebt gezegd dat je zo'n hoge dunk van me hebt.'

'Dat lijkt me redelijk.'

'Is de moordenaar van jouw gezin ooit gevonden? Is die zaak op de een of andere manier opgelost?'

Arthur kreeg tranen in zijn ogen en dat was antwoord genoeg voor Jeremy. Maar de oude man zei: 'Nooit.'

'Waren er wel verdachten?'

'Eén,' zei Arthur. 'Een plaatselijke klusjesman, die onmiskenbaar gestoord was. Later zou ik erachter komen dat hij in een inrichting had gezeten. Ik was al een tijdje ongerust over hem omdat ik zeker wist dat hij naar mijn vrouw had zitten gluren.' Arthurs stem stokte. 'Ze was heel mooi, mijn Sally. Mannen keken altijd naar haar. Ik heb nog foto's van haar in mijn appartement. Die zal ik je wel een keer laten zien. Maar deze man...'

'Wat is er met hem gebeurd?' vroeg Jeremy.

'Niets waar justitie aan te pas is gekomen, jongen. Misschien zou hij nu, met alle technologie die ons ter beschikking staat, wel zijn gearresteerd. Maar destijds...' De oude man schudde zijn hoofd.

'Heb je helemaal niets ondernomen?'

'Ik kon destijds helemaal niets meer doen. Alles waarvoor ik had gewerkt, was me zomaar ontnomen.' Arthur snufte. Hij knipperde met zijn ogen en zijn baard trilde. 'Ik had echt schatten van kinderen, Jeremy. Mijn vrouw was mooi en mijn kinderen waren lief.'

Hij trok de blauwe pochet te voorschijn en depte zijn ogen.

'Wat vreselijk,' zei Jeremy.

'Dankjewel.' Arthur stopte de zijden pochet terug in zijn borstzakje. Keurig en een tikje achteloos. 'Twee maanden nadat ik mijn gezin verloor,' zei hij, 'om precies te zijn drieënzestig dagen later, werd de klusjesman hier op de spoedeisende hulp binnengebracht. Een darmverstopping... een van die onverwachte dingen. Hij werd behandeld, maar zonder succes. Zijn ingewanden werden door gangreen aangetast en hij was binnen drie dagen dood. Ik heb hem niet meer in leven gezien. Maar ik had wel de gelegenheid om de lijkschouwing bij te wonen.'

'Van binnen uit weggerot. Heel toepasselijk.'

Arthurs hand gleed over het tafeltje en pakte Jeremy's mouw vast. 'Ik had ook het gevoel dat het heel terecht was. Het feit dat hij op die manier aan zijn einde kwam, leek ongelooflijk toepasselijk. Pas jaren later, toen ik anderen leerde kennen die hetzelfde hadden meegemaakt, drong de waarheid tot me door.'

'Het middel is belangrijker dan het doel,' zei Jeremy.

'Het doel is goddelijk, maar niet alleen aan God voorbehouden. Het is iets dat Hij met ons deelt. Iets waar we zorgvuldig mee om moeten gaan.'

'Het oorlogszwaard zal de wereld teisteren indien het recht niet wordt toegepast,' zei Jeremy. 'Wanorde.'

Arthur trok zijn hand terug. Zijn mooie bruine huid had iets van zijn glans verloren. Hij zag er oud uit.

'Zal ik nog een kopje thee voor je halen, Arthur?'

'Graag.'

Jeremy haalde een kopje voor hem en keek toe hoe hij het opdronk. 'Heb je nog de puf om een paar vragen te beantwoorden?'

Arthur knikte.

'Ik wil graag iets meer weten over Edgar. Ik weet wat er op Kurau is gebeurd, maar niet hoe Edgar daar persoonlijk bij betrokken is geweest. Was het puur een politieke kwestie?'

Arthur sloot zijn ogen en deed ze meteen weer open. 'Dat verhaal moet je van Edgar zelf horen. Ik kan je wel vertellen dat Edgar zijn persoonlijke vermogen heeft aangewend om op het eiland een kinderziekenhuis te bouwen. Voor baby's en kleuters die anders waarschijnlijk dood waren gegaan. Ontsmettingsmiddelen, de juiste medicijnen en goed opgeleide, inheemse verpleegsters. Allemaal dankzij Edgar. Bij die rellen is alles vernietigd.'

Hij stak zijn hand uit naar zijn koffertje.

'Als wij ons met Gods werk bemoeien, maken we er af en toe een behoorlijk zootje van,' zei Jeremy. 'Neem nou Michael Srivac. Dat was een aannemer uit de stad waar Robert Balleron woonde. Een felle concurrent van Balleron. Er is nooit iemand gearresteerd voor de moord op Balleron, maar een paar maanden later kwam Srivac om het leven bij een verkeersongeluk waarbij geen andere auto's betrokken waren. Voorzover ik kan nagaan, was het wel een vreemd ongeluk. De remmen van zijn auto weigerden ineens, terwijl die auto twee dagen eerder een grote beurt had gehad.'

'Daar kijk ik niet van op,' zei Arthur. 'Tijdens de Tweede Wereldoorlog stortten meer militaire vliegtuigen neer nadat ze net een onderhoudsbeurt hadden gehad dan op enig ander moment.'

'Wou je zeggen dat God daar helemaal in Zijn eentje voor heeft gezorgd?'

'Dat is een verhaal dat Tina...'

'... me zelf maar moet vertellen,' zei Jeremy. 'En hetzelfde geldt voor Shadley Renfrew, hè? Zijn vrouw werd tweeëndertig jaar geleden vermoord. Alles duidde erop dat ze een inbreker had verrast. De verdenking viel op een bekende misdadiger... een geveltoerist. Maar omdat er niet voldoende bewijs was, heeft hij nooit terechtgestaan. Zes maanden later spoelde zijn lichaam aan op de noordoever.'

'Shadley was een heel bijzondere man,' zei Arthur. 'Met een enorm geheugen en een scherp oog voor details. Een prachtige Ierse tenor. Hij heeft zijn dochter...'

'... alleen grootgebracht. Dat heeft ze me verteld. Ik liep de winkel binnen toen zij net op het punt stond die voorgoed te sluiten. Ik neem aan dat de boeken in goede handen zijn.'

Arthur knikte, pakte opnieuw zijn koffertje, haalde er een zwartfluwelen doos uit en zette die voor Jeremy neer.

'Is dat een cadeautje?'

'Een klein teken van onze dank.'

'En met "onze" bedoel je dan de City Central Club. Daar was Renfrew ook lid van, hè? Door zijn overlijden bleef er een lege plek achter.'

Arthur glimlachte. Voordat Jeremy nog iets kon zeggen, was de oude man al opgestaan en liep weg met zijn koffertje in de hand. Met grote, verende passen.

Jeremy maakte de doos open. De bekleding was van wit satijn, over een uitsparing waarin de inhoud precies paste.

Een wijnbeker van gehamerd zilver.

Jeremy pakte de beker op. Hij was zwaar en er zat een briefje in. Mooi blauw geschept papier, eenmaal gevouwen. Het bekende handschrift in zwarte vulpeninkt:

Voor een jonge geleerde heer,
Met dank, bewondering en de innige hoop dat je dit nederige aanbod in overweging wilt nemen. Eén ziel gaat, een andere komt. Het leven is kort, heftig, uitbundig en banaal.
Laat ons dit korte verblijf opfleuren met lekker eten, hartverwarmende drinkgelagen en de sprankelende kameraadschap van eensgezinde zielen.
In genegenheid,
De Centrale Conspiratie Club.

Nou ja, hij had er dichtbij gezeten.

57

'Je vindt ze vast aardig,' zei Angela.

'Weet je zeker dat je dit wilt?'

'Heel zeker.'

Zondag, één uur 's middags. Het gerucht ging dat vanuit Canada een stel ziedende sneeuwstormen met een noodgang op weg was naar het zuiden, maar raar genoeg was het juist warmer geworden.

Ze zaten te lunchen in een restaurant bij de haven. Gebakken vis, koolsla en bier. Een mooi uitzicht over het meer. Net ver genoeg weg om het olielaagje op het water niet te kunnen onderscheiden. Vanaf hun tafeltje leek het water op Gods eigen spiegel.

De publiciteit rond de misdaden van Augusto Graves, zijn relatie tot Central City – en tot Ted Dirgrove – had paniek veroorzaakt bij de leiding van het ziekenhuis. Dirgrove had verlof opgenomen. De charmante jongedames van de afdeling ontwikkelingswerk zaten met de handen over elkaar. De onbekwame leden van de bewakingsdiensten kibbelden met verslaggevers.

Jeremy maakte gebruik van de verwarring door twee maanden betaald verlof te vragen, te krijgen en op te nemen wanneer hem dat uitkwam. Hij was van plan om binnenkort te vertrekken. Zodra de politie de zaak in kannen en kruiken had. Zodra al zijn patiënten naar behoren waren overgenomen.

Hij had er ook op gestaan dat Angela tien dagen vrij kreeg, zonder dat haar dat op een slechte aantekening kwam te staan. Hij had wel meer tijd willen vragen, maar ze had gezegd: 'Ik kan echt niet langer weg.'

Het werkschema.

Maar dat was prima. Op die manier zou hij wat tijd voor zichzelf hebben, misschien om te gaan reizen. En dingen op te steken. De eerste tien dagen – de fijnste dagen – zou hij samen met Angela doorbrengen, ver weg van spoedgevallen, herinneringen en het verdriet van andere mensen.

Hij wist bijna zeker dat ze op die manier een nieuw stadium zouden bereiken.

Angela was opgewonden bij het vooruitzicht. Vandaag had ze hem verrast met een plan: ze zouden naar Californië vliegen, een auto huren – een cabrio – en langs de kust rijden, gewoon langs de kust. Overal waar de zon scheen.

En dan het aarzelende vervolg: *Zouden we de laatste paar dagen bij mijn familie kunnen doorbrengen? Ik wil dat ze je leren kennen.*

'Ze zullen vast dol op je zijn.'

'Je lijkt wel heel zeker van je zaak.'

'Ik weet het honderdvijftig procent zeker. Omdat ík dol op je ben en ik ben hun prinsesje-dat-geen-kwaad-kan-doen.'

'Dus zoveel macht heb je.'

'Jawel.'

'Beangstigend,' zei Jeremy.

'Ja, hè.' Ze lachte. Het licht dat van het meer weerkaatste, sijpelde door haar golvende haar.

Een mooi meisje. *Hier.*

'Kun je zoveel macht wel aan, stoere knul?'

'Ja, hoor.'

Ze zaten tegenover elkaar. *Te ver.* Jeremy stond op en zette zijn stoel naast de hare. Ze raakte zijn wang aan. Hij streelde haar nek en ze zei: 'Wat is dit toch heerlijk.'

Ze bleven naast elkaar zitten en keken uit over het water. Hand in hand, allebei verdiept in hun eigen gedachten.

En sommige daarvan stemden overeen.